LECATUS. Armand.

Édouard BLED
Directeur honoraire de collège à Paris

Odette BLED
Institutrice honoraire à Paris

Lauréats de l'Académie française

COURS D'ORTHOGRAPHE

COURS MOYEN
CLASSES DE 6ᵉ ET 5ᵉ

Nouvelle édition révisée

Ouvrage couronné par l'Académie française

HACHETTE
Éducation

Un complément au Bled : *Cahier d'exercices d'orthographe pour le CM2. Bled - Berlion.*

Ce cahier propose une gamme d'**exercices nombreux et variés** et s'inscrit dans le prolongement du manuel «cours moyen, classes de 6e et 5e» auquel il renvoie pour l'énoncé des règles.

Auto-correctif, il permet à l'élève de travailler seul et d'évaluer lui-même ses résultats grâce aux corrigés qui se trouvent dans les pages centrales détachables.

Les maîtres trouveront également dans ce cahier des **textes de dictées** dont les difficultés sont graduées en fonction des possibilités des élèves (référence Échelle Dubois-Buyse).

Édouard Bled
avec la collaboration d'Odette Bled

J'avais un an en 1900

FAYARD

ISBN 2.01.011505.8

PRÉFACE

L'orthographe est une condition de la bonne compréhension de toute communication écrite. A celui qui lit, elle offre des indices qui facilitent la compréhension du texte ; à celui qui écrit, elle impose des contraintes qui réduisent les risques de malentendus : s'il lui fait subir de graves atteintes, il suscite chez la plupart de ceux à qui il s'adresse un jugement défavorable qui, selon la nature des relations sociales et professionnelles, peut aller jusqu'au discrédit. *Pour ces motifs, il appartient à l'institution scolaire d'assurer une pratique adéquate de l'orthographe à tous ceux qu'elle contribue à former.* (Instructions officielles pour l'enseignement de l'orthographe dans les écoles et les collèges.)

Or, la plupart du temps, on étudie l'orthographe sans méthode et par le seul moyen des dictées. Aussi les difficultés se présentent-elles au hasard, et certaines n'apparaissent-elles jamais. On ne concevrait pourtant pas qu'un enfant eût à résoudre des problèmes sans avoir acquis le mécanisme et le sens des opérations ou sans posséder des éléments de système métrique et de géométrie. *L'orthographe doit s'enseigner aussi logiquement et pratiquement que le calcul, par des exercices.* Il faut donc une méthode. Celle que nous proposons a été expérimentée pendant des années, toujours avec succès.

Cet ouvrage n'est pas une grammaire ; il la complète, l'enseignement de la grammaire n'étant pas suffisant pour donner aux enfants une orthographe correcte.

Les mêmes Instructions officielles précisent que l'enseignement de l'orthographe doit être « soutenu par des exercices d'entraînement ».

Le présent ouvrage contient donc nombre de ces exercices d'entraînement destinés à faire passer la règle dans l'habitude. Il comprend trois parties bien distinctes :

> **L'ORTHOGRAPHE GRAMMATICALE ;**
> **LA CONJUGAISON ;**
> **L'ORTHOGRAPHE D'USAGE.**

ORTHOGRAPHE GRAMMATICALE

Nous avons procédé par élimination. Chaque difficulté est étudiée pour elle-même, dans des phrases soigneusement choisies. Plus de pièges. Plus de confusions résultant des homonymies. Plus de lacunes dans les connaissances des enfants. *Il n'est pas question d'exclure la dictée d'un texte d'auteur, mais celle-ci, véritable mosaïque de difficultés, devient l'aboutissement de la méthode.* L'enfant, amené sur des difficultés graduées, ne les redoute plus. *Il soumet à un examen rapide chaque mot qu'il écrit pour en déterminer la nature et faire l'accord approprié.* Grâce à cet effort constant, les progrès se dessinent, l'enfant est encouragé.

PRÉFACE

La partie grammaticale commence par les leçons se rapportant à : **et, est** — **on, ont** — **a, à** — **ces, ses** — **se, ce**, etc., parce que ces mots sont si usuels qu'il importe d'aborder ces leçons dès le début de l'année. Pour le reste, nous avons serré de près l'enseignement de la grammaire.

CONJUGAISON

Le verbe est le mot essentiel de la proposition ; il importe de bien connaître ses formes multiples et variées. De nombreux exercices répondent à cette préoccupation. Nous avons aussi constamment rapproché des formes que l'oreille est tentée de confondre, comme *je plie, je remplis* — *il boira, il flamboiera*, etc. Enfin nous avons étudié avec soin les particularités et les verbes irréguliers usuels.

ORTHOGRAPHE D'USAGE

Beaucoup de mots peuvent être groupés par analogie de terminaison ou de difficulté ; l'enfant doit connaître les probabilités d'apparition de ces graphies. Les mots usuels restant en dehors de toute règle et contenant une difficulté doivent être **appris par cœur. Chaque soir, l'enfant apprend les mots difficiles de l'exercice dicté du lendemain.** Il les trouve à la fin de chaque leçon sous la rubrique *« Mots à étudier »*.

Le maître en fera des révisions fréquentes. Ainsi l'enfant acquerra rapidement la graphie correcte des mots usuels.

Emploi de l'ouvrage — Résultats

Le programme de chaque semaine pourra comprendre une ou deux leçons d'orthographe grammaticale, de conjugaison, d'orthographe d'usage.

Chaque leçon se divise en deux parties : les exercices au cahier d'essai, et l'exercice de contrôle, dicté au cahier de classe. **Tous les exercices dictés — composés de phrases empruntées, pour la plupart, à des textes d'auteurs — figurent dans un livre complémentaire destiné aux maîtres.**

Dans ce Cours d'orthographe nous avons établi un enseignement pratique, clair et progressif. Nous avons eu la seule ambition de donner aux maîtres et aux élèves un bon instrument.

« A partir du moment où l'enfant aura acquis une orthographe spontanément, automatiquement correcte, la faculté d'attention sera libérée d'une besogne absorbante ». En outre, la répétition de tournures variées enrichit son vocabulaire.

Bien mettre l'orthographe, c'est se préparer à bien penser.

ODETTE ET ÉDOUARD BLED.

Nota : Dans les cas douteux, nous avons adopté l'orthographe indiquée par le *Dictionnaire de l'Académie française,* édition 1932. Librairie Hachette.

PREMIÈRE PARTIE

ORTHOGRAPHE GRAMMATICALE

ET — EST

- Le chien **est** caressant **et** fidèle.
- Le chien **était** caressant **et** fidèle.

RÈGLE

Et (e.t) est une **conjonction,** mot invariable.
Est (e.s.t) est le **verbe être** et peut se remplacer par l'imparfait **était.**

EXERCICES

1. Remplacez les points par et **ou** est, **et justifiez l'emploi de** est **en écrivant** était **entre parenthèses.**

L'abeille ... active ... ingénieuse. — Le chat se ramasse ... bondit. — La fleur ... belle ... parfumée. — Le menuisier fabrique des portes ... des fenêtres, des buffets ... des tables ; il ... heureux d'avoir un bon métier. — La nature s'anime ... chacun s'empresse à sa tâche dès que le soleil ... levé. — Le manteau ... chaud ... léger. — La rue ... étroite ... tortueuse. — Le fleuve ... en crue, il roule des eaux rapides ... boueuses.

2. Même exercice que 1.

La route ... longue ... sinueuse. — Le terrassier pioche ... rejette la terre sur le bord de la tranchée. — La montagne ... couverte de sapins ... de mélèzes. — L'enfant ... attentif ... appliqué. — L'oiselet ... dans ma main, son cœur bat ... saute. — L'horizon ... noyé de brume, les feuilles tombent ... s'amassent au pied des arbres ; le pinson se tait ... s'enfuit.

3. Mettez les phrases suivantes à l'imparfait de l'indicatif :

La pomme est rouge et verte.
La plume est blanche et fine.
Paul est actif et adroit.
La côte est raide et longue.
Le rôti est tendre et juteux.

Le verre tombe et se casse.
La bête saute et fuit.
Le chien grogne et mord.
Le soleil se lève et brille.
La fumée monte et s'étale.

4. MOTS A ÉTUDIER[1].

I. le temps, le printemps, longtemps ; la romance, la confiance.
II. craintif, la crainte ; le cycliste, la bicyclette ; le lilas ; le sang, sanglant.

1. Cet exercice prépare la dictée de la leçon du lendemain (voir Préface).

SON — SONT

- Les pages de **son** livre **sont** déchirées.
- Les pages de **ses** livres **étaient** déchirées.

RÈGLE

Son (s.o.n) est un **adjectif possessif** et peut se remplacer par le pluriel **ses**.
Sont (s.o.n.t) est le **verbe être** et peut se remplacer par l'imparfait **étaient**.

EXERCICES

5. Conjuguez au présent de l'indicatif :
1. être prudent   2. être attentif   3. être en vacances
   aimer son maître   aider son camarade   finir son devoir

6. Remplacez les points par son **ou** sont ; **justifiez l'emploi de** sont **en écrivant** étaient **entre parenthèses.**
Ses camarades ... venus jouer avec ... train électrique. — La rose exhale ... parfum. — Les manches de ... pardessus ... décousues. — Ses parents ... heureux de ... retour. — Ses timbres ... rares, le collectionneur feuillette ... album avec soin. — Les fraises ... mûres, Carine en remplit ... petit panier.

7. Même exercice que 6.
Le chat dort dans ... panier, les souris ... tranquilles. — Le père et ... fils ... allés en promenade. Ils ... heureux de sortir ensemble. — Les raisins ... mûrs, le vigneron prépare ... cellier. — Jacques et ... frère ... partis pour l'école, ils se ... amusés en chemin, ils ... arrivés en retard. — Le jockey et ... cheval ... de bons amis.

8. Mettez les expressions suivantes au pluriel :

son crayon	son cahier	son disque
la fleur est jolie	le soulier est percé	le robinet est fermé
son pinceau	son maillot	son bagage
la rue est déserte	la plage est fréquentée	la fenêtre est ouverte

9. Mettez les expressions en italique au pluriel et accordez les autres mots, s'il y a lieu.
Il a réussi *son problème*, son maître est content. — *Son crayon* est cassé. — L'enfant brosse *son vêtement*. — *Le tilleul* est en fleur. — *La forêt* est vaste et touffue. — *L'abeille* est travailleuse. — L'agriculteur visite *son champ*, *le blé* est déjà haut. — L'écolier finit *son devoir*. — *La grange* est pleine de foin.

10. MOTS A ÉTUDIER.
I. le pré ; avancer, avant ; s'agglutiner ; la fourmi, la brebis.
II. l'œuvre, le manœuvre ; le creux ; le tilleul ; le hêtre.

ON — ONT

- **On** gronde les enfants qui **ont** bavardé.
- **L'homme** grondait les enfants qui **avaient** bavardé.

RÈGLE

Ont (o.n.t) est le verbe avoir et peut se remplacer par l'imparfait avaient.
On (o.n) peut se remplacer par l'homme, c'est un pronom indéfini, masculin, singulier, toujours sujet du verbe.

EXERCICES

11. Écrivez les verbes à la 3ᵉ personne du singulier de l'imparfait de l'indicatif : Ex. : *On chantait, l'homme chantait.*

casser un vase	réparer un meuble	affûter la scie
tailler la vigne	manquer le train	siffler le chien
rentrer le bétail	bêcher le jardin	frapper à la porte

12. Remplacez les points par on **ou par** ont. **Justifiez l'emploi de** on **ou de** ont **en écrivant** l'homme **ou** avaient **entre parenthèses.**
... a du plaisir à jouer avec ceux qui ... bon caractère. — ... écoute les chanteurs qui ... de belles voix. — ... ramasse des champignons, ... les mangera demain. — Au printemps les arbres ... des feuilles naissantes, ... entend des chants d'oiseaux. — Les petits poussins ... des plumes blanches. — ... apporte le dessert, ... pousse des cris de joie. — Les coureurs ... soif, ... leur donne à boire. — ... embauche dans cette usine, les chômeurs ... du travail.

13. Même exercice que 12.
... s'égratigne aux ronces, mais ... cueille le muguet odorant. — Les orages ... tout dévasté, ... rentrera peu de grain. — Les hirondelles ... regagné leur nid, ... les voit raser les toits. — Les campeurs ... laissé des papiers qu'... devra ramasser. — ... écoute ceux qui ... de l'expérience. — ... acclame ceux qui ... gagné la course. — Les ouvriers ... étalé le sable qu'... avait déchargé. — Les employés ... terminé leur travail.

14. Remplacez les points par m'ont **ou** mon **dans 1, par** t'ont **ou** ton **dans 2.**
1. Mes voisins ... rapporté ... outillage. — Mes parents ... grondé de ... étourderie. — Mes camarades ... rendu ... sac de billes. — Ils ... parlé de ... père. — Ces paysages ... rappelé ... enfance.

2. Ils ... vu sur ... vélo. — Tes amis ... accueilli chaleureusement à ... arrivée. — Les organisateurs de la fête ... demandé de leur prêter ... concours. — Tes compagnons ... reproché ... absence.

> On (o.n) veut le verbe à la 3ᵉ personne du singulier.
> Ont (o.n.t) veut le participe passé.

15. Écrivez les verbes en italique au présent et à l'imparfait de l'indicatif.

on *(couper)*   on lui *(prêter)*   on les *(ranger)*
on *(jouer)*   on me *(donner)*   on les *(tailler)*
on *(finir)*   on te *(porter)*   on les *(écouter)*
on *(chanter)*   on le *(saluer)*   on les *(casser)*

16. Mettez les verbes en italique au présent de l'indicatif.

On *(allumer)* la lampe, on *(tirer)* les rideaux. — On *(cueillir)* la cerise et on la *(manger)*. — On *(soigner)* son travail. — On *(déboucher)* la bouteille. — On *(accorder)* le violon. — On *(marcher)* sur la pointe des pieds. — On *(jouer)*, on s'*(amuser)*, on se *(rouler)* dans l'herbe. — On *(raconter)* des histoires du temps passé. — On *(raboter)* une planche. — On *(éplucher)* les légumes.

17. Mettez les verbes en italique à l'imparfait de l'indicatif.

On *(rentrer)* les pommes, on les *(entasser)* dans le grenier. — On *(terminer)* les devoirs, on les *(corriger)*. — On *(couper)* des tartines, on les *(distribuer)* aux enfants. — On *(éplucher)* les carottes, on les *(couper)*, on les *(mettre)* dans une casserole. — La lessive était faite, on *(étendre)* le linge sur des cordes. — Les enfants jouaient, on les *(regarder)*. — Les hannetons voletaient autour du prunier, on les *(pourchasser)*.

18. Écrivez correctement les verbes en italique.

Les joueurs ont *(ramasser)* les balles. — Les chiens ont *(aboyer)* toute la nuit. — Les élèves ont *(étudier)* leurs leçons. — Les menuisiers ont *(scier)* une planche. — Les jardiniers ont *(arroser)* les salades. — Les musiciens ont *(enregistrer)* leur premier disque. — Les oiseaux ont *(gazouiller)* dans le taillis. — Les étoiles ont *(scintiller)* dans le ciel. — Les vendeuses ont *(mesurer)* l'étoffe. — Les vitriers ont *(poser)* des carreaux. — Les moissonneuses-batteuses ont *(couper)* le blé. — Ils ont *(astiquer)* les casseroles. — Les orages ont *(ravager)* les vignobles. — Les papillons ont *(voltiger)* autour des fleurs.

19. 1° Analysez les ont et les on de l'exercice n° 12.
    2° Construisez cinq phrases renfermant à la fois ont et on.

20. MOTS A ÉTUDIER.
  I. un bonhomme, des bonshommes ; le géant ; le fossé ; les yeux.
 II. frais, fraîche, la fraîcheur ; la luzerne ; le monument.
III. alors, hors, dehors ; l'appétit ; las, lasse.

A — À

- Le directeur **a** acheté une machine **à** calculer.
- Le directeur **avait** acheté une machine **à** calculer.

RÈGLE

à, accentué, est une préposition, mot invariable.

a, sans accent, est le verbe avoir et peut se remplacer par l'imparfait avait.

EXERCICES

21. Conjuguez les expressions suivantes au présent de l'indicatif ; remplacez il **par un nom.**

avoir du courage   avoir confiance   avoir des billes.

22. Remplacez les points par a **ou** à, **justifiez l'emploi de** a **verbe, en écrivant** avait **entre parenthèses.**

L'enfant ... mal ... la tête. — La poupée ... un ruban ... son chapeau. — Mon père ... un journal ... la main. — La poire est un fruit ... pépins. — Paul ... des patins ... roulettes. — Annie ... une belle robe, elle en ... soin. — Jean ... peur de descendre ... la cave. — Les feuilles tombent une ... une. — Le nid ... la forme d'une coupe, il servira d'abri ... dix oisillons. — Le coq chante ... la pointe du jour. — Le pompier ... des brûlures ... la main droite.

23. Même exercice que 22.

Le facteur ... une lettre ... porter. — Le cultivateur ... son champ ... labourer. — Le naufragé ... regagné la côte ... la nage. — L'élève ... compris le problème et l'... réussi ... la satisfaction de son maître. — Ce travail ... été fait ... la main. — Il offre ... sa mère les roses qu'il ... cueillies. — Le routier ... commencé sa tâche ... l'aube et l'... terminée ... la tombée du jour. — Il ... laissé son livre ... la maison. — Médor ... rapporté la perdrix ... son maître.

24. Remplacez les points par m'a **ou** ma **dans 1, par** l'a **ou** la **dans 2. Écrivez** m'avait **ou** l'avait **entre parenthèses, s'il y a lieu.**

1. L'horloger ... remis ... montre. — ... trousse d'écolier ... été offerte par ... tante. — ... rédaction ... pris beaucoup de temps. — ... cousine ... promis de venir me voir. — ... vigne ... donné de belle grappes.

2. Il ... appelé par ... fenêtre. — Il ... croisé dans ... rue. — Le chien ... mordu à ... jambe. — Son ami a passé ... journée avec lui, il ... reconduit à ... la gare. — Cette fleur était ... plus belle du jardin, il ... cueillie pour ... mettre dans un vase.

25. Faites dix phrases sur le modèle : Le facteur **a** un colis **à** porter.

> à, préposition, veut l' **infinitif**.
>
> a, verbe, veut le **participe passé.**

---

26. **Mettez le participe passé en** é **ou l'infinitif en** e.r.

Le vent a *dévaster* les cultures. — Le froid a *faner* les dernières fleurs. — Le jardinier armé de son sécateur s'apprête à *tailler* les arbres fruitiers. — L'hirondelle a *maçonner* son nid à l'angle de ma fenêtre. — Le blé commence à *lever.* — La lune a *éclairer* la campagne. — Le cheval a *sauter* le fossé. — Le bébé cherchait à *attirer* l'attention de ses parents. — Le chien a *renverser* son écuelle. — Les enfants s'emploient à *confectionner* un cerf-volant.

27. **Même exercice que 26.**

André passe son temps à *bavarder,* à *jouer.* — Estelle a *téléphoner* à son amie. — L'enfant s'amuse à *se balancer.* — Le garagiste a *réparer* le moteur. — L'architecte a *dessiner* les plans de la maison. — Le coq a *lancer* son cocorico. — On a *préparer* des confitures. — La glace a *craquer* sous nos pas. — L'éclair a *sillonner* le ciel. — L'élève a des leçons à *réviser.* — Le menuisier a quelques planches à *raboter.*

28. **Même exercice que 26.**

Je passe des heures entières à *écouter* près des ruches les abeilles qui commencent à *bourdonner.* — Elle n'a pas *cesser* de chanter, mais elle a *changer* de voix. — Charlotte jeta aux lapins quelques choux qu'ils se mirent à *brouter.* — Grand-père restait des heures à *regarder* le feu ou à *se chauffer* au soleil. — La brise a *murmurer* dans les jeunes frondaisons.

29. **Remplacez les points par** a **ou** à.

Le charcutier ... une machine ... couper le jambon. — Le chien ... hurlé toute la nuit. — Le fermier ... rentré les foins. — Le motard cherchait ... éviter les trous de la chaussée. — Jean-Paul ... copié le résumé. — Le chasseur ... projeté de partir à l'aube. — L'alpiniste continuait ... grimper le long du rocher, malgré le froid. — Le maçon ... consolidé le mur. — Le moteur se mit ... ronfler. — La mer grossit, le navire commence ... tanguer.

30. **MOTS A ÉTUDIER.**

I. la discrétion ; le vaisseau ; le loriot ; l'essence ; le tilleul.

II. l'ampoule ; l'apprenti ; le plan ; le plancher ; le diamant ; éventrer.

III. le corps ; la gymnastique ; longtemps ; parmi ; rattraper.

CES — SES

- Paul a écorché **ses** genoux sur **ces** cailloux.
- Paul a écorché **son** genou sur **ce** caillou.

RÈGLE

Ces (c.e.s) est un **adjectif démonstratif**, pluriel de ce, cet ou de cette.

Ses (s.e.s) est un **adjectif possessif**, plur. de son ou de sa. Il faut écrire **ses** (s.e.s) quand, après le nom, on peut dire les siens, les siennes.
Ex. : Paul a écorché ses genoux (les siens).

EXERCICES

31. Mettez les expressions au pluriel, dans 1 ; au singulier, dans 2.

1. cet arbre   son crayon   ce meuble   cet homme
   cette maison   ce clocher   sa ceinture   sa poupée
   ce livre   son classeur   sa blouse   ce couteau

2. ces robes   ses fleurs   ces sacs   ses bijoux
   ses vignes   ces enfants   ses allées   ces sentiers
   ses vaches   ces cahiers   ces tables   ses chiens

32. Remplacez les points par ces **ou par** ses.
... nuages annoncent mars et ... giboulées. — Regardez ... oiseaux migrateurs, bientôt ce sera l'hiver avec ... gelées, ... chutes de neige, et aussi ... belles fêtes et ... cadeaux. — ... enfants jouent avec le bébé, s'amusent de ... rires. — Le désert déroule à l'infini ... sables brûlants. — La maison ouvre ... fenêtres sur la campagne.

33. Même exercice que 32.
Le vent souffle, ... rafales couchent l'arbre et brisent ... branches. — ... avalanches ont enseveli la maison et ... habitants. — La rivière dessine ... méandres parmi ... prairies. — Le marin prépare ... filets et part pour ... mers où l'on pêche la sardine. — ... légendes me rappellent la Bretagne et ... champs de blé noir. — Jean range ... crayons.

34. Mettez les expressions en italique au pluriel et accordez.
Ce jardin est bien entretenu. — *Ce livre* est instructif. — *Son cahier* est bien écrit. — *Sa chaussure* est décousue. — L'enfant brosse *son vêtement*. — *Cet homme* a été malade. — *Cette rivière* a des crues terribles. — *Ce chien* aboie sans arrêt.

35. 1° Analysez les ces **et les** ses **de l'exercice nº 32.**
   2° Construisez cinq phrases renfermant à la fois ces **et** ses.

36. MOTS A ÉTUDIER.
 I. le frein (freiner) ; le rein (éreinter) ; le grès ; la tempe.
II. le hangar ; l'automne ; le thym ; l'artichaut ; serein (sereine).

SE — CE

Se (s.e) et s' appartiennent au verbe pronominal.

- **Ce** petit lapin **se** faufile dans le buisson (**verbe pronominal** se faufiler).
- **Ce** que vous dites est vrai.

RÈGLE

Ce (c.e) est un **adjectif** ou un **pronom démonstratif**.
Se (s.e) est un **pronom personnel réfléchi**.

Se ne s'écrit **s.e** que dans les **verbes pronominaux** ; en les conjuguant, on peut remplacer **se** (s.e) par **me, te...**

Je **me** faufile, tu **te** faufiles, il **se** faufile...

DANS TOUS LES AUTRES CAS, il faut écrire **ce** (c.e).

Ainsi, dans : **ce que vous dites,**

ce (c.e) ne peut pas se remplacer par **me, te...**

EXERCICES

37. Conjuguez au présent et à l'imparfait de l'indicatif :

se lever tôt	se promener tranquillement	se plaindre
se salir	s'étendre dans l'herbe	se rappeler

38. Remplacez les points par ce, se **ou** s'. **Justifiez l'emploi de** se **en écrivant l'infinitif du verbe entre parenthèses.**

Ce petit chien ... roule dans l'herbe. — ... village ... blottit dans la vallée. — ... cheval ... cabre. — ... garçon ... fâche avec ses camarades. — Le soleil ... cache derrière ... gros nuage. — ... chien et ... chat ... entendent très bien, ils ne ... querellent jamais. — En ... jour de fête, les manèges ... installent sur la place du village. — ... crayon ... casse toujours. — ... boxeur ... bat avec courage.

39. Même exercice que 38.

Les moineaux ... querellent dans ... cerisier. — ... perroquet bavard ... agite sur son perchoir. — Les pommiers ... couvrent de fleurs au printemps. — Quand il sera grand, Mathieu ... lavera, ... peignera, ... habillera tout seul. — ... vieux mur ... lézarde. — Les danseurs ... avançaient au lever du rideau. — ... bois sec ... consume vite. — ... mal ... envenime faute de soins.

40. Remplacez les points par ce, se ou s', puis mettez les phrases au pluriel.

1. ... tapis ... élime sur les bords. — ... tissu ... lave facilement. — Si le navire ... approche de ... rocher, il ... y brisera. — ... glaïeul ... incline sur sa tige. — ... canard ... dandine. — ... promeneur ... arrête aux vitrines des magasins. — ... fruit est un peu acide.

2. ... malade ... rétablira vite. — ... monument ... couvre de mousse. — S'il continue à bien ... entraîner, à ... appliquer, ... jeune skieur ... verra récompensé par une victoire. — Il ... garantira du froid avec ... bon anorak. — ... vêtement ... use très vite.

41. Remplacez les points par ce, se ou s'. Justifiez l'emploi de se en écrivant l'infinitif du verbe pronominal entre parenthèses.

Les hirondelles ... rassemblent sur les fils électriques. — Je crois ... que vous me dites. — Le client ... attend à ... que vous lui fassiez une réduction. — ... que je prédis ... produira. — Je me renseigne sur ... qui ... récolte et ... fabrique dans cette riche région. — Confie-moi ... à quoi tu penses. — Il ... empresse de réclamer ... qu'on lui a promis. — On ne fait pas toujours ... que l'on veut. — Il ... contente de ... qu'on lui a donné. — Il ... demande ... qu'il va dire. — Le malade ... inquiétait jusqu'à ... que son médecin le rassure.

42. Même exercice que 41.

... dont vous parlez m'intéresse beaucoup. — Le brocanteur ramasse tout ... qu'il trouve. — La pie ... précipite sur ... qui brille. — Alice ... ennuie loin de ses parents, ... dont je ne suis pas surpris. — Les moineaux ... partagent ... que le chien a laissé dans son écuelle. — Il ... décide à faire ... qu'on lui a conseillé. — ... dont vous souffrez ... guérit très bien. — Les branches de ... pêcher ... alourdissent de fruits mûrs.

43. Remplacez les points par ce, se ou s'. Justifiez l'emploi de se ou s' en écrivant le présent de l'indicatif du verbe pronominal entre parenthèses.

L'enfant ... rappelle ... qu'il a vu, ... qu'il a observé. — Loïc ... demande ... qu'il va faire, ... qu'il va dire. — Si ... qu'on lui propose ne lui convient pas, le client ... retire. — J'aime à écouter ... que les vieilles gens racontent. — Paul ... intéresse à tout ... qu'il entreprend. — Il ... repent de ... qu'il vient de faire.

44. Construisez cinq phrases renfermant à la fois ce et se.

45. MOTS A ÉTUDIER.

I. le pampre ; les mœurs ; l'habitude, habituer, déshabituer.
II. humer ; habituel (inhabituel), habité (inhabité).

C'EST — S'EST   C'ÉTAIT — S'ÉTAIT

Se (s.e) et **s'** appartiennent au **verbe pronominal.**

- **C'est** le chien qui **s'est** sauvé (**verbe pronominal** se sauver).

- **C'était** le chien qui **s'était** sauvé.

RÈGLE

Se ne s'écrit **s.e** que dans les **verbes pronominaux** ; en les conjuguant, on peut remplacer **se (s.e)** par **me, te...**

Je **me** suis sauvé, tu **t'**es sauvé, il **s'**est sauvé...

DANS TOUS LES AUTRES CAS, il faut écrire **ce (c.e).**

Ainsi, dans : **c'est** le chien.

c' a le sens de **cela,**

De plus, cette expression **ne peut pas se conjuguer** à toutes les personnes.

EXERCICES

46. **Conjuguez au passé composé et au plus-que-parfait :**

se laver   se lever à l'aube   s'asseoir sur l'herbe
se salir   se perdre dans le bois   se servir modérément

47. **Remplacez les points par** c' (ce) **ou** s' (se). **Justifiez l'emploi de** s' (se) **en écrivant l'infinitif du verbe pronominal entre parenthèses.**

... est en tombant qu'il ... est blessé. — La forêt ... est dépouillée de sa riche parure. — ... est en forgeant qu'on devient forgeron. — ... est dans le champ de luzerne que la perdrix ... est abattue. — ... est un pompier qui ... est porté au secours de la fillette. — ... est la meilleure équipe qui ... est fait battre ; ... est le public qui est étonné. — La lune ... est levée, ... est un plaisir de la suivre dans le ciel. — ... est dans le poirier que la pie ... est posée.

48. **Même exercice que 47.**

La barque ... est écrasée sur les rochers, ... est une lourde perte pour le pêcheur. — ... était la brume du soir qui rapprochait l'horizon. — ... était un campeur qui ... était installé dans la clairière. — Les fillettes ... étaient endormies. — ... était à regret que les amis ... étaient quittés. — Les camions ... étaient embourbés dans le chemin. — Le brouillard ... était étendu sur la mer. — ... était l'heure de la sieste. — Les randonneurs ... étaient allongés à l'ombre de la haie.

49. Remplacez les points par ce, c' **ou** se, s'.

Les arbres ..s'étaient dénudés, les oiseaux s'. étaient enfuis, la neige s'.. était mise à tomber, c' était l'hiver. — Dès que le vent se fut levé, les voiles de la goélette se gonflèrent. — S'il se fût expliqué, nous lui aurions pardonné. — Les carriers parvinrent à extraire ce bloc de pierre, ce fut un rude travail. — Quand la dernière étoile se fut éteinte, ce fut le soleil qui parut. — Lorsque le bateau se fut perdu dans la brume, la femme du pêcheur regagna sa demeure. — Les roses se flétrirent, puis ce fut le tour des dahlias. — Les moineaux se sont abattus sur les cerisiers, c'est le jardinier qui n'était pas content. — Ce était un hérisson qui s'était caché dans l'herbe.

50. Même exercice que 49.

... fut une joie pour moi d'apprendre votre réussite. — Dès que le chanteur ... fut présenté, ... fut un vacarme joyeux dans la salle. — Quand les camarades ... furent séparés, chacun retourna chez soi. — ... eût été dommage de ne pas assister à ... spectacle. — Quand les hirondelles ... seront enfuies, ... sera le tour des autres passereaux de nous quitter. — ... sera aimable à vous de venir nous voir. — Les enfants ... rouleront dans l'herbe, ... sera amusant. — Je choisirai un costume pour cette fête ; ... sera le plus élégant. — Le coureur ... serait mieux classé, s'il n'avait été souffrant. — ... sera bientôt son tour de chanter, il sera agréable de l'entendre.

51. Même exercice que 49.

Il ... serait bien entraîné, s'il avait été conseillé. — ... sera bien la première fois que ... torrent sera à sec. — ... est le temps des labours, ... sera bientôt celui des semailles. — ... beau vase ... est brisé, ... est regrettable car ... était un souvenir. — Aussitôt que le soleil ... sera couché, le rossignol, qui ... est tu toute la journée, chantera. — ... eût été un séjour idéal, sans ces pluies fréquentes. — ... est parce qu'ils ... sont appliqués qu'ils ont été récompensés. — ... avait été pour moi une surprise de la rencontrer. — Le candidat ... est troublé et n'a pas réussi, ... est regrettable, car ... était une question facile. — Dès que la brume ... fut dissipée ... fut une féerie.

52. Construisez deux phrases renfermant à la fois : 1° c'est **et** s'est, **2°** c'était **et** s'était ; **3°** ce fut **et** se fut : **4°** ce sera **et** se sera.

53. MOTS A ÉTUDIER.

  I. la lisière ; l'œuvre ; l'encoignure ; la manœuvre, manœuvrer.
 II. la sœur ; le hêtre, la hêtraie ; pendant, cependant.
III. l'abîme ; la cime ; le hangar ; le bazar ; tant, un tantinet.

C'EST — CE SONT C'ÉTAIT — C'ÉTAIENT

- **C'est** une vieille maison.
- **C'était** un chien errant.
- **C'est** lui, **c'est** elle.

- **Ce sont** de vieilles maisons.
- **C'étaient** des chiens errants.
- **Ce sont** eux, **ce sont** elles.

Trois sports me plaisent : **ce sont** le tennis, la boxe, le rugby.

RÈGLE

Le verbe **être,** précédé de **ce** ou de **c',** se met généralement au pluriel s'il est suivi d'un **nom** au **pluriel,** d'une **énumération** ou d'un **pronom** de la 3ᵉ personne du **pluriel.**

EXERCICES

54. Remplacez les points par c'est **ou par** ce sont.

... votre avenir que vous préparez à l'école. — ... des cris, des exclamations joyeuses . — ... de vieux meubles, tout vermoulus. — ... la poupée que j'ai achetée. — ... vous qui porterez la nouvelle. — ... les ouvriers qui réparent le hangar. — ... des chiens qui gardent la maison. — ... elle qui l'a dit à sa mère. — ... des enfants qui jouent sur la place. — ... eux qui ont fait ce bonhomme de neige.

55. Remplacez les points par c'était **ou** c'étaient.

... les muguets qui embaumaient la forêt. — ... la nuit tombante quand nous revînmes. — ... eux qui avaient mis de l'ordre dans la maison. — ... l'orage qui avait couché les blés. — ... nous qui étions venus vous voir. — ... les récentes pluies qui avaient fait déborder la rivière. — ... lui qui avait pêché toute cette friture.

56. Remplacez les points par c'est, s'est — ce sont, se sont.

On aime ses parents, car ... à leur contact qu'on a grandi, qu'on ... formé un caractère. — Après la partie, les joueurs ... embrassés. — Les alpinistes ... équipés en vue d'atteindre le sommet de la montagne; ils réussiront, car ... de rudes grimpeurs. — Le soleil ... couché dans un ciel tout rouge. — La rivière a débordé, ... ses eaux qui ont démoli le vieux pont. — ... le chat qui ... jeté sur le caneton.

57. Remplacez les points par c'était, c'étaient — s'était, s'étaient.

... la fouine qui ... glissé dans le poulailler. — ... deux prunelles luisantes qui ... attachées sur moi, ... celles d'un chat. — Les moineaux ... blottis sous la gouttière, ... pitié de les voir. — Les tranchées ... éboulées, ... à prévoir. — ... comme une plainte, ... le vent qui se lamentait. — ... des grand-mères qui berçaient des petits enfants.

58. MOTS A ÉTUDIER.

I. la houle ; téméraire ; quotidien ; ignorant ; confiant.
II. la pyramide ; le poulain ; dispos (dispose) ; l'harmonie ; le joug.

EAUX — AUX   OUX — OUS

- Les drap**eaux** — Les chev**aux**.
- Les caill**oux** — Les cl**ous**.

RÈGLES

- Les noms et adjectifs en **eau** font le pluriel en **eaux** :

le drap**eau**   les drap**eaux**
un vin nouv**eau**   des vins nouv**eaux**

- Les noms et les adjectifs dont le pluriel est en **aux** et le singulier en **al** ou en **ail** ne prennent pas d'**e** dans la terminaison de leur pluriel. Ex. : les chev**aux** — le chev**al**.

Pour éviter la confusion, il faut penser au **singulier** :

des ois**eaux** (un ois**eau**)   →   **eaux**
des chev**aux** (un chev**al**)   →   **aux**
des trav**aux** (un trav**ail**)   →   **aux**

- Les noms en **ou** font généralement leur pluriel en **s**, sauf 7 noms :
bijou, caillou, chou, genou, hibou, joujou, pou, qui prennent un **x** au pluriel.

EXERCICES

59. Mettez les noms suivants au pluriel :

un traîneau	un bateau	un signal	un quintal
un ciseau	un vantail	un soupirail	un manteau
un émail	un lionceau	un escabeau	un corail
un tribunal	un ormeau	un rival	un journal

60. Mettez les noms suivants au singulier :

des capitaux	des maréchaux	des vitraux	des cerceaux
des animaux	des vaisseaux	des canaux	des travaux
des cardinaux	des locaux	des hameaux	des métaux
des pinceaux	des monceaux	des végétaux	des blaireaux

61. Mettez les noms suivants au pluriel :

un verrou	un caillou	un joujou	un hibou
un bambou	un cou	un clou	un biniou
un sou	un genou	un bijou	un écrou
un trou	un sapajou	un coucou	un matou

62. Mettez les expressions suivantes au pluriel :

un château féodal	un drapeau national	un poteau vertical
un bureau central	un pipeau provençal	un journal régional
un chapeau original	un tribunal spécial	un vaisseau spatial

13

63. Mettez les expressions suivantes au singulier :

des niveaux égaux   des canaux latéraux   des totaux généraux
des travaux oraux   des tableaux muraux   des cerveaux normaux
de beaux chevaux   des manteaux royaux   des rameaux nouveaux

64. Employez les adjectifs suivants avec un nom masculin pluriel :

instrumental   méridional   pectoral   rural   décimal
amical   moral   municipal   monumental   oriental
brutal   numéral   ornemental   médical   cordial

65. Mettez la terminaison convenable et justifiez-la en écrivant le mot singulier entre parenthèses.

Les jardiniers ramassent les feuilles avec des rât... — Le voyageur a acheté des journ... pour lire dans le train. — Les corb... déterrent les graines. — Les mésanges rapportent des vermiss... à leurs petits. — Les trav... des champs sont terminés. — Le carré a ses côtés ég... — Les danseuses portaient des costumes région... — Les crist... scintillent sur la nappe blanche. — Richelieu fit raser de nombreux chât... féod... — La cave reçoit le jour de deux petits soupir... — Les Esquim... se servent de traîn... en hiver.

66. Même exercice que 65.

A l'approche de l'automne, les troup... descendent de la montagne. — La marchande de poissons vend des maquer... — Les facteurs rur... ont une longue tournée à faire. — Le climat des pays tropic... est souvent funeste aux Européens. — Les cor... forment parfois des barrières infranchissables aux navires. — Les hôpit... sont pleins de malades. — Les lionc... sont de petits lions, les dindonn... de petits dindons. — Les sign... sont fermés, le train s'arrête.

67. Mettez la terminaison convenable.

Les passer... sont de petits ois... — L'enfant a soin de ses jouj... — Le mécanicien revissait les écr... du moteur. — Les bamb... sont des ros... qui poussent dans les pays tropic... — Le boulanger a reçu plusieurs quint... de farine. — Les chev... sont tombés sur les gen... — Les chevr... gambadaient autour de leur mère. — Le soleil dore les vignes sur les cot... — Le peintre nettoie ses pinc... — Les hib... ont des yeux perçants. — Ces boul... ne pousseront pas dans ce terrain plein de caill... — Les besti... paissent dans la prairie. — Des fleurs de lis ornaient les mant... roy...

68. MOTS A ÉTUDIER.

I. le salut (salutation) ; le monceau ; le cerceau (cercle) ; la clé ; l'iceberg.
II. le phénomène (phénoménal) ; le frêne ; l'orteil ; le talus ; un ormeau.

EU — EUX

● Un j**eu** danger**eux** → des j**eux** danger**eux**
une glissade danger**euse**

RÈGLE

Les noms en **eu** prennent un **x** au pluriel ; les adjectifs en **eux** ont un **x** au masculin singulier ; ils font **euse** au féminin.

Exceptions : un pn**eu** → des pn**eus** ; un bl**eu** → des bl**eus** ;

bl**eu** → un col bl**eu**, une veste bl**eue**, des cols bl**eus** ;

vi**eux** → vi**eille**. Il s'écrit toujours avec un **x**.

REMARQUE

Les adjectifs en **eux** pris comme noms conservent l'**x** au singulier.
Ex. : un ambiti**eux** → une ambiti**euse**.

EXERCICES

69. Mettez les noms suivants au pluriel :

un flambeau	un épieu	un pieu	un genou	un feu
un fardeau	un caillou	un vœu	un cheveu	un sou
un essieu	un milieu	un écrou	un verrou	un moyeu
un jambonneau	un hibou	un aveu	un adieu	un enjeu

70. Employez les adjectifs suivants avec un nom masculin singulier et un nom féminin singulier :

épineux	savoureux	crémeux	soigneux	populeux
vertigineux	rocheux	écumeux	brumeux	industrieux

71. Mettez les expressions suivantes au singulier :

des fruits véreux	des gestes gracieux	des airs mystérieux
des vents furieux	des sentiers boueux	des chevaux peureux
des repas copieux	des chemins sinueux	des métaux précieux

72. Même exercice que 71.

des vins fameux	des cheveux soyeux	des vœux affectueux
des pieux noueux	des jeux périlleux	des adieux douloureux
des pics neigeux	des lieux glorieux	des neveux respectueux

73. Complétez, écrivez, s'il y a lieu, le féminin entre parenthèses.

L'envi... n'est jamais heur... — Le village se blottit dans le cr... du vallon. — Le torrent impétu... descend de la montagne. — Le f... pétille dans la cheminée. — L'Unicef aide les enfants malheur... — Les pn... crissent dans le virage. — Le chêne majestu... résiste à la tempête. — Nous avons subi un hiver rigour... — Le paress... n'arrivera jamais à rien.

74. MOTS A ÉTUDIER.

I. le vœu ; la jacinthe ; anxieux ; quelquefois ; à travers.
II. la mésange ; l'excuse ; sensible ; orgueilleux ; mystérieux.

LES NOMS COMPOSÉS

- Un oiseau-mouche → des oiseaux-mouches
- Un rouge-gorge → des rouges-gorges
- Une pomme de terre → des pommes de terre
- Une arrière-saison → des arrière-saisons
- Un abat-jour → des abat-jour
- Un passe-partout → des passe-partout

RÈGLE

Dans les noms composés, seuls le **nom** et l'**adjectif** peuvent se mettre au pluriel, si le **sens** le permet.

Lorsque le nom composé est formé de deux noms unis par une préposition, en général seul le premier nom s'accorde.

Ex. : un pied-d'alouette, des pieds-d'alouette.

PARTICULARITÉS

Dans certaines expressions, au **féminin** (grand-mère, grand-rue, grand-place, etc.) l'usage veut que l'adjectif **grand** reste invariable au **singulier** comme au **pluriel**. On écrit :

- une grand-mère, des grand-mères.
- une grand-tante, des grand-tantes, etc.

un timbre-poste — des timbres-poste ⎫ C'est-à-dire pour la poste.
un wagon-poste — des wagons-poste ⎬ La préposition est sous-entendue.

un garde-malades — des gardes-malades ⎫ Quand le mot garde désigne
un garde-manger — des garde-manger ⎬ une personne, il a le sens de gardien et s'accorde.

EXERCICES

75. Indiquez entre parenthèses la nature des mots qui forment le nom composé et écrivez le pluriel.

un chou-fleur   un reine-marguerite   un bateau-mouche
un chien-loup   un martin-pêcheur   un chêne-liège
un chat-tigre   un homme-grenouille   un wagon-bar

76. Même exercice que 75.

une plate-bande   une morte-saison   une longue-vue
un coffre-fort   une belle-sœur   un cerf-volant
une basse-cour   un camion-benne   une chauve-souris

77. Mettez au pluriel les noms composés suivants :

une eau-de-vie   un arc-en-ciel   un croc-en-jambe
un trait-d'union   une gueule-de-loup   un bouton-d'or
un chef-d'œuvre   un pied-d'alouette   un rez-de-chaussée

78. Même exercice que 77.

un couvre-lit	un tire-bouchon	une arrière-boutique
un garde-fou	un contre-amiral	un arrière-neveu
un pare-brise	un va-et-vient	une arrière-saison
un porte-plume	un passe-partout	un après-midi

79. Même exercice que 77.

un grand-duc	une grand-maman	un garde-barrière
une grand-mère	une grand-tante	un garde-chasse
un grand-père	une grand-route	un garde-manger
un grand-oncle	une grand-messe	un garde-forestier

80. Écrivez au singulier les noms composés suivants :

des porte-clés, des porte-allumettes, des porte-parapluies, des porte-bouteilles, des presse-papiers, des porte-avions.

81. Justifiez le pluriel des noms composés suivants en les définissant :

des abat-jour, des perce-neige, des serre-tête, des porte-bonheur, des cache-col.

82. Écrivez correctement les noms composés en italique.

Des *cerf-volant* évoluent au-dessus de la plage. — Les *arc-en-ciel* arrondissent leur courbe multicolore. — Les *chauve-souris* font la guerre aux insectes et les *chat-huant* aux rongeurs. — Les *perce-neige* fleurissent en hiver. — Les *sapeur-pompier* combattent l'incendie et l'éteignent. — Cette collection de *timbre-poste* est fort intéressante. — Les *grand-mère* sont indulgentes pour leurs *petit-enfant*. — Les *martin-pêcheur* rasent l'eau en quête de poissons. — Les *rouge-gorge* sont des passereaux.

83. Même exercice que 82.

Dans le jardin d'agrément, il y a des *reine-marguerite*, des *gueule-de-loup*, des *pied-d'alouette* ; dans le potager, on remarque des *plate-bande* de *chou-fleur*, de *chou-rave* et des carrés de *pomme de terre*. — Il neige, les *remonte-pente* sont arrêtés. — Les *oiseau-mouche* sont de très petits passereaux au plumage richement coloré. — Les *sous-sol* et les *rez-de-chaussée* de ces immeubles ont été inondés. — Dans l'atelier, on entendait des *va-et-vient* de machines. — Les *moissonneuse-batteuse* ont rapidement coupé le blé.

84. MOTS A ÉTUDIER.

I. la teinte, le teinturier, teindre ; le fusain ; happer.
II. plus, plusieurs ; la souris, la brebis ; l'aiguille, l'aiguilleur.

ADJECTIFS QUALIFICATIFS EN IQUE, OIRE, ILE

- Un avion superson**ique**
- Un exercice préparat**oire**
- Un ouvrier hab**ile**

RÈGLE

Au masculin, les adjectifs qualificatifs terminés par **ique** [ik] s'écrivent **i.q.u.e,** sauf **public,**
oire [waʀ] s'écrivent **o.i.r.e,** sauf **noir,**
ile [il] s'écrivent **i.l.e,** sauf **civil, puéril, subtil, vil, viril, volatil** sans e.
On écrit **tranquille** avec deux **l.**

EXERCICES

85. Employez les adjectifs suivants avec un nom masculin pluriel et un nom féminin pluriel :

électronique	volcanique	préparatoire	utile	stérile
unique	électrique	respiratoire	facile	docile
ironique	artistique	dérisoire	habile	agile

86. Même exercice que 85.

fragile	illusoire	tranquille	noir	public
hostile	énergique	métallique	vil	puéril
textile	tragique	patriotique	civil	subtil

87. Remplacez les points par la terminaison convenable.
Faites des mouvements respiratoi... chaque matin. — Cet élève fait des efforts méritoi... pour réussir. — Un coucher de soleil féeri... embrase l'horizon. — Des chiens faméli... rôdent autour de la ferme. — L'épicier vend des produits exoti... — De gros nuages noi..., immobi..., couvrent le ciel. — La nuit tombe sur le village tranqui... — L'enseignement est obligatoi... — Voici l'automne, on entend le chant mélancoli... du vent. — Les roses exhalent un parfum subti...

88. Même exercice que 87.
Nous avons acheté ces bibelots à un prix dérisoi... — Les alpinistes sont logés dans un abri provisoi... — De magnifi... dahlias dressent leurs fières cocardes. — Ces athlètes ont remporté des succès aux Jeux olympi... — L'ébéniste habi... répare un meuble. — Le déménageur prend grand soin des fragi... bibelots. — Pour un prétexte futi..., les deux amis se sont fâchés. — La chouette, le hibou sont des oiseaux uti... — Les enfants s'ébattent dans le jardin publi...

89. MOTS A ÉTUDIER.
I. l'azur ; le taillis ; symétrique ; symbolique ; hostile.
II. l'athlète ; l'ascension ; olympique ; féerique ; aquatique.

18

ADJECTIFS QUALIFICATIFS EN **AL, EL, EIL**

- Le drapeau national — la route nationale
- Un défaut habituel — une qualité habituelle
- Un fruit vermeil — une pêche vermeille

RÈGLE

Au féminin, les adjectifs qualificatifs terminés par
al [al] s'écrivent a.l.e, ceux terminés par el [ɛl] ou eil [ɛj] s'écrivent ll.e.
Pâle, mâle, sale, ovale, fidèle, parallèle, frêle, grêle se terminent par un e
au masculin.

EXERCICES

90. Employez les adjectifs suivants avec un nom masculin pluriel et un nom féminin pluriel :

pareil	amical	maternel	pâle	frêle
annuel	brutal	provençal	mâle	fidèle
vermeil	oriental	horizontal	sale	grêle

91. Employez ces adjectifs avec un nom féminin pluriel :

cruel	moral	familial	torrentiel	universel
manuel	royal	médicinal	solennel	confidentiel
vieil	régional	tropical	artificiel	personnel
réel	matinal	principal	essentiel	industriel

92. Accordez les adjectifs en italique.

La forêt a pris sa parure *automnal*. — Vichy, Le Mont-Dore sont des stations *thermal*. — Paris, Lyon, Marseille sont les *principal* villes de France. — L'exposition *floral* reçoit beaucoup de visiteurs. — L'élève donne des réponses *original*. — *Quel* vêtements mettrez-vous pour aller à la fête ? — *Quel* fleurs cueillerez-vous ? — Le marchand fait à son client la remise *habituel*. — Sans l'intervention *providentiel* d'un promeneur, l'enfant se serait noyé. — Dans la montagne, on cueille des plantes *médicinal*.

93. Même exercice que 92.

Le café, le cacao, le thé sont des denrées *tropical*. — Je préfère les fleurs *naturel* aux fleurs *artificiel*. — Il est normal que ces deux maisons ne soient pas *pareil*. — Chacun garde le souvenir de sa maison *natal*. — J'aime les *vieil* demeures campagnardes. — Le policier relève les empreintes *digital*. — Les pluies *torrentiel* ravagent les récoltes. — Il souffle une bise *glacial*. — Le candidat a répondu aux questions *oral*. — Le pauvre oiselet est tombé sous la dent *cruel* du chat.

94. MOTS A ÉTUDIER.

I. l'abri ; immense ; la solennité, solennel ; beaucoup ; trop.
II. chaque animal ; transversal, transparent, transplanter.

LE PARTICIPE PASSÉ

- L'œillet **fané** s'incline.   →   La rose **fanée**...
- L'œillet **blanc** s'incline.   →   La rose **blanche**...

RÈGLE

Le participe passé se comporte généralement comme un adjectif qualificatif. Il peut s'employer seul ou avec les auxiliaires être ou avoir.

Pour trouver la dernière lettre d'un participe passé ou d'un adjectif qualificatif, il faut, avant tout accord, penser au féminin.

Le participe passé est en

é	pour le 1er groupe	: le lilas coupé	la fleur coupée
i	pour le 2e groupe et quelques verbes du 3e groupe	: le travail fini : le potage servi	la tâche finie la soupe servie
u s t	pour le 3e groupe	: le livre rendu : le résumé appris : le lampion éteint	la monnaie rendue la leçon apprise la lampe éteinte

Exceptions : un corps dissous — une matière dissoute, etc.

EXERCICES

95. Justifiez la dernière lettre des adjectifs suivants en les employant avec un nom masculin et avec un nom féminin singulier :

pâlot	long	ras	altier	confus
chaud	épais	léger	enjoué	gentil
prompt	las	aisé	joufflu	inouï
vieillot	fier	laid	penaud	diffus

96. Employez le participe passé de chacun des verbes suivants avec un nom masculin singulier et avec un nom féminin singulier :

rentrer	ramasser	cueillir	battre	ternir
casser	blanchir	réussir	remettre	entendre
baisser	endormir	rompre	rôtir	prendre

97. Même exercice que 96.

lire	coudre	éteindre	offrir	prévoir
dire	mourir	peindre	souffrir	détruire
faire	mettre	joindre	asseoir	construire

98. Transformez les expressions suivantes d'après le modèle : ranger le livre — le livre rangé.

tuer le lapin	aplatir un clou	mettre le couvert
briser le vase	servir le potage	asseoir le bébé
flamber un poulet	fendre le bois	satisfaire le maître
assouplir l'osier	tordre le barreau	teindre le costume
guérir un malade	abattre le chêne	instruire l'enfant

99. Même exercice que 98.

jeter la pomme	envahir la maison	acquérir la maison
serrer la vis	remplir la carafe	reprendre sa tâche
attraper la mouche	défendre son camp	remettre la clé
gravir la pente	recevoir la lettre	peindre la porte
desservir la table	boire la tisane	extraire la pierre

100. Dans chaque phrase, remplacez le participe passé en italique par un adjectif qualificatif.

Je ramasse des pommes *tombées*. — La viande *grillée* est bonne. — Le lilas *coupé* embaume l'air. — Le coffret *garni* de bonbons coûte cher. — La feuille *jaunie* se balance au vent. — La famille *unie* vit des jours paisibles. — On range les assiettes *essuyées*. — L'oie *farcie* rissole dans son jus. — Le gazon *reverdi* se pique de fleurettes. — La chemise *blanchie* sera repassée.

101. Écrivez le participe passé à la place du verbe en italique.

Le renard, *tenailler* par la faim, sort du bois. — Le temps *gaspiller* ne se rattrape pas. — La moto *embourber* a du mal à sortir de l'ornière. — Le ciel est gris et le sol *joncher* de feuilles mortes : c'est l'automne. — Le volet, *tourmenter* par le vent, frappe le mur. — On nous a servi du bœuf *bouillir*. — Le ruisseau *assagir* est rentré dans son lit. — Le maçon répare le mur *démolir*.

102. Même exercice que 101.

Aussitôt la lampe *éteindre*, je m'endors. — Des éclairs sillonnent le ciel *obscurcir*. — Le travail *entreprendre* sera de longue durée. — Le devoir *comprendre* est vite terminé. — Le buffet *peindre* en blanc met une note claire dans la cuisine. — La fillette a le front *ceindre* d'un ruban. — L'enfant *asseoir* regarde un album d'images. — Hervé a laissé le robinet *ouvrir* : la baignoire déborde.

103. MOTS A ÉTUDIER.

   I. le dahlia ; le chrysanthème ; autrefois, toutefois, quelquefois.
  II. le cerf ; l'étang ; l'orgue ; le tiroir ; parfois.
 III. l'argent ; des haillons ; le mystère ; l'ancre du navire.

ADJECTIF QUALIFICATIF
PARTICIPE PASSÉ
ÉPITHÈTES OU ATTRIBUTS

Je m'arrête à chaque adjectif qualificatif.

- La poire est **gâtée**.
- Les blés **mûrs** ont été **coupés**.

RÈGLE

L'adjectif qualificatif et le participe passé épithètes ou attributs s'accordent en genre et en nombre avec le nom ou le pronom auquel ils se rapportent.

Pour trouver ce nom ou ce pronom, il faut poser, avant l'adjectif qualificatif ou le participe passé, la question qui est-ce qui :

qui est-ce qui est gâtée ? la poire — féminin singulier, donc gâtée (é.e)

qui est-ce qui sont mûrs ? les blés — masculin pluriel, donc mûrs (r.s)

qui est-ce qui ont été coupés ? les blés — masculin pluriel, donc coupés (é.s).

EXERCICES

104. Conjuguez au présent de l'indicatif et au passé composé :

1. être gentil
   être perdu

2. être affaibli
   être instruit

3. être assidu à l'étude
   être harassé de fatigue

105. Écrivez correctement les adjectifs qualificatifs et les participes passés en italique.

Les blés *opulent* ondulent sous la brise. — Les poules *affairé* entourent la fermière. — Les moineaux *hardi* picorent dans l'écuelle du chien. — Le petit monde *ailé* s'envole. — Ils ont les yeux *bouffi* de sommeil. — Les camions sont *garé* sur le parking de l'autoroute. — La voiture lance des coups de klaxon *long* et *strident*. — Nous étions *content*.

106. Même exercice que 105.

Les *petit* chemins *gorgé* d'eau sont *impraticable*. — Ils sont *petit* mais *trapu*. — Les roses sont *joli* et *parfumé*. — Les pêches étaient *velouté*, *charnu*, *savoureux*. — Les écoliers sont *plein* de bonne volonté. — Vous êtes *dissipé*, *insouciant*, alors que vous devriez être *réfléchi*, *travailleur*. — Elles avaient été *surpris* de te trouver au lit.

107. Écrivez correctement les participes passés en italique.

Les vaches *couché* ruminent. — Les mains *rougi* par le froid, le facteur poursuit sa tournée. — Les nids *abandonné* se balancent dans les rameaux *défeuillé*. — La mer *déchaîné* gronde. — Les usines *abandonné* ferment définitivement. — Le sapin *illuminé, garni* de jouets, réjouit les enfants, on entend leurs voix *amusé*. — Les ruisselets, *grossi* par les pluies, débordent. — Les roses *épanoui* exhalent un doux parfum.

108. Même exercice que 107.

Les dictées *lu* et *relu* contiennent moins de fautes. — Il ne faut pas reprocher les services *rendu*. — Les perdrix *atteint* par le chasseur s'abattent dans le buisson. — Les incendies rapidement *éteint* ont fait peu de dégâts. — Les arbres *dépouillé* allongent leurs bras *amaigri*. — J'aime les maisons *couvert* de tuiles. — Les nouvelles *reçu* sont bonnes.

109. Même exercice que 107.

Les terres *fumé, retourné*, seront *ensemencé*. — Les serviettes *lavé, repassé*, vont être *rangé*. — Les moucherons étaient *happé* par les hirondelles. — Les aliments *mâché* lentement seront bien *digéré*. — Les sentiers étaient *jonché* de feuilles mortes. — Les poteaux électriques avaient été *arraché* par le vent. — Nous avions été *grondé* pour être *arrivé* en retard. — Elles ont été *ravi* de nous voir.

110. Même exercice que 107.

Les bûches *fendu* sont *empilé* en tas. — Les semailles avaient été *terminé* avant les pluies. — Nous sommes *parti* de bon matin. — Elles avaient été *poussé* vers la sortie. — Ils ont été *contraint* d'atterrir. — Les volets seront *peint* en vert pâle. — Quand la partie sera *fini*, ce sera la fête chez les supporters.

111. Accordez le participe passé des verbes mis en italique.

Les maisons étaient *blottir* dans le vallon. — Les carreaux *casser* seront *remplacer* par le vitrier. — Les massifs avaient été *tailler*, les allées *désherber* et *ratisser*. — Les vaches ont été *conduire* au pré. — Les voleurs avaient été *suivre* par les gendarmes. — Les fillettes avaient été *croire*. — Les arbres étaient *tordre* par le vent.

112. MOTS A ÉTUDIER.

I. la gaieté, gaiement ; moins, néanmoins ; ailleurs.

II. la transparence, transparent, transvaser ; l'andouillette ; la galantine.

III. l'excellence, excellent ; infatigable, infatigablement ; dehors.

IV. l'appréhension, appréhender ; la compréhension, compréhensif ; le sein.

RÉVISION

113. Remplacez les points par son ou sont.

Les maisons ... gaies, chacune a ... potager, ... verger. — Le berger et ... troupeau ... descendus de la montagne. — Les bois ... dénudés, mais le chêne garde ... feuillage mordoré. — La lionne et ... lionceau ... tapis dans l'herbe. — Les fourrés ... feuillus, le merle y bâtit ... nid.

114. Remplacez les points par on ou ont.

... regarde les films qui ... du succès. — Les vignes ... des grappes mûres, ... prépare les futailles. — ... écoute avec plaisir ceux qui ... beaucoup voyagé. — Les enfants sont pâlots, ... voit qu'ils ... besoin d'air et de soleil. — Les danseurs ... enchanté toute la salle ; ... les applaudit. — ... aide ceux qui ... faim.

115. Remplacez les points par a ou à.

Le blessé ... un pansement ... la tête. — Jean ... mal ... la jambe. — Mon oncle ... une maison ... la campagne. — Il rentre ... la nuit, il n'... pas peur. — Le plombier n'... pas le temps de venir ... la maison parce qu'il ... trop de travail. — La fillette ... un ruban ... son chapeau. — Le passant ... soif, il boit ... la fontaine.

116. Mettez le participe passé en é ou l'infinitif e.r.

La pierre a *rouler* sur la pente. — Tu penses à *réviser* ta leçon. — L'orage a *dévaster* le champ. — La secrétaire a son courrier à *taper*. — Il perdait son temps à *bavarder*. — L'enfant passait des heures à *regarder* par la fenêtre. — L'écureuil a *grimper* à l'arbre, il a *manger* des noisettes.

117. Remplacez les points par ses ou ces.

Il faut aimer ... parents. — ... pompiers sont braves. — L'ouvrier nettoie ... outils. — Dans ... régions, on cultive le blé. — Par ... temps de pluie, l'enfant met ... bottes. — Le fermier vendra ... récoltes et ... deux vaches-là. — Claire range ... disques. — ... chants me rappellent mon village et ... danses. — ... fruits sont juteux.

118. Mettez la terminaison convenable : eaux, aux, s ou x.

Les vieux chât... ont des portails couverts de clou... — Le corbeau honteu... a perdu son fromage. — L'automobiliste regarde les pann... — Le soir, je lis plusieurs journ... — Il a égratigné ses genou... sur des caillou... — L'or est un métal précieu... — Louis a des cheveu... blonds. — Les grillons se cachent dans des trou...

119. Accordez les adjectifs en italique.

Des paroles *amical*. — Des constructions *féodal*. — Des fleurs *naturel*. — Des plantes *tropical*. — Des caresses *maternel*. — Des tigresses *cruel*. — Des réunions *familial*. — Des maisons *paternel*. — Des lignes *vertical*. — Des dépenses *annuel*.

PARTICIPE PASSÉ AVEC ÊTRE OU AVOIR

- La voiture **avait été lavée.**
- Elle **avait lavé** la voiture.

REMARQUES

Lorsqu'une expression est formée de **avoir** et de **été,** c'est du verbe **être** qu'il s'agit. Dans ce cas, le participe passé **s'accorde avec le sujet.** Ex. : La voiture **avait été lavée.**

Le participe passé employé avec **avoir ne s'accorde jamais avec le sujet.** Ex. : Elle **avait lavé** la voiture.

EXERCICES

120. Conjuguez au passé composé et au plus-que-parfait de l'indicatif :
être puni   salir son corsage   être récompensé

121. Écrivez avec soin les participes passés des verbes en italique.
Des feux d'herbe sèche ont été *allumer* dans les champs. — Nous avons *écouter* et *suivre* les bons conseils. — Vous avez *répondre*. — Elles ont *chanter*. — Les chiens ont *aboyer*. — Les bûches ont *flamber* dans la cheminée. — Les dernières feuilles ont été *arracher* par la rafale. — Nous avions *expédier* un paquet. — L'armoire a été *ranger*. — Les étoiles avaient *scintiller* dans le ciel. — Ils ont *courir*. — Les lettres ont été *distribuer*.

122. Même exercice que 121.
Ils avaient *payer* leur dette. — Les fenêtres ont été *ouvrir* par les enfants. — La route a été *élargir*. — Les cerfs ont *bondir* dans le fourré. — Les automobilistes ont *éteindre* leurs phares. — La machine a *essorer* le linge. — Nous avons été *gronder*. — Les barques ont *rompre* leurs amarres. — La noix a été *casser*.

123. Même exercice que 121.
Les facteurs ont *trier* le courrier. — Ces napperons ont été *broder*. — La vaisselle a été *laver*. — Les rouges-gorges avaient *sautiller* dans la neige. — Les couteaux avaient été *aiguiser*. — Les bûcherons avaient *abattre* un grand chêne. — Les paniers ont été *remplir*.

124. Faites l'exercice sur le modèle : *Les maçons ont bâti les maisons.* — *Les maisons ont été bâties par les maçons.*
ramasser — remplir — pétrir — plier — détruire — entendre.

125. MOTS A ÉTUDIER.
  I. le pétale, le sépale ; la guêpe ; l'aspect, le respect.
 II. le scintillement, scintiller ; envahir, trahir ; l'étang.
III. l'opulence, opulent ; la mûre, le mûrier ; l'apothéose.

PARTICIPE PASSÉ ÉPITHÈTE EN É OU INFINITIF EN E.R ?

Un infinitif peut remplacer un autre infinitif.

- Le linge **lavé** sèche.   →   Il va **laver** le linge.
- Le linge **étendu** sèche.   →   Il va **étendre** le linge.

RÈGLE

Il ne faut pas confondre le **participe passé épithète** en **é** avec l'**infinitif** en **e.r**.

On reconnaît l'**infinitif** en **e.r** à ce qu'il peut être remplacé par l'infinitif d'un verbe du 3ᵉ groupe comme **vendre, mordre, voir, courir...**

Dans le cas contraire, c'est le participe passé épithète en **é**.

EXERCICES

126. Complétez. Justifiez la terminaison e.r **en écrivant entre parenthèses un infinitif du 3ᵉ groupe de sens approché.**

Je voulais visit... des pays ensoleill... — Pour prépar... son sandwich, Claire utilise du pain congel... — On entend pleur... le vent dans la forêt dépouill... — Les paysans se hâtent de charg... le foin, car les nuages amoncel... ne tarderont pas à crev... — Alors qu'il venait de pass... en tête, le coureur épuis... s'arrêta. — Qu'il est bon d'écout... des histoires du temps pass... — Prière d'observ... le règlement.

127. Complétez les mots inachevés. Justifiez la terminaison é **en écrivant entre parenthèses un adjectif qualificatif ou le participe passé d'un verbe du 3ᵉ groupe de sens approché.**

La brise fait ondul... les blés d'or. — L'orage a laissé un ciel charg... de nuages effiloch... — Annie, attrist..., regarde mont... le ballon qu'elle vient de lâch... — Le chat, le poil hériss..., est prêt à griff... — Prière de ne pas touche... aux objets expos... — Le maçon va consolid... les murs lézard... — Le cheval attach... à l'arbre n'arrête pas de piaff... — Les moineaux effray... venaient de s'envol...

128. Faites l'exercice sur le modèle : *Lacer les souliers, les souliers lacés.*

laver	peler	bêcher	remplacer	allumer
couper	coller	vider	saler	écraser
scier	payer	greffer	brûler	mériter

129. Mettez la terminaison qui convient.

J'entends cri... la girouette tourment... par le vent. — Les parieurs attroup... regardent le cheval tomb... qui essaie de se relev... — La rivière se met à charri... des glaçons. — Ces voitures répar... vont être livr... prochainement. — Le lad s'apprête à lav..., à bross... ses chevaux. — L'oiseau bless... a de la peine à s'envol... — Le sol fertilis... par l'engrais doit donn... de bonnes récoltes. — Dominique va empes... un plastron pliss... — Le renard tenaill... par la faim vient rôd... autour du village.

130. Même exercice que 129.

Les cheminées laissent échapp... des flots de fumée. — La neige, pouss... par le vent, vient s'amass... le long des haies. — Le vent faisait claqu... les volets mal attach... — On voyait arriv... l'heure de la sortie. — Les serviettes pli... étaient rang... en piles. — Les enfants vont ramass... les feuilles tomb... pour fum... la terre. — Dans l'étang, on voyait évolu... de jolies carpes. — Dans l'air calme, on sentait pass... des souffles embaum...

131. Même exercice que 129.

Les problèmes donn... ce matin étaient difficiles. — Les chrysanthèmes ébouriff..., aux longs pétales effil..., seront bientôt fan... — Il faut évit... de froiss... les pages de ses livres, il ne faut pas mouill... le doigt pour les feuillet... — On entendait la bise se lament... dans la cheminée, sanglot... à la porte ferm... — Les produits fabriqu... dans cette usine sont transport... à la gare. — Le chien vient léch... la main de son maître attrist... — Le raisin écras... laisse écoul... son jus color... et sucr...

132. Même exercice que 129.

Cri... n'est pas chant... — Se lev... tôt lui paraissait impossible. — Il a dessin... avec goût et orn... sa page d'heureuses couleurs. — Pêch... est sa distraction favorite. — Cultiv... des fleurs est un passe-temps agréable. — Collectionn... des timbres m'intéresse beaucoup. — Paul a flân... le long des quais, regard... les bateaux remont... ou descendre le fleuve; cela lui plaît. — Mang... un fruit est rafraîchissant.

133. Construisez trois phrases contenant un participe passé épithète en é et trois phrases contenant un infinitif en e.r.

134. MOTS A ÉTUDIER.

I. le goujon; le chariot; insensible; osciller, l'oscillation.

II. l'essaim, essaimer; parmi; le jonc, l'ajonc; le chaland.

III. le géranium, l'harmonium, le pensum, l'album; ainsi.

PARTICIPE PASSÉ ÉPITHÈTE EN I OU VERBE EN I.T?

Je pense à l'imparfait pour reconnaître le verbe.

- L'aube **blanchit** l'horizon. L'aube **blanchissait** l'horizon.

- Le mur **blanchi** est propre. La muraille **blanchie** est propre.

RÈGLE

Il ne faut pas confondre le **participe passé épithète** en **i** avec le **verbe** en **i.t.**

Lorsqu'on peut mettre l'**imparfait** à la place du mot, il faut écrire la terminaison **i.t** du verbe.

Dans le cas contraire, c'est le participe passé épithète en **i**.

EXERCICES

135. Mettez le participe passé ou le verbe en i.t. **Justifiez la terminaison** i.t. **en écrivant l'**imparfait **entre parenthèses.**

L'enfant, endorm... dans son berceau, repose paisiblement. — La fillette endorm... son petit frère. — La neige ensevel... la campagne. — La plaine ensevel... sous la neige est morne. — Le médecin donne des soins au malade évanou... — L'enfant s'évanou... de frayeur. — La source jaill... au pied du coteau. — L'ouvrier réfléch... avant d'entreprendre son travail. — L'élève appliqué, réfléch..., réussira. — Le maçon démol... le vieux mur. — La maison démol... livre des secrets. — Le bulldozer élarg... la route. — Le chemin élarg... laisse passer les camions.

136. Même exercice que 135.

Le castor bât... sa hutte avec des branch'ages. — La hutte bât... par les castors est solide. — La plante rafraîch... par la rosée se redresse. — La pluie rafraîch... et avive les fleurs. — Le coureur franch... la ligne d'arrivée. — La haie franch... par les chevaux est assez haute. — Le maître chois... des devoirs. — L'exercice chois... par le professeur est difficile. — Le printemps reverd... la nature. — Le merle siffle dans le bois reverd... — Le froid bleu... le visage. — Le cycliste grav... péniblement la côte. — La pente grav..., l'alpiniste se repose. — Après l'ondée, le soleil apparaît dans un ciel éclairc... — Le cuisinier éclairc... la sauce.

137. Même exercice que 135.

La Beauce fourn... beaucoup de blé. — La brebis a une toison bien fourn... — L'enfant, éblou... par le joli conte, s'endort. — Le phare éblou... l'automobiliste. — Appesant... par l'âge, le vieillard marche péniblement. — Un rayon de soleil rajeun... la vieille maison. — Ses yeux clairs brillent dans son visage rajeun... — Le chat prêt à griffer arrond... son dos. — Le village est juché sur le dôme arrond... du coteau.

138. Même exercice que 135.

L'enfant, enhard... par les encouragements de son maître, donne de bonnes réponses. — Le vannier assoupl... les brins d'osier. — Les muscles jouent bien dans son corps assoupl... par les exercices physiques. — Ce médicament assoup... le malade. — On ne rencontre personne dans les rues du village assoup... — Ce bouquet de tulipes embell... la salle de séjour. — La chaleur flétr... les fleurs. — L'ouvrier pol... le granit. — Le marbre pol... brille.

139. Même exercice que 135.

Le loir, engourd... par l'hiver, dort dans son nid de mousse. — Le froid engourd... le jardinier. — Le repas serv... est copieux. — La grand-mère serv... une tarte délicieuse. — L'ébéniste vern... un meuble ancien. — Le bahut vern... trône dans la salle à manger. — La bise roug... les doigts des écoliers. — Le tapis de feuilles assourd... les pas. — On entendait le bruit assourd... de l'orage.

140. Même exercice que 135.

Le matelot a le teint brun... par l'air du large. — Le café tiéd... dans le bol. — Le chat sommeille sur le seuil attiéd... — Cette usine enlaid... le paysage. — Il a un visage enlaid... par les larmes. — Le menuisier aplat... les clous. — Les canards ont le bec aplat... — Le commerçant établ... ses comptes. — Le pont établ... sur la rivière a été emporté par les eaux. — Les étoiles s'éteignent dans le ciel pâl...

141. Employez dans une phrase sous la forme du participe passé épithète en i, puis sous la forme du verbe en i.t :

guérir   grossir   nourrir

142. MOTS A ÉTUDIER.

I. la fixité, la fixation, fixe, fixement ; quelquefois.
II. bon gré, mal gré ; le flanc, flanquer ; toujours.
III. les palais ; un livre quelconque ; exciter.

PARTICIPE PASSÉ ÉPITHÈTE EN I.S OU VERBE EN I.T ?

Je pense à l'imparfait pour reconnaître le verbe.

- L'enfant **apprit** son résumé.
  L'enfant **apprenait** son résumé.
- Son résumé **appris**, il joua.
  Sa leçon **apprise**, il joua.

RÈGLE

Il ne faut pas confondre le participe passé épithète en i.s avec le verbe en i.t.

Lorsqu'on peut mettre l'imparfait à la place du mot, il faut écrire la terminaison i.t du verbe.

Dans le cas contraire, c'est le participe passé épithète en i.s.

EXERCICES

143. Mettez le participe passé ou le verbe en i.t. **Justifiez la terminaison** i.t **en écrivant l'**imparfait **entre parenthèses.**
Bien mal acqui... ne profite jamais. — L'artisan acqui... une maisonnette. — Le rat pri... au piège se débat. — Le cheval pri... peur et fit un écart en arrière. — L'élève compri... la leçon. — Le devoir compri... est bientôt terminé. — Mon père entrepri... un voyage. — Le travail entrepri... est plein de difficultés. — Le chat assi... au coin du feu ronronne. — Le promeneur s'assi... à l'ombre d'un chêne.

144. Même exercice que 143.
Le travail repri... dès les beaux jours. — L'emballage repri... par le marchand avait été consigné. — Le gendarme surpri... le voleur. — Le berger, surpri... par l'averse, s'abrite sous un arbre. — L'élève puni promi... de se corriger. — Le père donne à son fils le cadeau promi... — Le malade, remi...de son indisposition, fait sa première sortie. — Jean remi... le livre dans la bibliothèque.

145. Même exercice que 143.
L'enfant mi... le couvert. — Le lait mi... au réfrigérateur ne tournera pas. — Paul appri... à lire. — Vous réciterez le dernier poème appri... — Tout voyageur admi... dans ce train doit payer un supplément. — Mon camarade admi... mon raisonnement. — Le postier transmi... un télégramme. — Ce message transmi... par télex vient de nous parvenir.

146. Employez dans une phrase sous la forme du participe passé épithète en i.s, **puis sous la forme du verbe en** i.t :
soumettre   prendre   surprendre

147. MOTS A ÉTUDIER.
 I. le chœur (chant) ; l'univers (universel) ; beaucoup, trop.
II. le goujon ; l'hameçon ; le jury ; le concours, le discours.

PARTICIPE PASSÉ ÉPITHÈTE EN **T** OU VERBE EN **T** ?

Je pense à l'imparfait pour reconnaître le verbe.

- La tempête **détruit** la digue.
  La tempête **détruisait** la digue.
- Les murs **détruits** tombent.
  Les tours **détruites** tombent.

RÈGLE

Il ne faut pas confondre le participe passé épithète en t avec le verbe en t.

Lorsqu'on peut mettre l'imparfait à la place du mot, il faut écrire la terminaison t du verbe.

Dans le cas contraire, c'est le participe passé épithète en t, qui s'accorde en genre et en nombre.

EXERCICES

148. Mettez le participe passé ou le verbe en t. **Justifiez le** t **du verbe en écrivant l'**imparfait **entre parenthèses.**

Le professeur instrui... les élèves. — Les enfants instrui... réussiront. — La soupe cui... à feu doux. — Le boulanger vend des pains bien cui... — Les murs endui... de chaux sont plus sains que les murs recouverts de papiers pein... — L'ouvrier pein... les volets. — Le jour étein... les étoiles. — La voiture s'engage dans le chemin tous feux étein...

149. Même exercice que 148.

Le moniteur condui... son groupe de skieurs sur la piste rouge. — Cette affaire, condui... de main de maître, a rapporté beaucoup d'argent. — Le vent disjoin... la porte de la grange. — Les volets, disjoin... par le vent, battent le mur. — Les travaux fai... à la hâte sont rarement durables. — Le paon fai... la roue. — La Brie produi... beaucoup de blé. — Les fruits produi... par ce poirier sont superbes. — L'eau s'échappe des tuyaux mal join...

150. Même exercice que 148.

Le marin maudi... le brouillard. — La voiture s'est engagée dans de maudi... chemins. — Jean di... la vérité. — Je surpris quelques mots di... à voix basse. — Ces vêtements tein... peuvent encore faire quelque usage. — Maman tein... une robe. — Le bateau rejoin... le port. — Les coureurs, rejoin... avant l'arrivée, sont au bord de l'abandon.

151. Employez dans une phrase sous la forme du participe passé épithète en t, **puis sous la forme du verbe en** t :

écrire   construire   atteindre

152. MOTS A ÉTUDIER.

I. un cœur fier, une âme fière ; le rein, éreinter ; le remous.
II. le nourrisson, la nourrice, nourrir, nourricier, nourricière.

PARTICIPE PASSÉ ÉPITHÈTE EN **U** **OU VERBE EN** **U.T ?**

Je pense à l'imparfait pour reconnaître le verbe.

- Fabien **reçut** une lettre.
  Fabien **recevait** une lettre.

- Le colis **reçu** est gros.
  La boîte **reçue** est vide.

RÈGLE

Il ne faut pas confondre le participe passé épithète en u avec le verbe en u.t.

Lorsqu'on peut mettre l'imparfait à la place du mot, il faut écrire la terminaison u.t du verbe.

Dans le cas contraire, c'est le participe passé épithète en u.

EXERCICES

153. Complétez et justifiez, s'il y a lieu, la terminaison u.t **du verbe en écrivant l'**imparfait **entre parenthèses.**
L'abeille bu... la rosée dans le calice des fleurs. — La potion bu... par Astérix lui donne de la force. — Les marins fredonnaient une chanson connu... — L'explorateur connu... les souffrances de la soif. — Le café moulu... perd son arôme. — Le meunier moulu... le blé de la dernière récolte. — Le chien secouru... son maître. — Le noyé secouru... reprend sa respiration.

154. Même exercice que 153.
La voiture disparu... au sommet de la côte. — Le bateau dispar... transportait de nombreux passagers. — Jean su... répondre intelligemment. — La nouvelle à peine su..., tout le monde voulu... connaître les détails. — Le promoteur conclu... une bonne affaire. — Le marché conclu..., le client signe un chèque. — Le joueur, exclu... du terrain, sera suspend... pour le prochain match. — Madame Dubois exclu... le sucre de son alimentation.

155. Même exercice que 153.
Carine lu... cet ouvrage intéressant. — Ce livre lu... et relu... conserve toujours de l'attrait. — L'éolienne est mu... par le vent. — La girouette, mu... par la rafale, grince. — Joël, ému..., balbutie. — Ce spectacle ému... l'assistance. — Nadège parcouru... rapidement le programme.— Le chemin, parcouru... en groupe, parut moins long.

156. Employez dans une phrase sous la forme du participe passé épithète en u, **puis sous la forme du verbe en** u.t :
secourir   paraître   courir

157. MOTS A ÉTUDIER.
 I. la réflexion ; la difficulté ; l'incendie ; assez.
 II. le lauréat, la lauréate ; récent, récemment ; osciller.

PARTICULARITÉS DE L'ACCORD DE L'ADJECTIF QUALIFICATIF

- Le tricot et le pantalon sont **déchirés.**
- Une ferme et une maison **isolées.**
- La pivoine et l'œillet sont **fleuris.**

RÈGLES

1. Deux **singuliers** valent un **pluriel.**
2. Lorsqu'un adjectif qualificatif ou un participe passé épithète est employé avec des noms des deux genres, on les accorde au **masculin** pluriel.

EXERCICES

158. Écrivez correctement les adjectifs qualificatifs ou le participe passé épithète.

Le cri et l'appel *entendu.* — La biche et le cerf *blessé.* — La gaze et la soie *bleu.* — Le pont et le quai *détruit.* — Le poulet et l'oie *farci.* — Le sentier et la haie *fleuri.* — Le sac et le panier *rempli.* — La veste et le gilet *réparé.* — La carte et la lettre *reçu.* — La leçon et la fable *su.* — La branche et la tige *cassé.*

159. Même exercice que 158.

La pomme et la poire *mûr.* — L'agrafe et la boucle *cousu.* — Le fil et la corde *tendu.* — Le lion et la lionne *cruel.* — La robe et la jupe *noir.* — Le mensonge et le vol *puni.* — L'herbe et le gazon *jauni.* — Le beurre et la graisse *fondu.* — Le verre et la coupe *fêlé.* — La pêche et la prune *charnu.* — La rose et le lis *velouté.*

160. Même exercice que 158.

Le tracteur, la remorque, la moissonneuse-batteuse ont été *rentré.* — Les tables, les chaises et les armoires furent *vendu.* — Le bouleau, le peuplier et le tilleul étaient *argenté.* — La table, les chaises et le buffet avaient été *ciré.* — L'aiguille, le clou et l'épingle sont *pointu.* — La pomme, la noix et la châtaigne seront *cueilli.*

161. Même exercice que 158.

Le vent s'infiltre sous la porte et la fenêtre *clos.* — Les skieurs et les skieuses *fatigué* rentrent au village. — Des nids chantent dans la haie et le buisson *verdoyant.* — Sous les parasols et les tentes *bariolé* les baigneurs recherchent l'ombre. — Les poules et les canards *affairé* attendent leur repas. — Les garçons et les filles *impatient* se rendent à la fête. — Tour et clocher *ajouré* s'élancent dans le ciel. — Les banquettes et les fauteuils *rembourré* sont confortables.

162. MOTS A ÉTUDIER.

I. le sculpteur, la sculpture, sculpter ; la faïence ; gaiement.

II. le bahut ; la ceinture, le ceinturon ; à jeun ; l'estomac.

L'ADJECTIF QUALIFICATIF EST LOIN DU NOM

Je m'arrête à chaque adjectif qualificatif.

● **Poussée** par le vent, la goélette fuit.
● J'ai reçu des blessures qu'on disait **mortelles**.

RÈGLE

Quelle que soit leur place dans la phrase, l'**adjectif qualificatif** et le **participe passé épithète** s'accordent en **genre** et en **nombre** avec le nom auquel ils se rapportent.

EXERCICES

163. Accordez les adjectifs qualificatifs ou les participes passés en italique.

Enseveli sous la neige, la campagne est triste. — *Poli* avec grand soin, les casseroles brillent. — *Alourdi* de fruits mûrs, les branches cassent. — *Accablé* par la chaleur, les randonneurs dorment à l'ombre de la haie. — *Rassemblé* sur les fils télégraphiques, les hirondelles attendent le moment du départ. — *Secoué* par la bourrasque, les arbres se dépouillent. — *Atteint* par le plomb du chasseur, les perdrix s'abattent dans les champs.

164. Même exercice que 163.

Flétri par l'automne, les fleurs perdent leurs pétales. — *Durci* par le gel, le sol claque sous les pas. — *Effrayé* par le bruit, les chevaux se cabrent. — *Détruit* par la tempête, les nids pendent aux branches. — *Venu* du Nord, les oiseaux migrateurs nous annoncent les mauvais jours. — *Seul* dans la forêt, les chênes conservent leur feuillage. — *Plein* de jus sucré, les raisins attirent les guêpes gourmandes. — *Secouru* à temps, les malades guériront.

165. Même exercice que 163.

Construit avec de bons matériaux, ces bâtiments défient les années. — *Courbé* sous le poids d'un lourd buffet, le livreur monte l'escalier. — *Blotti* sous la gouttière, les moineaux attendent la fin de l'averse. — *Détaché* de l'arbre, les feuilles courent dans le sentier. — *Caché* dans le sillon, le levraut tremble de frayeur. — *Arrivé* à l'étape, les coureurs sont félicités. — *Pailleté* d'or, les yeux du chat brillent dans l'ombre. — *Grossi* par les pluies, les rivières débordent.

166. Construisez cinq phrases sur les modèles précédents.

167. MOTS A ÉTUDIER.

I. incessant, incessamment ; magistral ; la masse ; l'habit.
II. le wagon, le wagonnet ; la chandelle ; le candélabre ; la cymbale.

NOM PROPRE
OU ADJECTIF QUALIFICATIF ?

- Un **Français.**
- Le peuple **français.**

RÈGLE

Il ne faut pas confondre l'adjectif qualificatif de nationalité avec le nom propre.

L'adjectif qualificatif accompagne un nom et ne prend pas de majuscule.

EXERCICES

168. Faites l'exercice suivant sur le modèle :
le Brésil, les Brésiliens, les cafés brésiliens, la forêt brésilienne.

1. la Grèce   Paris   l'Allemagne   la Finlande
   la France   l'Angleterre   la Norvège   la Russie
   l'Espagne   l'Italie   l'Amérique   la Turquie

2. la Flandre   la Normandie   la Bourgogne   le Limousin
   la Picardie   le Berry   la Provence   le Poitou
   la Bretagne   l'Auvergne   la Vendée   la Lorraine

169. Écrivez le nom propre ou l'adjectif qualificatif qui convient.
Les *Hollande* sont de bons marins. — Les tulipes *Hollande* sont très belles. — Les torrents *Cévennes* ont des crues terribles. — Les vallées *Pyrénées* sont plus étroites que les vallées *Alpes*. — Les enfants jouent à la pelote *Basque*. — Les *Basque* parlent une langue très ancienne. — Le vignoble *Bordeaux* produit des vins renommés. — Les *Toulouse* aiment la musique. — Les chevaux *Arabie* sont nerveux et rapides. — Pasteur était *Franche-Comté*. — Le minerai de fer *Suède* est très riche.

170. Même exercice que 169.
La marine *Angleterre* est très puissante. — Le cidre *Normandie* est agréable. — Les *Normandie* ont conquis l'Angleterre. — Les villes *Bretagne* ont de vieilles maisons à colombage. — La *Suisse* est divisée en cantons. — Les chalets *Suisse* sont confortables. — Les *Bretagne* portent de jolies coiffes de dentelle. — Les *Gaule* étaient hospitaliers. — Les villages *Gaule* étaient formés de huttes. — Les *Finlande* sont des athlètes remarquables. — La forêt *Canada* couvre des étendues immenses. — Les *Canada* sont habitués aux grands froids.

171. MOTS A ÉTUDIER.
I. l'honneur, le déshonneur, honorer, déshonorer, honorable.
II. la mandoline ; guère, naguère ; chez ; le marché.

ADJECTIFS QUALIFICATIFS DE COULEUR

Des soies
- **rouges, vertes** → 1 adjectif pour 1 couleur : **accord ;**
- **rouge sombre** → 2 adjectifs pour 1 couleur : **pas d'accord ;**
- **cerise, ocre** → nom exprimant par image la couleur : **pas d'accord.**

RÈGLES

Les adjectifs qualificatifs de couleur s'accordent quand il n'y a qu'un seul adjectif pour une couleur.
Les noms exprimant par image la couleur restent invariables, mais mauve, fauve, rose, assimilés à des adjectifs, s'accordent.

EXERCICES

172. Écrivez correctement les adjectifs de couleur.

noir — des draps, des toiles
ocre — des murs, des étoffes
doré — des fruits, des poires
blanc — des lis, des roses
violet — des iris, des pensées
orangé — des rubans, des soies
mauve — des lilas, des tulipes
bleu — des yeux, des encres

173. Même exercice que 172.

bleu pâle — des nappes, des rideaux, des jacinthes, des myosotis
bleu clair — des tricots, des vestes, des gants, des robes
jaune citron — des crayons, des papillons, des voiles, des laines
vert olive — des velours, des blouses, des satins, des tentures
rouge foncé — des crêtes, des feutres, des dahlias, des fleurs

174. Même exercice que 172.

crème — des gants, des dentelles, des papiers, des roses
marron — des feutres, des jupes, des chapeaux, des écharpes
paille — des taffetas, des soieries, des corsages, des franges
cerise — des rubans, des ceintures, des foulards, des cravates
mastic — des tentes, des manteaux, des pantalons, des imperméables

175. Écrivez correctement les mots en italique.

Des fumées *noir* sortent des cheminées. — Autrefois, les veuves étaient vêtues de *noir*. — La maison avait des volets *vert*. — Les volets sont peints en *vert*. — Les fraises font des taches *rouge* sur les feuilles *vert foncé*. — Le chien a des yeux *marron*. — Dans les paniers s'amoncellent des fruits *jaune, rouge, vert, doré*. — La fillette a les cheveux *châtain*. — La perle jette des reflets *nacré*. — Le vigneron a les vêtements teints en *bleu* par le sulfatage. — Les coureurs portent des maillots *olive*. — Annie a des gants *cerise*.

176. MOTS A ÉTUDIER.

I. le chrysanthème ; le dahlia ; la jacinthe ; ailleurs, plusieurs.
II. le foin ; le velours ; un iris ; une fleur naine ; la lueur.

LES ADJECTIFS NUMÉRAUX

- Cet outil vaut :
  quatre-vingts francs ;
  quatre-vingt-un francs ;
  deux cents francs ;
  deux cent dix francs.

- Les **quatre** ailes.
  Dix mille francs.
  Dix milliers de francs.
  Les **premiers** hommes.
  L'an **mil** (ou **mille**) **neuf cent**.

REMARQUE

On tolère l'accord de vingt et de cent quand ils sont suivis d'un numéral.
Ex. : **deux cent dix** ou **deux cents dix**.

RÈGLES

Les adjectifs numéraux cardinaux sont invariables, sauf vingt et cent quand ils indiquent les vingtaines et des centaines rondes. Mille, adjectif, est toujours invariable, mais millier prend un s au pluriel parce que c'est un nom.
Les adjectifs numéraux ordinaux prennent un s au pluriel.
Dans les dates, jamais d'accord, et l'on écrit mille ou mil.

EXERCICES

177. Écrivez en lettres les nombres de 2 à 20, précédés de l'article les et suivis d'un nom. Ex. : *les deux hommes.*

178. Faites l'exercice sur le modèle suivant :
1 000 — mille vaches — un millier de vaches
2 000 — 3 000 — 4 000 — 5 000 — 25 000 — 50 000

179. Écrivez ces nombres en lettres, et faites-les suivre d'un nom.
20 — 28 — 80 — 89 — 100 — 175 — 200 — 201 — 320 — 380 — 400

180. Écrivez les dates en lettres.
Victoire de Bouvines (1214). — Jeanne d'Arc délivra Orléans en 1429. — Christophe Colomb découvrit l'Amérique en 1492. — Louis XIV régna de 1643 à 1715. — Victoire de Valmy (1792). — Victoire d'Austerlitz (1805). — Découverte du vaccin contre la rage (1885). — Première victoire de la Marne (1914). — Victoire de Verdun (1916).

181. Écrivez en lettres les nombres en italique.
Le feuilleton commence généralement vers les *9* heures. — Avec les *7* notes de la gamme, on a composé de beaux chants. — L'araignée court de toute la vitesse de ses *8* pattes. — La mère poule, suivie de ses *5* poussins, se promène dans la cour. — Avec mes *20* francs, j'achèterai un livre. — C'est par l'entente de ses *11* joueurs que cette équipe a gagné. — J'aime mes *4* frères.

182. MOTS A ÉTUDIER.
I. l'angélus ; la fantaisie, fantasque, fantastique ; la piqûre.
II. le compte, le comptoir, compter ; la satiété, insatiable.

TOUT

- **Tout** le banc. **Tous** les bancs.
- **Toute** la table. **Toutes** les tables.
- Nous irons **tous** à Paris.
- Des gilets **tout** usés, **tout** rapiécés (tout = tout à fait).
- Des vestes **tout** usées, **toutes** rapiécées.

RÈGLES

Tout remplaçant ou se rapportant à un nom est variable.
Tout précédant un adjectif qualificatif est le plus souvent adverbe, donc invariable.
Par euphonie, on accorde tout devant les adjectifs qualificatifs féminins commençant par une consonne ou un h aspiré.

MÊME

- Ils ont les **mêmes** livres.
  Portons le sac nous-**mêmes.**
- Les chèvres broutent **même** l'écorce des arbres.

RÈGLE

Même s'accorde quand il veut dire pareil, semblable et aussi dans les groupes : nous-mêmes, vous-mêmes (quand il s'agit de plusieurs personnes), eux-mêmes, elles-mêmes.

QUELQUE
CHAQUE

- Mange **quelques** cerises.
  Depuis **quelque** temps, il pleut.
- **Chaque** chien, **chaque** animal.

RÈGLE

Quelque s'accorde seulement quand il a le sens de plusieurs.
L'expression quelque chose est invariable.
Chaque marque toujours le singulier. Rappelons-nous l'expression chaque animal.

EXERCICES

183. Écrivez correctement tout **dans les expressions suivantes :**

tout le jour	*tout* tes outils	*tout* la troupe
tout les enfants	*tout* ta fierté	*tout* les filles
tout ces fruits	*tout* ses légumes	*tout* ces pêches
tout mes amis	*tout* sa peine	*tout* cette maison
tout nos devoirs	*tout* vos fleurs	*tout* leurs œufs

184. Écrivez correctement tout (**au sens de** tout à fait) :

des routes *tout* droites

des arbres *tout* tordus

des plumes *tout* hérissées

une mer *tout* agitée

des herbes *tout* humides

des souliers *tout* usés

des mains *tout* gercées

des visages *tout* ridés

des maisons *tout* blanches

des lustres *tout* allumés.

185. Accordez, s'il y a lieu, les mots en italique.

Ils se sont butés aux *même* difficultés et on fait les *même* fautes. — Les terres *même* les plus fertiles doivent être travaillées. — Cette machine lave les lainages *même* les plus fragiles. — Les voitures *même* d'occasion se vendent facilement. — Les menteurs se trahissent toujours eux-*même*. — Nous couperons nous-*même* notre viande. — Les hirondelles reviennent sous les *même* toits. — Les brocanteurs achètent *même* les vieilles ferrailles.

186. Même exercice que 185.

Les *même* questions appellent les *même* réponses. — Les *même* fleurs reviennent aux *même* saisons. — Je voudrais refaire les *même* voyages et revoir les *même* paysages. — Les assiettes anciennes, *même* fendues, ont de la valeur. — Les régions *même* les plus reculées ont été explorées. — Mes filles vous porteront *elle-même* de nos pommes. — Les poules picorent *même* les miettes.

187. Écrivez correctement les expressions en italique.

J'ai dépensé *quelque argent*. — *Quelque ardoise* du toit ont été arrachées par le vent. — Le jardinier rapporte *quelque fruit* du verger. — Il me regardait avec *quelque étonnement*. — Ma bibliothèque renferme *quelque livre intéressant*. — Le lièvre s'est caché dans *quelque buisson*. — Nous avons pêché *quelque truite*. — Cette année, mes parents ont pris *quelque semaine* de vacances. — Les ouvriers prendront *quelque repos* avant de poursuivre leur travail.

188. Même exercice que 187.

J'ai rangé cet objet dans *quelque recoin* du grenier. — Le navire s'est brisé sur *quelque écueil* à *quelque distance* de la côte. — *Quelque arbre* ombragent la petite place. — J'irai vous voir dans *quelque temps*. — *Quelque goutte* de pluie commencent à tomber. — *Quelque vieille personne* jouent au scrabble. — Il a toujours *quelque chose* à dire. — En août, nous passerons *quelque jour* à la campagne. — Il y a *quelque vingt* ans, je suis venu dans ce pays.

189. Employez chaque **avec les noms suivants :**

cheval, journal, hameau, clou, pieu, roue, métal, végétal, rideau, chou, neveu, doigt, hôpital, bocal, projet, bijou, jeu, main.

190. MOTS A ÉTUDIER.

I. le rythme, rythmique ; l'hymne ; attraper ; l'odeur.

II. l'exactitude, l'inexactitude, exact, inexact ; la vérité.

III. la métamorphose ; folâtrer ; la famille, familier, familial.

RÉVISION

191. Remplacez les points par ce, c' **ou** se, s'.

... que je lis ... retient facilement. — ... dont vous parlez m'intéresse. — Des nuages ... étaient amoncelés, ... était l'orage. — Il ... abrite sous ... vieux parapluie, ... qui le protège un peu. — ... est jour de marché, les marchands ... sont installés sur la place. — ... est à l'entrée de l'autoroute que les routiers ... sont arrêtés.

192. Écrivez les participes passés des verbes en italique.

Les merles ont *détruire* les vers. — Des insectes ont été *détruire* par le pinson. — Elles ont *pétrir* la pâte. — La pâte a été *pétrir* par Serge. — Les malades ont *boire* la tisane. — La tisane a été *boire* par David. — Les enfants avaient *coller* des timbres. — Les timbres avaient été *coller* par Nicolas.

193. Mettez le participe passé en é **ou l'infinitif en** e.r.

Il faudra répar... ces murs lézard... — On voit dans le ciel dégag... brill... une étoile. — Les poissons écaill..., enfarin..., vont être jet... dans l'huile bouillante. — Le cavalier fait galop... son cheval sur la route détremp... — Le champ bien labour... est facile à cultiv... — J'écoute chant... le vent.

194. Mettez le participe passé en i **ou le verbe en** i.t.

Le garagiste fin... la réparation. — Son travail fin..., l'ouvrier rentre chez lui. — Sur le soir, le vent fraîch... — Le lilas épanou... ses grappes mauves. — Le nénuphar épanou... fleur... la mare. — Le rosier fleur... est l'orgueil du jardin. — L'alcool avil..., abêt... l'homme. — L'ivrogne avil... a un visage abêt... par l'alcool.

195. Accordez les adjectifs en italique.

Le panneau et le meuble sont *sculpté*. — L'aiguille et la pointe sont *aigu*. — Le lierre et le liseron sont *grimpant*. — Le bouleau et le peuplier sont *argenté*. — Les tables et les chaises avaient été *ciré*. — La conférence et le spectacle furent *interrompu*. — Les rues et les boulevards ont été *décoré* pour Noël.

196. Même exercice que 195.

Chassé par le vent, les nuages filent. — *Assoupli* et *façonné,* les brins d'osier deviennent corbeilles et paniers. — *Grossi* par les pluies, la rivière déborde. — *Conduit* par leur maître, les enfants vont à la bibliothèque. — *Perdu* dans la montagne, les alpinistes retrouvent enfin leur chemin.

197. Mettez les noms suivants au pluriel :

un chou-rave, un lit-cage, un wagon-lit, un chef-lieu, un beau-frère, une plate-forme, une grand-mère, une arrière-grand-mère, un grand-père, un rouge-gorge, un va-et-vient, une arrière-saison, un timbre-poste, un arc-en-ciel

L'INFINITIF

- Les pneus sont lisses, il faut les **changer.**
- L'automne allait **jaunir** les grands bois.
- Les feuilles **jaunire**nt et se détachèrent.

RÈGLE

L'infinitif est invariable.

Il ne faut pas confondre l'infinitif en **ir** avec la **3e personne du pluriel du passé simple** en **irent.** Quand on peut mettre l'imparfait à la place du mot, il faut écrire la terminaison **i.r.e.n.t** du passé simple.

EXERCICES

198. Écrivez correctement les verbes en italique.

Le lavabo est bouché; le plombier vient le *répar...* — Les chenilles, les escargots sont nuisibles, il faut les *détruir...* ; par contre, les crapauds, les hérissons sont utiles, il faut les *protég...* — Les bourgeons pointent, le soleil printanier va les *fair... éclor...* — Les enfants prennent des ballons et vont se les *lanc...* — J'aime mes parents, je veux les *content...* — Les chevaux s'emballent, le cow-boy ne peut les *maîtris...*

199. Même exercice que 198.

Mon père pose des pièges dans le jardin, les mulots vont s'y *prendr...* — Les étoiles s'allument, on les voit *apparaîtr...* toutes quand la nuit est noire. — Ces problèmes sont difficiles, je ne parviens pas à les *résoudr...* — Les enfants s'attardent, leur maman voudrait bien les *voi... rentr...* — Les abeilles entrent dans les fleurs et les font *vacill...* sur leurs tiges. — Pour *arriv...* plus vite à Lille, le routier va *prend...* l'autoroute. — Les volets de fer sont rouillés, il faut les *gratt...* avant de les *repeindr...* — Nous avions deux vaches; quand il faisait beau, grand-père allait les *conduir...* au pré.

200. Même exercice que 198.

Les femmes des marins regardaient les goélettes *se perdr...* dans le lointain. — Les hirondelles sont revenues, c'est une joie de les *revoi...* et de les *suivr...* dans le ciel. — Quand les grandes personnes parlent, les enfants ne doivent pas les *interrompr...* — Mes camarades m'ont demandé de les *attendr...,* mais je ne les vois pas *veni...* — L'horticulteur aime ses fleurs, il éprouve du regret de les *coup...* — Les rossignols chantent, j'aime à les *entendr...* par les belles nuits d'été. — Certains mots ont la même prononciation, mais une orthographe différente, il faut réfléchir pour ne pas les *confondr...*

201. Même exercice que 198.

Quand on désire des récompenses, il faut les *mérit*... — Il y a une exposition de chrysanthèmes ; la foule se presse pour les *voi*... — La neige recouvrait les champs et semblait les *ensevel*... — Les enfants sortent de l'école, la pluie les fait *cour*... vers leurs maisons. — Les touristes s'étaient trompés de route, le paysan s'offrit à les *mettr*... dans le bon chemin. — Il faut avoir grand soin des livres prêtés, il faut les *rendr*... en parfait état. — Des cyclistes se sont blessés, des passants s'empressent de les *secour*...

202. Donnez aux verbes en italique la terminaison ir ou irent. Justifiez la terminaison irent en écrivant l'imparfait entre parenthèses.

Les cerises miroitent au bout d'un rameau, je tends la main pour les *cueilli*... — Les vendangeurs *cueilli*... les grappes et les *mir*... dans les paniers. — Les bûcherons *saisi*... leurs cognées et frappèrent le grand chêne. — Les gendarmes allaient *saisi*... le malfaiteur quand il leur échappa. — Les merles *bâti*... leur nid dans un taillis épais. — Les fauvettes s'affairent à *bât*... leur nid. — Les phares *ébloui*... le cycliste. — Il ne faut pas se laisser *éblou*... par les apparences.

203. Même exercice que 202.

Les enfants *se servi*... eux-mêmes, mais ils renversèrent le plat. — Avant de *se serv*... de leurs outils, les menuisiers les affûtent. — Mes parents *vieilli*... dans leur village natal. — Ce n'est rien de *vieill*... quand on conserve la santé. — Les branches *fléchi*... sous le poids des fruits. — Le père ne se laissa pas *fléchi*..., l'enfant dut terminer son travail. — Les torrents *s'assagi*... dans la plaine. — L'élève finit par *s'assag*... — Deux chiens *surg*... dans le sentier. — Le chasseur s'attendait à voir *surg*... le lièvre du buisson.

204. Même exercice que 202.

Les premières gelées *blanch*... la campagne. — Monsieur Durand s'inquiète : ses cheveux commencent à *blanch*... — Les chauds rayons du soleil *mûr*... les pêches veloutées. — Les rivières *gross*... quand les neiges *fond*... — Le vent se levait, la mer allait *gross*..., les pêcheurs devaient rentrer au port. — Les moineaux *se blott*... près de la cheminée. — Lorsque la neige couvre les chemins, on aime à *se blott*... au coin du feu. — De gros nuages *couvr*... le ciel. — Tu achètes du papier résistant pour *couvr*... tes livres. — Voici l'été, fraises et cerises vont *mûr*...

205. MOTS A ÉTUDIER.

I. la panthère ; la hyène ; la violence, violent, violemment.
II. l'abeille ; un scarabée ; la pitié ; le lézard.
III. attendu, inattendu ; certes ; attraper, rattraper.

ACCORD DU VERBE

Je m'arrête à chaque verbe et je pose la question :
« qu'est-ce qui ? »

- **La cheminée fume.**
- **Les cheminées fument.**
- **Le poêle et la cheminée fument.**

RÈGLE

Le verbe s'accorde en **nombre** et en **personne** avec **son sujet**. On trouve le sujet en posant la question **qu'est-ce qui ?**

Deux sujets singuliers valent **un sujet pluriel**.

— Qu'est-ce qui **fume** ? la **cheminée,** 3e pers. du sing., donc : fume **(e)**.

— Qu'est-ce qui **fume** ? les **cheminées,** 3e pers. du pluriel, donc : fument **(e.n.t)**.

— Qu'est-ce qui **fume** ? le **poêle et la cheminée,** 3e pers. du pluriel, donc : fument **(e.n.t)**.

EXERCICES

206. Écrivez les verbes en italique au présent de l'indicatif.

Je *faire* mon travail avec plaisir. — Je *serrer* la main de mon ami. — Tu *descendre* l'escalier. — La rafale *secouer* le prunier. — J'*éteindre* la lanterne. — L'ouvrier *manier* son outil avec habileté. — Tu *accorder* ton violon. — Le jardinier *cueillir* des tomates. — Le liseron *envahir* les plates-bandes. — Elle *salir* son chemisier. — Il *choisir* un jeu tranquille. — Le pinson *égayer* le jardin. — Le moineau *piller* le cerisier. — Elle *courir* à toutes jambes. — La mésange *bâtir* son nid. — Tu *s'amuser* pendant que ton camarade *travailler*. — Je *prendre* le train.

207. Même exercice que 206.

Les infirmières *veiller* les blessés. — Les côtelettes *griller* sur le barbecue. — Le malade *vaciller* sur ses jambes. — Les moineaux *sautiller* dans la neige. — L'automne *rouiller* les frondaisons. — Les oiseaux *gazouiller* dans le hallier. — Les frères *se tenir* par la main. — Les hautes cheminées d'usine *enlaidir* le paysage. — Le diamant *scintiller*. — Les vanniers *assouplir* l'osier. — Les bûcherons *équarrir* les peupliers qu'ils *venir* d'abattre. — L'artiste *chanter* bien, les spectateurs *applaudir*.

208. Même exercice que 206.

Un pont et une passerelle *enjamber* la rivière. — La grêle et la pluie *ravager* les récoltes. — Le frère et la sœur *partir* pour l'école. — La rose et le chèvrefeuille *embaumer* le jardin. — La poule et ses poussins *se promener* dans la cour. — Le guide et son client *gravir* les pentes de la montagne. — La belette et la fouine *visiter* les poulaillers. — Cette route et ce sentier *conduire* au village. — Jouer, sauter, courir lui *donner* des forces. — Le télégraphe et le téléphone *rapprocher* les distances.

209. Écrivez les verbes en italique à l'imparfait de l'indicatif.

La mouche et le moustique *bourdonner*. — La jument et son poulain *galoper* dans le pré. — Les chasseurs *guetter* le chevreuil. — Le lion et la lionne *dévorer* une gazelle. — Un gros poulet *rôtir* dans le four. — Les hiboux *détruire* les rats et les souris. — Son teint pâle et son regard triste *attirer* la pitié. — Un visage puis un autre *surgir* à la fenêtre. — La haie et le buisson *blanchir* au printemps. — Le clair soleil *adoucir* la température. — La cascade et le torrent *emplir* la montagne de leur tumulte.

210. Même exercice que 209.

Le chirurgien et son assistant *opérer* le blessé. — Le douanier et son chien *suivre* une piste. — La pâquerette et le bouton-d'or *annoncer* le printemps. — Le pêcheur *vendre* son poisson à la criée. — Des nuages épais *obscurcir* le ciel. — Le vent *se plaindre* dans la cheminée. — Le boulanger et son mitron *pétrir* la pâte. — Les maçons *crépir* la façade de la maison. — Le lierre et la vigne vierge *tapisser* les vieux murs. — Le maire *ceindre* son écharpe.

211. Écrivez les verbes en italique au futur simple.

Quand nous *être* grands, nous *aider* nos parents. — Les feuilles *joncher* les sentiers dès la fin de septembre. — Les cavaliers *attacher* leur monture. — Au printemps, les fleurs *se multiplier*. — Nous ne *gaspiller* pas notre temps, nous l'*employer* avec profit. — Nous *encourager* les skieurs. — Les voiles *se gonfler* à la brise du large. — Nous *apprendre* nos leçons. — Les étoiles *pâlir*, puis elles *disparaître* dès que l'aube *blanchir* l'horizon. — Quand nous *avoir* fini, nous *ranger* nos livres. — Nos compagnons *veiller* pendant que nous nous *reposer*.

212. MOTS A ÉTUDIER.

   I. ébranler, inébranlable ; chanter à tue-tête ; quelquefois, toutefois.
  II. l'abri ; le cours ; le concours ; le pansement, panser.
 III. le bétail ; la volaille ; certes ; assez ; chez.

L'INVERSION DU SUJET

Je m'arrête à chaque verbe. J'évite les pièges.

● **Dans le vase se fanent des œillets et des roses.**

RÈGLE

Quelle que soit la construction de la phrase, le verbe s'accorde toujours avec son sujet.

EXERCICES

213. Mettez les verbes en italique au présent de l'indicatif.
Sur la route *s'avancer* les premiers concurrents du rallye. — Dans le tilleul *se quereller* des moineaux. — Dans le pommier *s'égosiller* des merles. — Sur le roc escarpé *se tenir* des chamois. — Le chat a des yeux bridés où *s'allumer* une flamme verte. — Les yeux du chat *s'allumer* de lueurs furtives. — Le train *traverser* une région où *se succéder* les bois et les prairies. — Dans l'étang *évoluer* de petits canards. — Dans ce pays *se trouver* des vestiges historiques. — Dans le matin calme *retentir* le chant d'un coq et l'aboiement d'un chien.

214. Même exercice que 213.
Au travers des arbres *scintiller* une lumière qu'*interrompre*, par instants, les détours du sentier. — Les blés que *dorer* le couchant *onduler* sous la brise. — Sur la plaque de cuisson *mijoter* la blanquette de veau qu'*aromatiser* le laurier et le thym. — Sur le sol durci *résonner* les pas des chevaux. — Dans les interstices du vieux mur *s'accrocher* de petites graminées. — A l'annonce du tremblement de terre *accourir* les sauveteurs. — Les girouettes que *tourmenter* le vent *s'affoler* et *crier*. — C'est un ruisseau où *s'abreuver* les oiseaux.

215. Mettez les verbes en italique à l'imparfait de l'indicatif.
Les baigneurs *s'ébattre* dans l'onde qu'*agiter* de petites vagues. — Je me *diriger* vers l'endroit d'où *sembler* partir ces cris et ces rires. — A l'horizon *apparaître* les voiles blanches, aussitôt *accourir* les femmes des pêcheurs. — Les enfants *écouter* attentivement pendant que *parler* le maître. — Les travaux des champs *reprendre* et jusqu'à l'horizon *aller* et *venir* des tracteurs. — A la fenêtre, où *fleurir* des géraniums, *apparaître* un visage d'enfant. — Sur le toit *rebondir* des grêlons. — Le voyageur *suivre* une route qu'*ombrager* des peupliers.

216. Faites cinq phrases renfermant chacune une inversion **du sujet.**

217. MOTS A ÉTUDIER.
I. le sein ; le nénuphar ; le cintre, cintrer ; l'inhalation.
II. un scarabée, un musée ; quelquefois, quelque chose ; exhaler.

LE SUJET TU

Présent	Imparfait	Passé simple	Futur simple
Tu chantes	Tu chantais	Tu chantas	Tu chanteras
Tu finis	Tu finissais	Tu finis	Tu finiras
Tu entends	Tu entendais	Tu entendis	Tu entendras

RÈGLE

A tous les temps, avec le sujet **tu,** le verbe se termine par **s.**
Exceptions : tu veu**x,** tu peu**x,** tu vau**x.**

EXERCICES

218. Mettez à la 2e pers. du singulier du présent de l'indicatif :

étudier	salir	vendre	obtenir	balayer
vérifier	accomplir	apercevoir	coudre	remplir
scier	fournir	éteindre	perdre	faire
oublier	nourrir	conduire	tondre	parvenir

219. Mettez la terminaison convenable des temps simples de l'indicatif et du présent du conditionnel.

tu l'*embrasser*	tu lui *arranger*	tu la *réparer*
tu les *partager*	tu m'*envoyer*	tu m'*apprendre*
tu l'*encourager*	tu l'*installer*	tu lui *répondre*
tu lui *reprocher*	tu le *ficeler*	tu le *conduire*
tu la *payer*	tu la *casser*	tu l'*entendre.*

220. Mettez les verbes en italique : 1° au présent, 2° à l'imparfait de l'indicatif, 3° au présent du conditionnel.

Le chien *gratter* à la porte : la lui *ouvrir*-tu? — Tu t'*être coupé* et tu *saigner* abondamment. — Tu m'*apporter* des fraises et je les *trouver* succulentes. — Le rossignol *chanter* le soir : l'*entendre*-tu quelquefois? — Tu *avoir* raison d'être obéissant. — Tu *aimer* ta mère et tu la *chérir* de tout ton cœur. — Tu *vouloir* courir.

221. Mettez les verbes en italique aux temps simples de l'indicatif et au présent du conditionnel.

Tu *réciter* ta leçon. — Tu *réfléchir* avant de répondre. — Tu *réussir* ton travail. — Tu *détruire* des chenilles. — Tu *fendre* des bûches. — Tu *éteindre* la lanterne. — Tu ne *sacrifier* pas ton avenir. — Tu *employer* bien ton temps. — Tu *lacer* ton soulier. — Tu *partager* ton pain. — Tu *jeter* du grain aux pigeons.

222. MOTS A ÉTUDIER.

I. le banc, la banquette ; inhumain ; habité, inhabité.

II. alors, dès lors, hors, dehors, lors.

III. quelquefois ; tranquille ; gentil ; la liberté ; le filet.

LE SUJET ELLE

- **Il** reverdit.   **Le pré** reverdit au printemps.
- **Elle** reverdit.   **La prairie** reverdit au printemps.

RÈGLE

Aux temps simples de la voix active, le **verbe** ne s'accorde jamais en **genre**.

EXERCICES

223. Mettez la terminaison convenable du présent de l'indicatif.

grandir — le garçon ..., la fillette ...   *tiédir* — le potage ..., la soupe ...
rugir — le lion ..., la lionne ...   *jaillir* — le sang ..., la source ...
pâlir — le ciel ..., l'étoile ...   *bondir* — le cerf ..., la biche ...
faiblir — le son ..., la lumière ...   *surgir* — le soleil ..., la lune ...

224. Mettez au présent de l'indicatif les verbes en italique.
Le soleil *resplendir*. — Sa figure *resplendir* de joie. — La mauvaise herbe *envahir* le jardin. — Le liseron *envahir* les plates-bandes. — Le marbrier *polir* le granit. — La mer roule et *polir* les galets. — Le brouillard *ensevelir* la campagne. — La neige *ensevelir* la plaine. — Le soleil *jaunir* les feuilles. — La forêt *jaunir* en automne. — L'enfant *choisir* un album. — La fillette *choisir* une poupée.

225. Même exercice que 224.
La tempête *anéantir* la flottille des bateaux de pêche. — L'ouragan *anéantir* les récoltes. — L'imperméable *garantir* de la pluie. — Le pardessus *garantir* du froid. — La fumée *obscurcir* le paysage. — Le nuage *obscurcir* le ciel. — La voiture *gravir* la côte. — Le chamois *gravir* des rochers escarpés. — La vive lumière *éblouir* la vue. — Le soleil *éblouir* les yeux. — La dentelle *embellir* le napperon. — Le rosier grimpant *embellir* la maison.

226. Mettez la terminaison i, i.e **du participe passé ou** i.t **du verbe.**
L'oie *farcir* rissole dans son jus. — Le canard *farcir* dore au four. — La cuisinière *farcir* un poulet. — La fauvette *nourrir* d'insectes ses petits. — La volaille *nourrir* de grain aura une chair savoureuse. — Le lapin *nourrir* de son sera gras. — L'eau *pourrir* le bois. — La pomme *pourrir* a gâté tout le panier. — L'arbre *pourrir* tombe sous les coups du vent. — La sécheresse *flétrir* les fleurs. — La rose *flétrir* perd ses pétales. — Le dahlia *flétrir* est tout recroquevillé.

227. MOTS A ÉTUDIER.
I. l'ardeur, ardent ; l'inertie, inerte ; le bonheur, le malheur.
II. le jus ; l'hymne ; la hanche ; la tanche ; la lavandière.

LE SUJET QUI

- Je t'adore, Soleil, Toi **qui** sèches les pleurs des moindres graminées (Ed. Rostand).
- Les camions **qui** arrivaient étaient chargés de tuiles.

RÈGLE

Le pronom relatif qui est de la même personne que son antécédent. Lorsque le sujet du verbe est qui, il faut donc chercher son antécédent.

— Qu'est-ce qui sèche ? L'antécédent est toi. 2ᵉ personne du singulier, donc : sèche (e.s).

— Qu'est-ce qui arrivait ? L'antécédent est camions. 3ᵉ personne du pluriel, donc : arrivaient (e.n.t).

EXERCICES

228. Conjuguez les verbes en italique à toutes les personnes du présent de l'indicatif et du passé composé : *C'est moi qui chante, c'est toi qui chantes...*

1. C'est lui qui *chanter*
2. C'est lui qui *réciter*
3. C'est lui qui *travailler*

C'est lui qui *se plaindre*
C'est lui qui *s'éloigner*
C'est lui qui *se découvrir*

229. Conjuguez les verbes en italique à toutes les personnes de l'imparfait et du plus-que-parfait de l'indicatif : *C'était moi qui...*

1. C'était lui qui *balayer*
2. C'était lui qui *payer*
3. C'était lui qui *interroger*

C'était lui qui *se cacher*
C'était lui qui *se pincer*
C'était lui qui *se promener*

230. Écrivez au présent de l'indicatif les verbes en italique.

Les fleurs, qui *étoiler* les branches du pommier, ne donneront pas toutes des fruits. — Toi, qui *parcourir* les bois, rapporte-nous des muguets odorants. — Soyez compatissants pour ceux qui *souffrir*. — La grand-mère raconte à ses petits-enfants une histoire qui les *émerveiller*. — Le mendiant porte des haillons qui ne le *protéger* pas du froid. — Toi, qui *être* réfléchi, appliqué, tu réussiras. — Les bourgeons, qui *éclater*, laissent entrevoir des feuilles fines et plissées.

231. Même exercice que 230.

La glycine, qui *encadrer* la porte, laisse pendre ses grappes mauves. — Toi, qui *avoir* beaucoup voyagé, parle-nous des pays que tu as visités. — Moi, qui *être* un ancien élève de cette école, j'éprouve du plaisir à y retourner. — J'aime ces chansons qui me *rappeler* mon enfance. — Toi, qui *s'intéresser* à la botanique, dis-moi le nom de cette plante. — Pour toi, qui *aimer* les livres, j'en choisirai un qui te fasse plaisir. — Tout ce qui *briller* n'est pas or. — Les peintres, qui *travailler* sur leur échelle, chantent à tue-tête.

232. Écrivez au présent de l'indicatif les verbes en italique.
Hirondelle légère, toi qui *venir* des contrées ensoleillées, nous apportes-tu le printemps ? — Moi, qui *avoir* oublié mon livre, je ne saurai pas ma leçon. — C'est un travail qui me *prendre* beaucoup de temps. — Le plat qui *mijoter* sur le réchaud répand une appétissante odeur. — Les pâquerettes qui *orner* les prés annoncent le printemps. — Les nuages qui *s'amonceler* amènent la pluie. — C'est toi qui *avoir* trouvé la clé. — Le tonnerre qui *gronder* effraie le troupeau. — Vous qui nous *écouter,* chantez avec nous.

233. Écrivez à l'imparfait de l'indicatif les verbes en italique.
Les bœufs, qui *mugir,* attendaient l'arrivée du fermier. — Est-ce votre frère qui vous *accompagner* ? — Moi, qui *penser* venir vous voir, j'ai été retenu. — Lui, qui *savoir* bien sa leçon, n'a pas été interrogé. — Le chemin se creusait d'ornières qui *faire* cahoter la voiture. — La haie était fleurie de chèvrefeuille qui *embaumer* le sentier. — Paul recevait une lettre qui lui *faire* plaisir. — Les blés étendaient leur nappe d'or qui *se piquer* de coquelicots et de bleuets. — Sa maman lui acheta des vêtements qui lui *aller* à ravir. — Moi, qui *espérer* une bonne note, je suis déçu. — C'était nous qui *mettre* le couvert.

234. Même exercice que 233.
Je m'intéressais aux allées et venues des fourmis qui *ramener* des provisions à leur fourmilière. — Les enfants poursuivaient un papillon qui *se poser* de fleur en fleur. — Les chiens recherchaient la piste d'un lièvre qui les *avoir* déroutés. — C'étaient des jouets qui m'*avoir* été donnés lors d'une maladie. — Ce bonnet appartient à l'un des enfants qui *jouer* là tout à l'heure. — L'écho amplifiait le grondement des torrents qui *dévaler* de la montagne. — Toi, qui *se sentir* fatigué, tu aurais dû te reposer. — Toi, qui *chanter,* petit oiseau, tu me ravissais le cœur. — Ceux qui *présenter* mal leur devoir le recommençaient. — Nous, qui *être* jeunes, aidions le vieillard.

235. 1° Analysez les pronoms relatifs et les antécédents de l'exercice 230.
2° Construisez cinq phrases dans lesquelles le pronom relatif qui aura pour antécédent un nom et cinq phrases dans lesquelles le pronom relatif qui aura pour antécédent moi ou toi.

236. MOTS A ÉTUDIER.
I. la fierté ; le sanglier ; le printemps ; l'immensité, immense.
II. le secours ; la tranquillité ; l'atmosphère, atmosphérique ; l'intervalle.
III. le troène ; la plupart ; malgré ; ailleurs.

ACCORDS PARTICULIERS

- **Roses, œillets, pivoines, tout était fleuri.**
- **La grêle ou la gelée nuisent aux plantes.**
- **Mon père ou mon frère avait conduit la voiture.**

RÈGLES

Quand un verbe a plusieurs sujets résumés dans un seul mot comme **tout, rien, ce,** etc., c'est avec **ce mot** qu'il **s'accorde.**

Quand un verbe a deux sujets singuliers unis par **ou** ou par **ni,** il se met au pluriel à moins que l'action ne puisse être attribuée qu'à un seul sujet.

EXERCICES

237. Écrivez les verbes en italique au présent de l'indicatif.
Un mot mal compris, un geste un peu vif, tout le *tourmenter.* — Le bruissement des feuilles que le vent *soulever,* le froissement des branches qui *s'entrechoquer,* tout et rien *inquiéter* le chevreuil. — Le vent et la pluie, un écho de pas *effaroucher* le levraut. — Les difficultés et les échecs, rien ne *diminuer* le courage du savant. — Joueurs et spectateurs, personne ne *comprendre* la décision de l'arbitre.

238. Écrivez les verbes en italique à l'imparfait de l'indicatif.
Faire de longues promenades, vivre le plus possible au grand air, voilà qui *fortifier.* — Femmes, vieillards, enfants, tout *être descendu.* — Femmes, vieillards, enfants, tous *être descendu.* — Femmes, vieillards, enfants *être descendu.* — La pluie ou le vent *coucher* le blé. — Ma mère ou mon père *bercer* mon petit frère. — Beaucoup de gens *promettre,* peu *savoir* tenir.

239. Même exercice que 238.
Ni Fanny ni Damien ne *jouer* dans cette pièce. — Ni Fanny ni Damien ne *tenir* le rôle principal dans cette comédie. — Sébastien était fiévreux ; ni les (joujoux) ni les (histoires) ne *pouvoir* le distraire. — Jacques était souffrant ; (joujoux) et (histoires), (rien) ne *pouvoir* l'amuser. — Les (côtes) apparaissaient peu à peu à l'horizon, (ce) qui *réconforter* les marins. — Ni mon (sac) ni mon (panier) ne *se remplir* pendant que je bavardais. — Le (tigre) ou le (lion) *avoir* mangé la gazelle.

240. Analysez les mots entre parenthèses dans l'exercice n° 239.

241. Construisez cinq phrases sur les modèles précédents.

242. MOTS A ÉTUDIER.
I. l'orme, l'ormeau ; quelque chose ; le sculpteur, sculpter.
II. le compteur, le comptoir, compter ; la plupart ; l'aboiement.

LE, LA, LES, L', DEVANT LE VERBE

Je m'arrête à chaque verbe, j'évite les pièges.

- **La maman cueille des fleurs et les dispose dans un vase.**
- **Les moineaux s'abattent sur le cerisier et le pillent.**
- **Je lui écris un mot — Il m'accompagnait à la gare.**

RÈGLE

Quels que soient les mots qui le précèdent, le verbe s'accorde toujours avec son sujet.

REMARQUES

Le, la, les, l' placés devant le nom sont des articles.
Le, la, les, l' placés devant le verbe sont des pronoms personnels, compléments directs d'objet du verbe.

EXERCICES

243. Mettez les verbes au présent de l'indicatif.

Tu la *cueillir*	On les *conduire*	Il le *saisir*
Elles les *préparer*	On les *oublier*	On me *dire*
Ils la *casser*	Il me *choisir*	Je lui *parler*
Il les *établir*	Ils lui *expliquer*	On nous *gâter*
Ils l'*écraser*	Tu lui *obéir*	On vous *féliciter*
Tu lui *défendre*	On te *remplacer*	Il me *guérir*

244. Mettez les verbes à l'imparfait de l'indicatif.

Je la *gagner*	Il me *peigner*	Ils nous *soigner*
Tu lui *prodiguer*	Nous leur *garder*	Tu nous *tourmenter*
Elles lui *témoigner*	Ils le *trouver*	Je les *prévenir*
Ils nous *saluer*	Je lui *répéter*	Il vous *employer*
Ils m'*attendre*	Il les *déplacer*	On te *punir*
On les *habiller*	Tu lui *vendre*	Il le *prendre*

245. Écrivez les verbes en italique au présent de l'indicatif.

Les enfants *rencontrer* leur grand-père et l'*embrasser* tendrement. — Le ciel *se couvrir* de nuages; le vent les *pourchasser* et les *disloquer*. — Les agents *se lancer* à la poursuite du malfaiteur et l'*arrêter*. — Le chasseur *appeler* ses chiens et les *emmener* dans la plaine. — Les élèves *s'assembler* autour de leur maître et l'*écouter* avec attention. — Les pompiers *combattre* l'incendie et l'*éteindre*.

246. Même exercice que 245.

Le conte *intéresser* les enfants et les *émerveiller*. — Les skieurs *apercevoir* une bosse et l'*éviter*. — Les plongeurs *laver* la vaisselle et l'*essuyer*. — L'infirmière *soigner* les malades et les *réconforter*. — Le jardinier *ramasser* les feuilles et les *mettre* en tas. — L'abeille *reconnaître* les fleurs et les *visiter*. — Laurent *éplucher* les pommes de terre et les *laver* soigneusement.

247. Même exercice que 245.

Sa douceur et sa bonté le *faire* aimer. — Le chat *voir* des souris, il *s'approcher*, les *surprendre*, les *attraper* et les *croquer*. — Les élèves *rechercher* la réponse, ils la *vérifier* et la *copier* au tableau. — Les enfants *chérir* la bonne grand-mère et l'*entourer* de soins affectueux. — Les peupliers *border* la route et l'*ombrager*. — Le garagiste *dévisser* les bougies et les *changer*. — Muriel *enlever* ses chaussures et les *ranger*.

248. Écrivez les verbes en italique à l'imparfait de l'indicatif.

Les vagues *retourner* la barque et l'*engloutir*. — Le jardinier *délaisser* le potager et les herbes l'*envahir*. — Le clown *amuser* les enfants et les *faire* rire aux larmes. — Les torrents *descendre* avec violence de la montagne, on les *entendre* de loin. — Sylvain avait donné rendez-vous à ses amis, il les *attendre* depuis un moment. — Les boulangers *préparer* la pâte et la *brasser* avec vigueur.

249. Même exercice que 248.

Des boutons-d'or *s'ouvrir* dans **le** pré et **le** *cribler* de points jaunes. — On cueillait **les** grappes, on **les** *porter* au pressoir. — Ses vêtements étaient trop étroits et **le** *gêner*. — Les loups *se jeter* sur **la** pauvre brebis et **la** *dévorer*. — Les rayons du soleil *percer* **la** brume matinale et **la** *disperser*. — Le grand air **les** *étourdir* un peu. — La mercière *nettoyer* **les** étagères de sa vitrine et **les** *garnir* de rubans.

250. Écrivez les verbes en italique au futur simple.

Mon ami me *tendre* la main. — Il me *dire* la vérité. — Je lui *apprendre* la fâcheuse nouvelle. — Tu lui *rendre* son crayon. — Grand-mère me *raconter* une histoire. — Je te *donner* un livre. — On les *recevoir* avec plaisir. — Le maître nous *lire* une fable. — Il me *renvoyer* la malle que je lui ai prêtée. — Il m'*entendre* et m'*ouvrir* la porte. — Ils nous *quitter* à regret. — Nous avons des bonbons, nous les *partager*.

251. Analysez les mots en gras dans l'exercice n° 249.

252. Construisez trois phrases avec les devant un verbe singulier **et trois phrases avec le ou la devant un verbe** pluriel.

253. MOTS A ÉTUDIER.

  I. hardi, la hardiesse, hardiment, s'enhardir, l'ardeur.

 II. errer ; le plomb, l'aplomb ; la cadence ; exciter.

III. harmonieux, harmonieusement, harmoniser, l'harmonium.

IV. malgré ; le pré ; le fossé ; le marché ; le défilé.

 V. humble ; l'honneur, le déshonneur ; habituer, déshabituer.

LEUR PLACÉ PRÈS DU VERBE

- Je **leur** donne la main.
- **Je lui donne la main.**
- Ils rangent **leurs** livres.
- **Il range ses livres.**

Fais-**leur** plaisir.
Fais-lui plaisir.
Ils aiment **leur** mère.
Il aime sa mère.

RÈGLE

Leur placé près du verbe, quand il est le pluriel de lui, est un pronom personnel et s'écrit toujours l.e.u.r.

Il ne faut pas confondre leur, pronom personnel, avec leur, adjectif possessif, qui prend un s quand il se rapporte à un nom pluriel.

EXERCICES

254. Conjuguez au présent de l'indicatif et au passé composé :

leur dire bonjour   leur scier du bois   leur vendre un œuf
leur faire plaisir   leur tenir la main   leur donner du pain

255. Mettez les mots en italique au pluriel et accordez les autres termes de la phrase.
Mon frère a de la difficulté à faire son problème, je le lui explique. — Le gendarme arrête *le mauvais conducteur* et lui demande ses papiers. — *Le cycliste* se trompe de route, montre-lui le chemin. — *Le chien* est réputé pour sa fidélité à son maître. — *La rose* ouvre ses pétales de satin. — *Le routier* allume ses veilleuses. — *Le randonneur* avance sous un soleil de feu qui brûle la peau et lui dessèche la gorge.

256. Même exercice que 255.
La lumière *lui* blesse les yeux. — Annonce-*lui* la bonne nouvelle. — *La maman* endort son bébé en lui murmurant des chansons. — *Le bambin* essaie ses premiers pas. — *L'hirondelle* frôlait le sol de son vol rasant. — *La châtaigne* fait craquer sa coque épineuse. — Autrefois, *le berger landais* monté sur ses échasses surveillait son troupeau. — *L'enfant* part en promenade, sa maman lui recommande d'être prudent. — La douleur *lui* arrache un cri.

257. Remplacez les points par leur ou leurs.
Mes parents sont à la campagne, je ... écris une longue lettre. — Les enfants lavent ... visage et ... mains. — Le chien revoit ses maîtres et ... manifeste sa joie. — Les coqs se dressent sur ... ergots et lancent ... cocoricos. — Les poussins se protègent sous l'aile de ... mère. — Quand les arbres sont trop frêles, on ... met des tuteurs. — L'hiver, ayez pitié des oiseaux ; distribuez- ... des morceaux de pain. — L'hôtesse place les voyageurs et ... offre des magazines. — Je ... énumère les avantages de ... métier.

258. Même exercice que 257.

Les clients se pressent autour des voitures, le représentant ... donne des conseils. — Les enfants soigneux brossent ... vêtements, cirent ... souliers, préparent ... cartable. — Les chiens montraient ... crocs pointus au visiteur. — A la fin de l'entracte, les spectateurs regagnent ... place. — Les moineaux transis ébouriffaient ... plumes. — Tous les êtres ont besoin de soleil, il ... prodigue la force. — La grand-mère attend ses petits-enfants et ... prépare une tarte aux cerises. — Nos amis doivent venir ce soir, nous .... ménageons une surprise. — Ces oisillons affamés tendent ... becs vers ... parents qui ... apportent des vers.

259. A la place des points, mettez leur ou leurs, faites l'accord s'il y a lieu.

Les vignes offrent ... grappe... juteuse... aux vendangeurs. — Racontez-... ce que vous avez vu au cours de votre voyage. — Les rafales glacées cinglent la face des écoliers et ... rougissent les doigts. — Les hommes aiment ... région... — Les chrysanthèmes dressent ... fleur... ébouriffée... — L'oiseau apprend à ses petits à se soulever du nid et ... montre à battre des ailes. — Nous ... avons défendu de ronger ... ongle... — Ils cherchent dans ... mémoire... des souvenirs de ... jeunesse... — Les rouges-gorges laissent la trace de ... petite... patte... dans la neige. — Ces plages sont réputées pour ... sécurité... et ... calme.

260. Même exercice que 259.

Les caissiers ... versent ... indemnités. — Prête-... les livres qu'ils t'ont demandés. — Ces coiffures ... vieillissent le visage. — Le temps menace, les enfants prendront ... botte... — Les habitants ferment ... volet... dès que la nuit tombe. — Les automobilistes ralentissent l'allure à la vue du drapeau rouge qui ... signale un danger. — Récitez-... la fable que vous venez d'apprendre. — Dis-... tes projets. — Nos parents sont irremplaçables, nous devons les aimer et ... obéir. — Les canards vont à la mare, suivis de ... caneton... — Réclame-... les livres qu'ils t'ont empruntés. — La maison et son jardin, les ruelles du village, tout ... rappelle ... enfance... heureuse...

261. 1° Analysez leur et leurs contenus dans les phrases de l'exercice 260.
2° Construisez trois phrases contenant leur, pronom personnel, et trois phrases contenant leur (ou leurs), adjectif possessif.

262. MOTS A ÉTUDIER.

   I. aussitôt, sitôt, bientôt, tantôt ; hésiter.
  II. le hêtre, la hêtraie ; quelquefois ; immobile ; hésitation.
 III. une lampée ; laper ; le harcèlement, harceler ; mieux.
 IV. l'exil, exiler ; la pesanteur, pesant, s'appesantir.
  V. l'antenne ; l'apparence, apparent ; la pince, le pinceau.

ON — ON N'

- **On** est grondé si l'**on n'**obéit pas.
- **Il est grondé s'il n'obéit pas.**

RÈGLE

Quand le sujet d'un verbe commençant par une **voyelle** est le pronom indéfini **on**, il faut remplacer **on** par **il** pour savoir si l'on doit écrire la négation **n'**.

EXERCICES

263. Remplacez les points par il **et par la négation** n', **s'il y a lieu, puis récrivez la même phrase en remplaçant** il **par** on.

1. ... attend pas quand ... a pris son billet à l'avance. — ... apprend difficilement ce qu'... a pas compris. — Quand ... avoue ses fautes, ... est à demi pardonné. — ... étend le linge sur l'herbe du pré. — Nous habitons une maison qu'... a pas réparée depuis longtemps.

2. Dès que la sonnerie retentit, ... accourt aussitôt. — ... entreprend rien au hasard quand ... est réfléchi. — ... essuie la vaisselle qu'... a lavée. — ... affirmera rien sans preuve. — ... annonce l'arrivée d'un ami qu'... attendait pas, mais qu'... aura du plaisir à recevoir.

264. Remplacez les points par on **ou** on n'.

... ignore pas qu'... est en faute quand ... ne respecte pas le stop. — ... hésite pas à porter secours à ceux qu'... aime. — ... éprouve aucune satisfaction quand ... a pas rempli sa tâche. — ... a guère d'appétit quand ... est malade. — ... a appelé plusieurs fois, mais ... a pas répondu. — ... avançait prudemment, car ... y voyait rien. — ... était fatigué, car ... avait rien mangé depuis la veille. — ... prépare les valises qu'... portera à la consigne.

265. Même exercice que 264.

... éprouve des regrets quand ... a pas contenté ses parents. — Quand ... applique pas les règles qu'... a apprises, ... fait de nombreuses erreurs. — On ... écoute ni les fanfarons ni les vantards. — ... est satisfait quand ... a pas de faute dans sa dictée. — ... est obligé de constater qu'... a échoué dans son entreprise. — ... obtient le résultat qu'... a préparé. — ... apitoie pas ceux qu'... a trompés. — Quand ... est poltron, ... ose pas sortir la nuit. — ... aperçoit quelques nuages qui annoncent la pluie. — ... envoie une lettre pour réclamer le colis qu'... a pas reçu.

266. Construisez trois phrases avec on **suivi d'un verbe commençant par une voyelle et trois phrases avec** on n'.

267. MOTS A ÉTUDIER.

I. exquis, exquise ; le retardataire ; la pelote, le peloton.
II. le cerfeuil ; certes ; je conquiers, tu conquiers, il conquiert.

RÉVISION

268. Mettez le participe passé en i, i.s, i.e.s **ou le verbe en** i.t.

Jean cueill... un œillet. — Le raisin cueill... est porté au pressoir. — Les fleurs cueill... s'épanouissent dans le vase. — Le pommier fleur... au printemps. — Le rosier fleur... est l'orgueil du jardin. — L'arbre jaun... en automne. — Les feuilles se détachent des frondaisons jaun... — Je lisais des parchemins jaun... par le temps.

269. Écrivez correctement tout **dans les expressions suivantes :**

tout le sac, *tout* tes livres
tout les ans, *tout* vos idées
tout les soirs, *tout* leur force
tout les nuits, *tout* ceux
tout nos frères, *tout* celles
tout mes dents, *tout* cet or

des enfants *tout* penauds
des filles *tout* peinées
des légumes *tout* frais
des livres *tout* neufs
une table *tout* écornée
une figure *tout* ridée

270. Remplacez les points par c'est, ce sont — s'est, se sont.

Les jacinthes ... ouvertes. — ... des vendangeurs qui chantent sur le coteau. — ... un tout petit sentier bordé de buissons. — ... deux camions qui ... heurtés ; ... un miracle que les conducteurs ne soient pas blessés. — La fleur s'épanouit, l'air est léger, ... les beaux jours qui commencent. — ... le loup qui ... jeté sur la petite chèvre. — Les prés ... parés de pâquerettes, ... le printemps.

271. Accordez les adjectifs qualificatifs en italique.

Ces œillets et ces roses sont *artificiel*. — Les tulipes et les pivoines étaient *fleuri*. — Cette maison et ce jardin sont *vendu*. — Le vase et le cruchon sont *ventru*. — Les charrettes et les chariots avaient été *abandonné*. — Les tapis et les carpettes ont été *battu*. — La crainte et la peur seront *vaincu*. — La réunion et la conférence furent *interrompu*. — La feuille et le gazon sont *vert*.

272. Écrivez en lettres les nombres en italique.

Je compte mes *100* bûchettes. — Les *4* chevaux tiraient le lourd chariot des pionniers. — Il s'arrêtait tous les *20* mètres. — Ces *5* frères se ressemblent. — Les enfants partent pour l'école vers les *8* heures. — J'écoutais sonner les *12* coups de midi et je rentrais à la maison. — Les *15* joueurs de cette équipe s'entendent bien et gagnent la partie. — Je connais les *7* notes de la gamme.

273. Écrivez correctement les verbes en italique.

Les cars de ramassage sont en retard, les élèves vont les *attend*... — Les boulangers façonnent les pains et s'apprêtent à les *mettr*... au four. — Les bocaux sont si hauts dans le placard, que je ne peux les *atteind*... — Les draps sont déchirés, il faudra les *recoud*... — Les menteurs ont beau protester, on ne peut plus les *croir*...

LE PARTICIPE PASSÉ   EMPLOYÉ AVEC   ÊTRE

- Les assiettes **sont rangées** dans le buffet.
- Les verres **ont été rangés** dans le buffet.
- Nous **sommes tombés**.

RÈGLE

Le participe passé employé avec l'auxiliaire **être** s'accorde en **genre** et en **nombre** avec le **sujet** du verbe.

— Qu'est-ce qui **sont** rangées ? les **assiettes,** féminin pluriel, donc : rangées (é.e.s).

— Qu'est-ce qui **ont été** rangés ? les **verres,** masculin pluriel, donc : rangés (é.s).

— Qu'est-ce qui **sommes** tombés ? **nous,** masculin pluriel, donc : tombés (é.s).

EXERCICES

274. 1° Conjuguez au passé composé et au plus-que-parfait de l'indicatif.

partir à temps   aller à la gare   arriver à l'heure

2° Conjuguez au temps indiqué :

imparfait	passé simple	futur simple	impératif
être fatigué	être nourri	être entendu	être aimé
être soigné	être guéri	être rejoint	être averti

275. Accordez les participes passés des verbes en italique.

Les boîtes de conserve sont *empiler* sur les rayons. — Ces devoirs ont été *copier*. — Les factures sont *vérifier*, puis *payer*. — Les vieux murs lézardés seront *consolider*. — Les grains sont *broyer* et *réduire* en farine. — Les volailles ont été *plumer, flamber, embrocher*. — Les vêtements seront *brosser*, puis *ranger*. — Les poissons sont *écailler*, puis *vider, fariner, saler, poivrer* et *placer* dans le four. — Les quais du port sont *encombrer* de marchandises. — Les vitraux de l'église étaient *incendier* par les feux du couchant. — Les peupliers sont *secouer* par le vent.

276. Même exercice que 275.

Les serviettes sont *laver, repasser, plier* et *ranger* dans l'armoire. — Les lettres seront *trier*, puis *distribuer*. — Les façades sont *égayer* par des rosiers grimpants. — Les cerisiers chargés de fruits sont *piller* par les moineaux. — Les arbres étaient *dépouiller* de tout feuillage. — Les eaux de la rivière avaient été *troubler* par les pluies. — Les malades étaient *soigner* avec dévouement. — Les hirondelles sont *arriver* dès les premiers beaux jours. — Les élèves furent *conduire* à la piscine.

277. Même exercice que 275.

Vous avez été *rejoindre* par vos camarades. — Nous sommes *arriver* avant le départ du train. — De grands bâtiments avaient été *détruire* par un vaste incendie. — Les pelouses ont été *tondre* par le jardinier. — Les raisins seront *cueillir* et *porter* au pressoir. — J'apporte des galettes qui vont être *partager* entre les enfants. — Les fermiers sont *partir* pour la foire, ils pensent être *revenir* avant la nuit. — Quand les dernières lueurs du couchant furent *éteindre,* la lune se leva à l'horizon. — Les digues avaient été *rompre* sous l'assaut des vagues.

278. Même exercice que 275.

Les renards pénètrent dans les poulaillers sans être *apercevoir.* — Dès que les routes eurent été *dégager* par les chasse-neige, les vacanciers purent continuer leur voyage. — Il ne faut pas que nous soyons *fatiguer,* si nous voulons aller à la fête. — Quand les nids furent *construire,* les mésanges pondirent leurs œufs *tacheter.* — Messieurs, ne soyez pas *fâcher* de mon silence. — Faute de moyens de transport, on est *contraindre* de faire la route à pied. — Nous aurions été *enchanter* de faire cette promenade, mais le temps nous a manqué.

279. Même exercice que 275.

Vos livres devront être *couvrir,* vos cahiers *tenir* avec soin. — Quand les planches auront été *raboter, scier* à la mesure, le menuisier les ajustera. — Les récoltes auraient été *rentrer* s'il n'avait plu. — Les fruits seront *cueillir* avec soin, *emballer,* puis *expédier* à la ville. — A l'approche de l'orage, les animaux sont *saisir* de frayeur et tirent sur leur chaîne. — Je voudrais que vous soyez *appliquer* et *animer* du désir de bien faire. — Les arbres risquent d'être *déraciner* si la tempête continue à souffler.

280. Même exercice que 275.

Aux premiers froids, il faut que les troupeaux soient *ramener* de la montagne. — Maintenant qu'étaient *revenir* les hirondelles, on était *assurer* du beau temps. — Quand les meubles auront été *frotter* et les parquets bien *cirer,* la salle à manger aura bel aspect. — Les tigres cruels furent *tuer* par les chasseurs *dissimuler* dans les hautes herbes. — Les chevaux étaient *harceler* par les taons. — Quand les bûches auront été *fendre,* elles seront *empiler.* — Nous avons été *mordre* par les vipères, mais nous avons été *soigner* à temps.

281. MOTS A ÉTUDIER.

I. l'épouvantail, l'épouvante ; le cep de vigne ; le triomphe, triompher.
II. le taon, le paon, le faon ; le zèbre, zébrer.
III. le trafic, le pic, le déclic ; la bizarrerie, bizarre.

LE PARTICIPE PASSÉ EMPLOYÉ AVEC AVOIR

- Les promeneurs **ont déjeuné** sur l'herbe.
- Nous **avons déjeuné** de bon appétit.

RÈGLE

Le verbe avoir n'est pas attributif. Le participe passé employé avec l'auxiliaire avoir ne s'accorde jamais avec le sujet du verbe.

EXERCICES

282. 1° Conjuguez au passé composé et au plus-que-parfait de l'indicatif :

chanter à tue-tête	peindre la grille	bien dormir
attendre patiemment	guérir rapidement	parler bas

2° Conjuguez aux temps indiqués :

blesser *passé composé*   lever *plus-que-parfait*
être blessé *présent de l'indicatif*   être levé *imparfait*

283. Écrivez correctement les participes passés des verbes en italique.

nous avons *aimer*	vous avez *servir*	ils ont *cueillir*
nous avons été *aimer*	vous avez été *servir*	ils ont été *cueillir*
nous sommes *aimer*	vous êtes *servir*	ils sont *cueillir*
nous aurons *choisir*	ils avaient *voir*	vous eûtes *gâter*
nous aurons été *choisir*	ils avaient été *voir*	vous eûtes été *gâter*
nous serons *choisir*	ils étaient *voir*	vous fûtes *gâter*

284. Écrivez correctement les participes passés des verbes en italique.
Denise et Jean ont *conduire* leur tracteur avec assurance. — Les campeurs ont *dresser* leurs tentes. — Ces livres m'ont beaucoup *plaire*. — Les charcutiers ont *vendre* des jambons, ils en ont *tirer* un bon prix. — La neige a *fondre* dès que le soleil a *paraître*. — Vous avez *perdre* un temps précieux. — Ils ont *courir,* ils ont *sauter,* ils ont *grimper,* ils ont bien *employer* leur journée. — Elles avaient *écouter,* elles avaient *réussir* leur devoir, elles avaient *obtenir* une bonne note. — Nous avons *brosser* nos vêtements et nous avons *cirer* nos chaussures.

285. Même exercice que 284.
Le beurre a *grésiller* dans la poêle. — Les étoiles avaient *scintiller* dans le ciel clair. — Quand les mécaniciens eurent *réparer* les moteurs, ils les remontèrent. — Les jardiniers auraient *tailler* les arbres fruitiers, si le temps avait été propice. — Nous avons *désherber* les plates-bandes. — Thierry a *éplucher* les légumes. — Les premiers papillons ont *voltiger* de

59

fleur en fleur, ils ont *égayer* la prairie. — Les employés ont *signaler* l'arrivée du train. — Par ce froid terrible, les dernières plantes ont *geler*. — Les oiselets ont *gazouiller* doucement dans les nids.

286. Même exercice que 284.

Les merles ont *siffler* dans les taillis. — Les graines ont *germer,* ont *pousser,* ont *déplier* quelques feuilles vertes. — Les éclairs ont *sillonner* la nue et *illuminer* le ciel. — Les musiciens ont *jouer* toute la soirée ; ils ont *obtenir* un véritable triomphe. — Les hirondelles ont *happer* les moucherons. — La vendeuse a *mesurer* un coupon d'étoffe. — L'employé a *terminer* sa journée. — Les joueurs ont *rivaliser* d'ardeur pour gagner. — Nous avons bien *regretter* d'avoir été absents lors de votre visite. — Nous avons *vaincre* la peur en nous raisonnant.

287. Même exercice que 284.

Les maçons ont *démolir* un vieux mur. — La neige a *ensevelir* la campagne. — Le couturier avait *garnir* la robe d'un joli galon. — L'automne a *jaunir* les arbres. — Les perdrix touchées par le plomb du chasseur ont *battre* de l'aile et sont *tomber* dans les bruyères. — La goélette a *rompre* ses amarres, elle est *partir* à la dérive. — Nous avons *recevoir* des lettres qui avaient été *décacheter*. — Les fusibles ont *sauter,* ils ont été *changer*. — La tempête avait *causer* des dégâts qui ont été rapidement *réparer*.

288. Même exercice que 284.

Nous avons *lire* cet ouvrage. — Ces livres seront *relire* avec plaisir. — Ces récits ont été *lire* rapidement. — Les vagues ont *battre* le rivage avec fureur. — Pour cette finale, tous les records ont été *battre*. — Les carpettes sont *battre* dans le jardin. — Les brouillards avaient *voiler* l'horizon. — Les fenêtres avaient été *voiler* par des rideaux légers. — Les montagnes étaient *voiler* de brume. — Quand les enfants auront *manger* leur tartine, ils reprendront leurs jeux. — Sans l'épouvantail, les cerises seraient *manger* par les merles. — Sans les oiseaux, les fleurs auraient été *manger* par les chenilles.

289. MOTS A ÉTUDIER.

I. le linceul ; le temps, le printemps, longtemps ; d'abord.
II. l'aventure, aventureux, s'aventurer ; ailleurs ; toujours.
III. le foin, le soin, loin ; beaucoup, trop.
IV. l'oscillation, osciller ; la majuscule ; majestueux, majestueusement.
V. guère, naguère ; tant, tantôt, un tantinet.

LE PARTICIPE PASSÉ EMPLOYÉ AVEC AVOIR

- Nous **avons couru**. Nous **avons mangé** des pommes.
- La leçon que nous **avons étudiée** était longue.
- Cette promenade nous **a ravis**.

RÈGLE

Le participe passé employé avec l'auxiliaire avoir ne s'accorde jamais avec le sujet du verbe, mais il s'accorde **en genre et en nombre** avec le complément **d'objet direct** quand celui-ci est placé **avant le participe.**

En posant la question qui ? ou quoi ? après le verbe, on trouve souvent le complément d'objet direct.

— **Nous avons couru : qui ? quoi ?** Pas de complément d'objet direct donc **pas d'accord.**

— **Nous avons mangé : quoi ?** des **pommes.** Complément d'objet direct, placé **après** le participe donc **pas d'accord.**

— **Nous avons étudié(e) : quoi ?** que (la leçon). Complément d'objet direct, placé **avant** le participe donc **accord**, leçon, fém. sing., donc étudiée **(é.e).**

— **La promenade a ravi(s) : qui ?** nous. Complément d'objet direct, placé **avant** le participe donc **accord**, nous, masculin pluriel, donc ravis **(i.s).**

EXERCICES

290. Accordez les participes passés des verbes en italique.

Les bourgeons ont *entrouvrir* leurs écailles poisseuses. — Le clocher a *égrener* ses heures dans la nuit. — Les opérations que les élèves ont *calculer* ne sont pas difficiles. — Les cultivateurs visitent les champs que l'orage a *dévaster*. — Les livres que nous avons *lire* sont intéressants. — Les roses qu'elles ont *cueillir* sont très parfumées. — Les femmes ont *rapporter* des brassées de lilas. — Nous avons *regarder* notre feuilleton. — Le froid nous a *rougir* le visage.

291. Même exercice que 290.

Des noisettes jonchaient le sol, nous les avons *ramasser*. — Le soleil nous a *accabler* de ses rayons brûlants. — La vigne vierge a *ensanglanter* le vieux mur. — Les enfants s'arrêtent devant la vitrine que le marchand a *garnir* de jouets. — Les dahlias que la gelée a *flétrir* pendent sur leur tige. — La côte que le cycliste a *gravir* est longue et rapide. — Vous avez *travailler*, vous avez *réussir*. — Il nous avait *plaindre* de nous savoir malades.

61

292. Accordez les participes passés des verbes en italique.

Nous avons *apprendre* une nouvelle qui nous a *navrer*. — Dominique a *laver* les assiettes, puis les a *ranger*. — Les lettres que le facteur a *distribuer* ont *apporter* la joie ou la peine dans les foyers. — Les journalistes ont *annoncer* les résultats et les ont *commenter*. — Le pompiste a *accepter* des chèques qu'il a *adresser* à sa banque. — Ils nous ont *prodiguer* des conseils, dont nous avons *faire* notre profit. — L'histoire que je vous ai *conter,* je l'ai *lire* dans un livre ancien.

293. Même exercice que 292.

Nous avons *suivre* un sentier qui nous a *égarer*. — Alex et Céline ont *écouter* les disques qu'ils ont *acheter*. — Nous avons *avoir* de la peine à sortir du brouillard qui nous avait *envelopper*. — Les passereaux, qui nous ont *égayer,* partiront dès les premiers froids. — Le maître nous a *interroger* et nous avons bien *répondre*. — On ne peut pas creuser la terre que le gel a *durcir*. — Le conférencier nous avait profondément *intéresser*.

294. Même exercice que 292.

J'ai *apprendre* mes leçons et je les ai *réciter*. — Les fourmis ont *entasser* les provisions qu'elles avaient patiemment *chercher*. — Les salades que nous avons *repiquer* ont bien *pousser*. — Les personnes soupçonnées ont *prouver* leur innocence. — Le menuisier a *fabriquer* les meubles qu'on lui avait *commander*. — Nos voisins nous ont *aider* à déménager. — Nous nous montrerons dignes de la confiance que vous nous avez *accorder*.

295. Même exercice que 292.

Des vapeurs légères ont *voiler* l'horizon, le soleil les a *absorber*. — La foudre a *frapper* une maison et l'a *éventrer*. — Le vent a *déraciner* de grands arbres et les a *coucher* sur le sol. — L'élève avait *négliger* ses devoirs, il les a *recommencer*. — Cette longue marche nous avait *fatiguer,* nous avons *faire* halte sous bois. — Les crapauds ont *avaler* toutes les limaces qu'ils ont *rencontrer*. — Cette commerçante a *vendre* tous les vêtements qu'elle avait *exposer*.

296. Même exercice que 292.

Les herborisateurs ont *examiner* longuement les plantes qu'ils ont *trouver*. — Soyons reconnaissants envers ceux qui nous ont *aider* quand nous étions en difficulté. — Soyez *satisfaire,* le sort vous a *combler*. — Les hirondelles sont *revenir,* nous les avons *voir*. — Nous avons été *peiner* du malheur qui les a *frapper*. — Ces ouvriers ont été *embaucher* et ont tout de suite *commencer* leur nouveau travail. — Les fleurs ont été *arroser,* elles ont aussitôt *relever* la tête.

297. Analysez les verbes à un temps composé, après avoir accordé les participes passés. Ex. : a expédié : verbe **expédier,** forme active, 1ᵉʳ groupe, mode indicatif, temps passé composé, 3ᵉ personne du singulier.

Notre tante nous a *expédier* des colis qui nous sont bien *parvenir*. — Ils seraient *venir* nous voir, s'ils avaient *connaître* notre adresse. — Les jeux, que j'ai *avoir* pour mes étrennes, m'ont agréablement *divertir*. — Les récompenses que j'ai *avoir* m'ont *faire* plaisir. — Ils ont longuement *attendre* le train. — Tu n'avais pas *chanter*.

298. Révision. Accordez les participes passés des verbes en italique.

Les pays tropicaux étaient *ravager* par l'ouragan. — Les lapins avaient *ravager* un carré de luzerne. — Les vergers avaient été *ravager* par la bourrasque. — La région, que le cyclone a *ravager,* n'a plus un seul arbre debout. — Les jeunes gens peu consciencieux ont *briser* leur situation. — Nous sommes *briser* de fatigue. — Nous tenions beaucoup aux bibelots que le chat a *briser*. — Les barques ont été *briser* sur les rochers par des vagues énormes.

299. Même exercice que 298.

Ses devoirs *finir,* l'enfant ira jouer. — Ses devoirs sont *finir,* l'élève peut s'amuser. — Quand ses devoirs auront été *finir,* l'enfant jouera à sa guise. — L'enfant a *finir* ses devoirs. — Les devoirs que l'élève a *finir* ont été *corriger.* — La branche *casser* menace de tomber. — Le vent a *casser* la branche. — La branche a été *casser* par la rafale. — La branche est *casser* et ses feuilles se flétrissent. — La branche, que le vent a *casser,* était pourtant grosse.

300. Même exercice que 298.

Les moutons, *conduire* par le berger, vont à la pâture. — Nous avons été *conduire* au cirque. — Les touristes sont *conduire* par le guide. — Les chevaux que j'ai *conduire* sont dociles. — Nous avons *conduire* nos amis à la gare. — De vieux objets sont *entasser* au grenier. — Les feuilles mortes *entasser* donneront du terreau. — Les vieilles ferrailles avaient été *entasser* dans la cour. — Les vendeurs ont *entasser* les fruits. — Le brocanteur trie les chiffons qu'il a *entasser*.

301. MOTS A ÉTUDIER.

I. l'hésitation, hésiter ; la bande, le bandeau, la banderole.

II. la crémaillère ; la touffe ; gré, malgré ; parmi.

III. le nonagénaire, l'octogénaire, le septuagénaire, le sexagénaire ; le quinquagénaire.

IV. la devanture, devant, devancer ; d'abord ; le miroir.

V. le jonc, l'ajonc ; assez ; chez ; trop.

VI. la vexation, vexer ; le rôle, enrôler ; drôle.

LE PARTICIPE PASSÉ
DES VERBES PRONOMINAUX

- Les enfants **se sont égratigné** les mains.
- Les enfants **se sont égratignés** aux épines du buisson.
- Les hirondelles **se sont enfuies**.

RÈGLES

1. Le participe passé des verbes employés sous la forme **pronominale**, comme s'égratigner, se couper, se battre, **s'accorde** en **genre** et en **nombre** avec le **complément d'objet direct quand celui-ci est placé avant le participe**.

Il faut donc remplacer l'auxiliaire **être** par l'auxiliaire **avoir** et poser la question ? **qui** ? ou **quoi** ? On a ainsi :

— Les enfants **ont** égratigné **quoi** ? **les mains**, complément d'objet direct, placé **après** le participe → **pas d'accord**.

— Les enfants **ont** égratigné(s) **qui** ? **eux-mêmes** (se), complément d'objet direct, placé **avant** le participe → **accord** ; se 3ᵉ personne du masculin pluriel ; donc **égratignés (é.s)**.

2. Le participe passé des verbes **essentiellement pronominaux**, comme s'enfuir, se cabrer, s'emparer, **s'accorde** en **genre** et en **nombre** avec le **sujet** du verbe.

— Les hirondelles se sont enfuies. **Qui est-ce qui** se sont enfuies ? les **hirondelles**, féminin pluriel, donc : **enfuies (i.e.s)**.

EXERCICES

302. Accordez les participes passés des verbes en italique.

Les navires désemparés se sont *perdre* dans les flots. — Elles s'étaient *hâter* de rentrer à la maison. — Sous la poussée du vent les vieilles bâtisses se sont *effondrer*. — Ils se sont *nuire* par leur imprudence. — Nous nous sommes *lier* d'amitié avec nos voisins. — Ils se sont *payer* des bonbons. — Les garnements se sont *lancer* des pierres. — Nous nous sommes *précipiter* au-devant de nos parents. — Les voitures se sont *heurter*.

303. Même exercice que 302.

Au printemps, les branches se sont *étoiler* de bourgeons et les fleurs se sont *multiplier* dans les prés. — Vous vous êtes *apitoyer* sur le sort des malheureux. — Les oiseaux s'étaient *aligner* sur les fils électriques et s'étaient tous *envoler*. — Ils se sont *parler* cordialement. — Les nénuphars se sont *épanouir* dans l'étang. — Les fauves se sont *tapir* dans les hautes herbes.

304. Même exercice que 302.
Ils se sont *écorcher* les genoux. — Les voiles se sont *gonfler* et les barques se sont *éloigner*. — Les joueurs d'échecs se sont *affronter* pendant plusieurs heures. — Les nuages se sont *déchirer* et le soleil est apparu. — La neige s'est *amasser* le long des haies. — Les chevaux se sont *cabrer* et se sont *emballer*. — Elles se sont *reconnaître,* elles se sont *sourire,* elles se sont *parler.* — Ces paroles se sont *graver* dans son esprit.

305. Même exercice que 302.
Ils se sont *dire* la réponse du problème. — Les jardins se sont *égayer* de fleurs. — Ils se sont *rendre* mutuellement service. — Ils se sont *rendre* à la gare. — Les routiers se sont *rencontrer* au poste frontière. — Les ouvriers se sont *partager* la tâche. — Les joueurs se sont *partager* en deux équipes. — Les enfants se sont *amuser.* — Ma sœur s'est *casser* le bras. — S'étant *arrêter* au bord de l'eau, les promeneurs sortirent des sandwichs de leur sac.

306. Même exercice que 302.
La petite ville s'est *assoupir.* — Annie et Paul se sont *balancer.* — Le pétrolier s'est *briser* sur les rochers. — Madame Mathieu s'était *alarmer* inutilement. — Les heures se sont *égrener* dans la nuit. — Les alpinistes se sont *équiper* pour faire une ascension. — Les promeneurs se sont *égarer* dans la forêt. — Les chasseurs se sont *embusquer* derrière le taillis. — Les voyageurs se sont *entasser* dans les wagons. — La plante s'est *étioler.*

307. Révision. Écrivez correctement les verbes en italique.
La fillette a *saisir* la coccinelle qui s'était *poser* sur une marguerite. — Les moteurs ont *ronfler,* les cales ont été *enlever* et les avions se sont *envoler.* — Les joueurs se sont *lancer* des balles. — Les vantards se sont *attribuer* des mérites qu'ils n'ont pas. — Nous nous étions *rappeler* les souvenirs qui nous avaient *émouvoir.* — Les élèves se sont *appliquer* à leurs devoirs. — Les lapins s'étaient *échapper,* mais Elsa les a *rattraper.*

308. Écrivez les verbes au passé composé.
Ils s'achètent des livres. — A la sortie des usines, les rues s'animent. — Faute de soins, les plaies s'enveniment. — Les campeurs s'établissent dans la clairière. — Les dahlias se fanent. — Les étoiles s'allument et criblent le ciel. — Les enfants se racontent des histoires. — La couturière se pique au doigt. — Les fillettes se donnent la main. — Ils se donnent bien du mal. — Les amis se fixent rendez-vous.

309. MOTS A ÉTUDIER.
I. le rendez-vous ; le gazouillement, le gazouillis, gazouiller ; la fourmi.
II. le mercenaire ; le glaive ; la paroi, la loi, la foi.
III. le géant, gigantesque ; hors, dehors, lors.
IV. la splendeur, resplendir, splendide ; certes ; selon.

LE PARTICIPE PRÉSENT
L'ADJECTIF VERBAL

- On a brûlé les draps en les **repassant**.
- Ces joueurs **rivalisant** d'ardeur font des progrès.
- Ces joueuses **rivalisant** d'ardeur font des progrès.
- Il fredonne des airs **entraînants**.
- Il fredonne des chansons **entraînantes**.

RÈGLE

Le **participe présent** est une forme du verbe, sa terminaison est **a.n.t**, il est **invariable**.

Le participe présent est le plus souvent précédé de **en**.

Lorsque le participe présent n'est pas précédé de **en**, il ne faut pas le confondre avec **l'adjectif verbal** en **a.n.t**, variable.

Pour éviter la confusion, il faut **remplacer le nom masculin par un nom féminin** et lire la phrase **en entier**.

EXERCICES

310. Donnez le participe présent des verbes suivants sur le modèle :
donner, donnant, en donnant, en les donnant.

sauter	sauver	finir	entendre	chercher
couper	lancer	polir	voir	franchir

311. Employez l'adjectif verbal dérivé des verbes suivants avec un nom masculin, puis avec un nom féminin.

siffler	bouillir	nourrir	plaire	supplier
aveugler	consoler	resplendir	satisfaire	vivre

312. Écrivez le participe présent ou l'adjectif verbal des verbes en italique et justifiez l'accord des adjectifs verbaux en écrivant une expression au féminin entre parenthèses : *des lapins vivants (des poules vivantes).*
La fillette s'est brûlée en *jouer* avec des allumettes. — Ces caisses sont *peser*, prenez des précautions en les *porter*. — De *rutiler* lueurs annoncent un grand incendie. — Le verglas avait rendu les routes *glisser*. — Soyez économes, vous ne serez jamais assez *prévoir*. — En les *désigner* pour assister à cette fête, vous leur avez fait plaisir. — On s'instruit en *voyager*. — Ne laissez jamais les enfants jouer avec des instruments *trancher*.

313. Même exercice que 312.
En *comparer* les résultats, on s'aperçoit qu'il y a une erreur de calcul. — La nuit, le hibou a les yeux *briller*. — Les chats *sommeiller* au coin du feu dressent l'oreille au moindre bruit. — Les madriers *étayer* les murs lézar-

dés sont solides. — La pâquerette et la primevère fleurissent les prés *verdoyer*. — Cette étoffe a des reflets *chatoyer*. — Ne tenez jamais à l'égard d'autrui de propos *blesser,* en toute occasion montrez-vous *tolérer*. — Les menuisiers étaient devant leur établi *mesurer, scier, raboter* les planches.

314. Même exercice que 312.

Les ruisseaux traversent la prairie en *serpenter*. — Écoutez dans la forêt les buissons *murmurer*. — Les clients s'arrêtaient devant les rayons, *regarder* et *palper* les étoffes, en *demander* le prix, les *acheter* quelquefois. — Dans le métro, j'ai emprunté les escaliers *rouler*. — Je suivais le manège gracieux des oiseaux *bâtir* leur nid. — Les enfants *obéir* sont toujours estimés. — Les footballeurs *obéir* scrupuleusement aux consignes de l'entraîneur gagnent le match. — D'*allécher* odeurs montent de la cuisine. — Les rayons *brûler* du soleil mûrissent les grappes *rougeoyer*.

315. Même exercice que 312.

Le malade a pris un médicament *calmer*. — Les saules *border* l'étang baignent leur feuillage dans l'eau. — Nous grimpions toujours, nous *arrêter* quelquefois pour contempler le paysage. — Le convalescent fait quelques pas *chanceler* et se repose. — Les torrents *bondir* sur les cailloux font entendre une rumeur. — Les torrents *bondir* dévalent de la montagne. — Ces médicaments *fortifier* l'organisme doivent être pris à très petites doses. — Le vent du soir incline les roseaux *bruire*. — C'est en leur *porter* secours que je me suis blessé. — Le ciel s'allume par instants de clartés *errer*.

316. Même exercice que 312.

En vous *associer* à leurs ennuis, vous leur avez rendu l'espoir. — L'air était chargé d'arômes *vivifier*. — Ces chiens sont *caresser* pour leur maître. — La présentatrice du loto annonce les numéros *gagner*. — Les enfants *ignorer* la politesse ne sont pas aimés. — Après d'*absorber* recherches, le savant a obtenu des résultats *encourager*. — La forêt est pleine d'oiseaux siffleurs et d'insectes *bourdonner*. — Les marins, *mépriser* le danger, sont partis au secours des naufragés. — La mer lance ses vagues *écumer* à l'assaut des rochers. — Les arbres *ombrager* la place abritent des nids.

317. Construisez trois phrases renfermant un participe présent et trois phrases renfermant un adjectif verbal.

318. MOTS A ÉTUDIER.

  I. le ressort ; le cahot, cahoter ; le refrain ; la glycine.
  II. le chaland ; fier, fière ; le ceinturon, ceinturer.
 III. la ribambelle ; le sourcil, sourciller ; le vieillard ; ailleurs.
 IV. le scarabée ; l'orchestre ; se hâter, hâtif, hâtivement.

SI — S'Y   NI — N'Y

- L'affaire est **si** compliquée qu'il **s'y** perd (se perdre).
- **Ni** les menaces **ni** les prières **n'y** feront rien (ne feront).

RÈGLE

Ne confondez pas **si (s.i)**, **ni (n.i)** avec **s'y (s'.y)**, **n'y (n'.y)** qui, formés de deux mots, peuvent se décomposer en **se y, ne y**. De plus, **s'y (s'.y)** fait partie d'un verbe pronominal et peut se remplacer par **m'y, t'y**.

EXERCICES

319. Conjuguez au présent et à l'imparfait de l'indicatif :

s'y rendre à pied   s'y installer   n'y rien comprendre
s'y appuyer avec force   n'y rien voir   n'y rien changer

320. Remplacez les points par si **ou** s'y. **Justifiez l'emploi de** s'y **en écrivant le verbe pronominal entre parenthèses.**

Le cycliste va ... vite, qu'il ne voit pas la pierre et ... heurte. — Le lièvre aperçoit des touffes d'herbe et ... cache. — Tout homme a des obligations envers autrui et nul ne peut ... soustraire. — L'enfant se jette dans les bras de sa mère et ... blottit. — Qui ... frotte ... pique. — Les papillons voltigent autour des roses et ... posent. — Le nageur s'assure ... l'eau est bonne et ... plonge résolument. — La discipline est ... nécessaire, que l'on doit ... plier. — La Bretagne est ... agréable qu'on ... rend avec plaisir.

321. Même exercice que 320.

Les chemins sont ... détrempés, qu'il serait imprudent de ... hasarder ; la voiture ... embourberait. — Il y a un travail à faire, chacun ... met avec entrain. — Il chante ... fort et ... mal qu'il nous fatigue. — Le mur est tapissé de lierre, les moineaux aiment à ... nicher. — Le jeune Basque joue à la pelote ; pour être ... adroit, il faut qu'il ... exerce chaque jour. — Mes parents étaient ... fatigués, qu'ils ont passé un mois à la campagne ; ils ... trouvent ... bien, qu'ils pensent ... retirer.

322. Même exercice que 320.

Le pont de bois paraît ... vermoulu que le conducteur hésite à ... risquer. — Il fait froid depuis ... longtemps que l'on ... habitue. — Le navire s'approche des récifs et ... brise. — Les naufragés atteignent des épaves et ... accrochent. — Le singe s'agrippe à une branche et ... balance. — L'écureuil cherche quelque fourche et ... installe pour manger des noisettes. — Les peupliers bordent l'étang et ... reflètent. — L'eau coule vers la cascade et semble ... précipiter.

323. Même exercice que 320.

N'écoutez pas les flatteurs, ... sincères qu'ils paraissent ; ceux qui ... fient deviennent leurs dupes. — La souris s'approche du piège ... attirant avec son morceau de lard et ... laisse prendre. — Le vent a été ... impétueux qu'il a renversé des arbres en travers de la route ; ce sera un rude travail de la dégager, des ouvriers ... emploient activement. — La chaleur invite à entrer dans la forêt ... proche ; ce sera un plaisir de ... promener. — Il connaît le règlement, il a promis de ... conformer. — Les scouts ont dégagé la clairière et ... installent.

324. Remplacez les points par ni **ou** n'y. **Justifiez l'emploi de** n'y **en écrivant entre parenthèses le verbe et la négation.**

J'ai fait réparer la clôture du jardin, ... les chiens ... les chats ... pénétreront plus. — ... ses regrets ... ses larmes ... firent rien, il fut puni. — ... les cerisiers ... les pêchers n'ont donné de fruits. — Votre travail est bien ainsi, ... ajoutez rien, ... une phrase ... un mot ; ... changez rien. — L'ordinateur est en panne ; ... le clavier ... l'écran ne fonctionnent : personne ... comprend rien. — Ce vieil arbre est tout vermoulu, ... grimpez pas. — Les ouvriers voudraient soulever cette pierre, ils ... arriveront pas ; ils n'ont ... la force ... les outils nécessaires.

325. Même exercice que 324.

Les touristes veulent atteindre le sommet de la montagne, ils ... parviendront pas, car ils n'ont ... l'endurance ... l'équipement nécessaire. — Ces objets sont fragiles, ... touchez pas. — Le temps s'assombrit, on ... voit plus. — Une fête se prépare, nous ... assisterons ... les uns ... les autres, car nous devons partir incessamment. — Cette viande n'est ... tendre ... dure, elle n'est pas cuite. — ... le pinson ... la fauvette ne chantent encore dans les bois ; ils ... reviendront qu'au printemps. — ... allez pas, il y a un chien méchant. — ... la pluie ... le brouillard n'empêcheront les avions de prendre l'air.

326. 1° Analysez y **dans les phrases de l'exercice 320.**

Ex. : Les peupliers bordent l'étang et s'**y** reflètent : **y,** *pronom personnel mis pour* étang, *3ᵉ personne du singulier, complément indirect de lieu de* se reflètent.

— Il y a un travail à faire, il s'**y** met avec entrain : **y,** *pronom personnel mis pour* travail, *3ᵉ personne du singulier, complément d'objet indirect de* met.

2° Construisez trois phrases renfermant à la fois si **et** s'y **et trois phrases renfermant à la fois** ni **et** n'y.

327. MOTS A ÉTUDIER.

  I. barboter ; le remous ; le pissenlit ; malgré ; ainsi.
 II. le geste, gesticuler ; se concerter, déconcerter.
III. le discernement, discerner ; l'humeur ; le puits ; parmi.
IV. quotidien ; moins, néanmoins ; le vaisseau ; la vaisselle.

SANS — S'EN   DANS — D'EN

- Il a un devoir **sans** erreurs, il **s'en** félicite (se féliciter).
- Il est tombé **dans** le trou, il essaie **d'en** sortir (de sortir).

RÈGLE

Il ne faut pas confondre sans (s.a.n.s), dans (d.a.n.s) avec s'en (s'.e.n), d'en (d'.e.n) qui, formés de deux mots, peuvent se décomposer en se en, de en.

De plus, s'en (s'.e.n) fait partie d'un verbe pronominal et peut se remplacer par m'en, t'en.

REMARQUES

On écrira : — une ville sans habitants (au pluriel) parce que s'il y en avait, il y aurait plusieurs habitants ;

— un jour sans soleil (au singulier) parce que s'il y en avait, il y aurait du soleil.

EXERCICES

328. Conjuguez au présent et à l'imparfait de l'indicatif :

s'en approcher   s'en repentir   s'en occuper

329. Écrivez sans **à la place des points et accordez, s'il y a lieu.**

un ciel ... nuage...	un jour ... soleil...	un discours ... fin...
un lit ... drap...	une maison ... fenêtre...	des lumières ... éclat...
un arbre ... feuille...	un escalier ... éclairage...	une plaine ... arbre...
une nuit ... lune...	un travail ... soin...	un nid ... oiseau...
une allée ... ombre...	un livre ... image...	une orange ... pépin...

330. Remplacez les points par sans **ou** s'en. **Justifiez l'emploi de** s'en **en écrivant le verbe pronominal entre parenthèses.**

Nous cueillons du lilas, il ... dégage un parfum agréable. — Jules ouvre la porte de la cage et le serin ... échappe ... se faire prier. — Le paquebot sort du port et ... éloigne. — Ce magazine, autrefois passionnant, est maintenant ... intérêt ; Damien ... étonne. — ... soin, ... ordre, ... méthode, pas de progrès, pas de réussite.

331. Même exercice que 330.

L'exercice était plus difficile que d'habitude ; Géraldine ... doutait bien un peu. — Il voudrait bien ... aller chez lui, mais il a encore des exercices à faire. — Il a acheté une bicyclette et ... déclare satisfait. — Les arbres jaunissent, se rouillent, des feuilles ... détachent. — Il fait beau, le soleil brille dans un ciel ... nuages, tout le monde ... réjouit. — Si difficile que soit quelquefois le travail, il faut ... acquitter ... faiblir.

332. Même exercice que 330.
Cette boisson est ... alcool; les enfants peuvent ... verser plusieurs verres. — Les enfants dévorent le gâteau des yeux avant de ... partager les morceaux, mais ils le mangeront ... hâte pour ... délecter plus longtemps. — ... qu'on ... aperçoive, une fouine a égorgé des volailles. — Ce jeu fonctionne ... piles; on peut ... servir quand on le désire.

333. Même exercice que 330.
La neige apparaît, déjà les montagnes ... couronnent. — ... se lasser, les passereaux chassent les insectes et ... nourrissent. — Si compliquée que soit votre affaire, soyez ... crainte, il ... occupera. — ... votre aide, il n'aurait pu ... sortir. — Ses amis sont partis ... le prévenir, il ne ... console pas. — Quand on a commis une faute, il faut ... accuser ... hésiter. — Le chien est méchant, il est prudent de ne pas ... approcher. — Le malade a un peu de fièvre, il n'y a pas lieu de ... effrayer.

334. Remplacez les points par dans ou d'en.
La maison ... face est toute baignée de soleil. — Le voleur voudrait entrer ... le jardin, il essaie ... escalader le mur. — Je souffle ... une vieille trompette, il m'est impossible ... faire sortir le moindre son. — Le marchand nous invite à goûter un fruit afin ... apprécier la saveur. — Je presse un citron afin ... extraire le jus. — Mes parents m'offrent un voyage ... les Pyrénées, ils me laissent le soin ... tracer l'itinéraire. — L'insecte entre ... le lis afin ... pomper le suc.

335. Même exercice que 334.
Chacun a ses défauts, mais chacun doit s'efforcer ... triompher. — L'avion pris ... la tourmente s'efforce ... sortir. — Le coteau est couvert de villas blotties ... le feuillage, celles ... haut sont ensoleillées toute la journée. — Des abeilles se tiennent à l'entrée de la ruche, elles sont chargées ... défendre l'accès. — Nous sommes entrés ... une période de pluie, il n'est pas possible ... prévoir la fin.

336. 1° Analysez en : a) dans 333 ; b) dans 334.
Ex. : La côte est en vue, le navire s'**en** approche : **en,** *pronom personnel mis pour* côte, *3e personne du singulier, complément d'objet indirect de* s'approche.

— La forêt est vaste, j'**en** connais tous les sentiers : **en,** *pronom personnel mis pour* forêt, *3e personne du singulier complément du nom* sentiers.

— Je monte **en** voiture : **en,** *préposition, relie le complément d'objet indirect* voiture *au verbe* monte.

2° Construisez trois phrases renfermant à la fois sans **et** s'en **et trois phrases renfermant à la fois** dans **et** d'en.

337. MOTS A ÉTUDIER.
I. inattendu ; exhaler ; l'haleine ; le taillis ; l'avidité.
II. le réverbère ; la hardiesse, hardi ; prompt ; le soubresaut.

LES PRONOMS RELATIFS EN « EL »

- Le journal **auquel** je m'abonne est intéressant.
- Les journaux **auxquels** je m'abonne sont intéressants.
- Les revues **auxquelles** je m'abonne sont intéressantes.

RÈGLE

Pour écrire correctement un pronom relatif en el il faut rechercher avec soin son antécédent.

EXERCICES

338. Remplacez les points par auquel, auxquels **ou** auxquelles.
Les films ... je pense sont programmés sur la première chaîne. — Les poutres ... sont accrochés les jambons sont noircies. — Les animaux ... on donne le fourrage sont restés à l'étable. — Les moineaux ... les promeneurs jettent des miettes sont très familiers. — Les personnes ... je me suis adressé m'ont renseigné. — L'événement ... vous faites allusion s'est passé il y a longtemps. — L'ami ... j'accorde ma confiance me la rend bien. — J'ai gardé les cahiers ... je tiens le plus.

339. Remplacez les points par lesquels **ou** lesquelles.
Les branches sur ... les rossignols s'égosillent sont fleuries. — Les colis sur ... je comptais ne sont pas arrivés. — Les fleurs sur ... les abeilles se sont posées sont épanouies. — Les souvenirs vers ... je me reporte m'attendrissent. — Les paysages sur ... mes regards se posent sont ravissants. — Les haies entre ... nous cheminons sont pleines de nids. — Les arbres sous ... nous jouons s'animent de chants d'oiseaux.

340. 1° Remplacez les points par un pronom relatif en el.
Monsieur Hardy double des voitures ... sont attelées des caravanes. — Les nénuphars sur ... se posent les libellules piquent l'étang de taches blanches. — L'usine pour ... travaillent les jeunes du village exporte des moteurs en Italie. — Les vignes à côté ... il s'est arrêté appartiennent à mon cousin. — Les nuages au travers ... filtre le soleil annoncent l'orage.
2° Construisez cinq phrases contenant un pronom relatif en el.

341. 1° Même exercice que 340.
Les paroles ... vous attachez de l'importance n'en ont pas vraiment. — Les chaises sur ... vous vous asseyez viennent d'être réparées. — Les fauteuils dans ... vous vous reposez sont profonds. — Les chiens ... nous avons fait des caresses sont bons chasseurs. — Les armoires dans ... nous rangeons nos vêtements sont très anciennes. — Les taillis dans ... nous sommes entrés sont pleins de fraises parfumées.
2° Analysez les pronoms relatifs de l'exercice ci-dessus.

342. MOTS A ÉTUDIER.
la silhouette ; la physionomie ; le raccourci ; l'averse ; la haie.

QUEL s   QUELLE s   QU'ELLE s

- **Quelle** belle fleur ! **Quel** beau fruit !
- **Qu'elles** sont belles, ces fleurs ! **Qu'ils** sont beaux, ces fruits !
- **Quelles** sont ces fleurs ? **Quels** sont ces fruits ?
- La fleur **qu'elle** cueille est belle. La fleur **qu'il** cueille est belle.

RÈGLE

Il ne faut pas confondre quel, adjectif, variable en genre et en nombre, avec qu'elle ayant une apostrophe.

Lorsqu'on peut remplacer qu'elle par qu'il il faut mettre l'apostrophe.

EXERCICES

343. 1° Remplacez les points par quel(s), quelle(s) **ou** qu'elle(s). **Justifiez l'emploi de** qu'elle(s) **en écrivant** qu'il(s) **entre parenthèses.**

1. ... belles heures nous avons passées à la campagne ! — ... sont juteuses, ces poires ! — Avec ... joie les enfants ont salué l'entrée des clowns ! — ... est le titre de ce livre ? — Je venais voir mes tantes ; on m'a dit ... étaient sorties. — L'infirmière prépare la piqûre ... va faire au malade. — Les caissières vérifient tous les chèques ... reçoivent.

2. Je vous porte des pommes, je crois ... vous feront plaisir. — Protégez vos salades afin ... ne soient pas mangées par les moineaux. — ... sont les plus belles régions du monde ? Celles de son pays. — Maman est sortie, j'attends ... rentre. — ... était jolie, la petite chèvre ! — ... sont les fleurs que vous préférez ? — ... élégants costumes !

2° Analysez quel(s), quelle(s), qu'elle(s) **de la 2ᵉ partie du n° 343.**

344.   Remplacez les points par quel(s), quelle(s) **ou** qu'elle(s).
Je vous porte des fleurs ; ... soient le témoignage de ma bonne amitié ! — Dans ... région pensez-vous passer vos vacances ? — ... sont vos lectures préférées ? — Avec ... adresse et ... souplesse le joueur de pelote rattrape et lance la balle ! — ... brouhaha dans la gare au moment de l'arrivée du T.G.V. — A ... vitesse roulait cet automobiliste quand les gendarmes l'arrêtèrent ? — Les vagues laissent de l'écume sur le rivage ... ont battu. — La vendeuse emballe la robe ... vient de vendre. — Avec ... courage et ... abnégation le pompier se jette dans les flammes pour sauver les malheureux. — ... sont les grands fleuves de l'Europe ?

2° Contruisez trois phrases avec qu'elles **et trois phrases avec** quelles.

345. MOTS A ÉTUDIER.
la fourmi ; le parfum, parfumer ; le remue-ménage ; envers, travers.

L'ADVERBE

- Les enfants jouent **bruyamment**.
- Les camions avancent **lentement**.

RÈGLE

L'adverbe est toujours invariable.

REMARQUES

1. Beaucoup d'adverbes ont la terminaison e.n.t.
Il ne faut pas les confondre avec les noms en e.n.t, variables.

- Les gazouillements se sont tus brusquement.

2. L'adjectif qualificatif peut être pris adverbialement ; dans ce cas, il est invariable.

- Les chevaux s'arrêtent net.
- Le maître parle d'une voix nette.

3. Ensemble et debout sont invariables.

- Nous étions debout dans le couloir.
- Nous étions ensemble à la fête.

4. L'adverbe formé avec l'adjectif en :

  e.n.t s'écrit e.mment.   →   patient, patiemment.
  a.n.t s'écrit a.mment.   →   brillant, brillamment.

EXERCICES

346. Donnez les adverbes formés avec les adjectifs suivants :

vaillant	précédent	prudent	méchant
fréquent	abondant	ardent	évident
constant	élégant	étonnant	suffisant
violent	obligeant	courant	éloquent

347. Même exercice que 346.

patient	négligent	récent	puissant
excellent	insolent	imprudent	savant
nonchalant	pesant	innocent	décent
languissant	apparent	intelligent	plaisant

348. Indiquez la nature de chaque mot en italique et accordez, s'il y a lieu :

Les secrétaires disposent *intelligemment* leur travail. — On entend dans le feuillage des *gazouillement* de fauvettes, des *pépiement* de moineaux, des *roucoulement* de ramiers. — Les agents renseignent *complaisamment*

74

les touristes étrangers. — Au *commandement,* les soldats se sont *rapidement* alignés. — Les arrières défendent *vaillamment* leur camp. — Les roses se balançaient *nonchalamment* sur leur tige. — Les *garnement* ont été *sévèrement* punis.

349. Même exercice que 348.
Les historiens ont *longuement* examiné les *document* découverts dans cette vieille église. — Les vieilles maisons sont *violemment* secouées par le vent. — Les mamans apprennent *patiemment* à marcher à leurs petits enfants. — Les *aboiement* du chien nous ont réveillés. — Les fenêtres des *logement,* des *appartement,* des salles de classe doivent être ouvertes pour renouveler l'air. — Nous enfonçons *pesamment* dans la terre labourée. — Nous voici en mars, les giboulées tombent *fréquemment.* — Certains candidats ont répondu *excellemment.*

350. Même exercice que 348.
Ces petits garçons savent lire *couramment.* — Ils ont passé *brillamment* leur examen. — Ces élèves arrivent *constamment* en retard, le service de ramassage est *certainement* mal organisé. — Eric change les *roulement* à billes de sa roue de bicyclette. — Des *glissement* de terrain ont enseveli le village. — Les moineaux attendent *patiemment* la fin de l'averse. — Nous avons apporté quelques *embellissement* à notre maison. — Les pompiers sont partis *précipitamment.* — Les voitures s'étaient *doucement* arrêtées.

351. Accordez les mots en italique, s'il y a lieu.
Des voix d'enfants sonnent *clair* dans le jardin. — Les fillettes portent des robes *clair.* — Vous êtes *fort* enrhumés. — Vous êtes vigoureux et *fort,* mais il faut ménager vos forces. — Ces vêtements coûtent *cher.* — Ces souvenirs me sont *cher.* — Ces œillets sentent *bon.* — Nous portons de *bon* souliers. — Les pluies avaient fait pousser une herbe verte et *dru.* — Les grêlons tombent *dru.*

352. Même exercice que 351.
Soyez toujours *juste* envers autrui. — Les enfants chantent *juste.* — Les gymnastes s'arrêtent *net.* — Ils parlaient d'une voix *net* et bien timbrée. — Nous sommes allés *ensemble* au marché. — De nombreux voyageurs étaient *debout* dans le couloir du wagon. — Ils revenaient *ensemble* de l'école. — Nous étions restés *debout* toute la matinée. — Nous avons fait *ensemble* un bout de chemin. — Les sportifs se tenaient *debout,* les jambes écartées.

353. MOTS A ÉTUDIER.
I. bruyant, bruyamment; goulûment; assidûment; incessamment.
II. le cétacé; le boursouflement, la boursouflure, boursoufler; la symétrie.
III. le rein, éreinter; récalcitrant; l'essaim; vraiment.

LE VERBE ou LE NOM

- Le tuteur **soutient** la jeune plante.
- L'élève fait un exercice de **soutien**.
- Le cantonnier **balaie** le trottoir.
- Il nettoie la cour avec un **balai**.

REMARQUES

Il ne faut pas confondre le **nom** avec une personne du verbe, son **homonyme**. L'orthographe est presque toujours différente.

Quelques exceptions
- un murmure, il murmure.
- un voile, il voile.
- un incendie, il incendie.

A noter que quelques **verbes à l'infinitif** et le **nom** ont la même orthographe :
- **dîner, le dîner ; rire, le rire...**

EXERCICES

354. Écrivez les verbes suivants aux trois personnes du présent de l'indicatif, puis le nom homonyme.

1. balayer   sommeiller   2. geler   oublier
   employer   appareiller   filer   ferrer
   octroyer   éveiller   exiler   crier
   convoyer   signaler   reculer   zigzaguer

355. Même exercice que 354.

1. flairer   rappeler   2. parcourir   réveiller
   éclairer   discourir   soutenir   saluer
   tirer   parier   entretenir accueillir
   plier   trier   rôtir   recueillir

356. Complétez s'il y a lieu.

Aimons le travail..., il préserve de l'ennui. — Quand je travail..., je ne m'ennui... pas. — La grand-mère envoi... des jouets à son petit-fils. — Nous avons fait un envoi... de livres à notre ami. — L'enfant s'applique, car il désir... réussir. — Ne soyez pas trop ambitieux, vos désir... ne seront pas toujours satisfaits. — Le vent murmur... dans les frondaisons. — J'écoute le frais murmur... de l'eau sur les cailloux. — Le chat sommeil... au soleil. — Grand-père n'aime pas qu'on trouble son sommeil...

357. Même exercice que 356.
On pose sur la table un superbe rôti... — Le poulet rôti... à feu doux. —
Le chien flair... la trace du lièvre. — Médor a du flair... — La nuit étend
son voil... sur la cité. — Le marin pli... la voil... — Bébé a un pli... gracieux au cou. — La brume voil... la campagne. — Le soleil couchant
incendi... les vitraux de l'église. — Un incendi... a ravagé tout un quartier
de la ville. — Ma mère parcour... le journal. — Pendant tout le parcour...,
j'ai lu. — J'ai reçu un cho... — Je cho... un verre.

358. Même exercice que 356.
L'ouvrier s'occupe de l'entretien... des machines. — Le fermier s'entretien... avec son voisin des semailles prochaines. — La pluie ennui... le facteur. — Quel ennui...! il pleut, je ne sortirai pas. — Le caporal salu... le
colonel qui lui rend son salu... — L'oisillon essai... de s'envoler. — Après
un essai... infructueux, l'auto démarre enfin. — Le chemin zigzag... dans
la campagne. — La foudre fait des zigzag... — Le moustique pi... le dor-
meur. — Le terrassier se sert d'un pi... — Autrefois, certains soldats
étaient armés d'une pi...

359. Même exercice que 356.
Le vent soupir... dans les hautes frondaisons. — Le malade laisse échapper de légers soupir... — Le corbeau pousse son cri... lugubre. — L'enfant trépigne, pleure, cri... en vain. — Voici l'automne, c'est la saison des
labour... — Le fermier labour... son champ. — La police veille au maintien... de l'ordre. — La grosse poutre maintien... toute la charpente. — Le
vieillard s'appui... sur sa canne. — Vos parents sont vos appui... les plus
solides. — Le facteur tri..., puis distribue le courrier. — Après avoir fait le
tri... du courrier, le facteur le distribue.

360. Complétez les mots inachevés.
Nous avons gardé nos amis à dîn... — Le dîn... s'est terminé par des chansons. — L'enfant a eu une tartine beurrée pour son goût... — Je suis
impatient de goût... à ce mets délicieux. — Je regardais la lune se lev...
au-dessus des arbres. — Je prends une tasse de chocolat à mon lev... —
Ces mauvaises nouvelles nous ont fait perdre le rir..., le boir... et le
mang... — Des rir... montaient de la cour de récréation. — Nous admi-
rons le couch... du soleil. — Il est tard, bébé va se couch...

361. 1° Faites une phrase simple avec chacun des mots : oubli, oublie —
appel, appelle — cri, crie — maintien, maintient — vol, vole.
2° Trouvez cinq noms et cinq infinitifs homonymes **et faites une phrase avec
chacun d'eux.**

362. MOTS A ÉTUDIER.
I. le flanc, flancher ; le banc ; l'intervalle ; un zigzag.
II. l'accueil, accueillir, cueillir ; l'œuvre, la manœuvre.
III. le parcours, le cours, le concours ; l'immensité, immense.

OU — OÙ　　　　　　LA — LÀ — L'A

- Allez **à la** fête **ou** allez **où** vous voudrez.
- Cet arbre-**là** était le roi de **la** forêt. Le vent **l'a** brisé.

RÈGLE

Il faut mettre un accent grave sur **là** et **où** quand ils marquent le **lieu** ou le **temps.**

Ou sans accent peut se remplacer par **ou bien.**

EXERCICES

363. Remplacez les points par ou, où. **Justifiez l'emploi de** ou **en écrivant** ou bien **entre parenthèses.**

... désirez-vous passer la soirée ? au théâtre ... au cinéma ? ... il vous plaira.
— J'ai acheté la maison ... je suis né, ... j'ai passé mes années d'enfance ; je l'habiterai ... je la louerai. — Dans le taillis se cache un nid de fauvettes ... de pinsons, ... piaillent des oisillons. — Je ferai un bouquet ... les œillets, les roses et les lilas marieront leurs couleurs. — Dans le cas ... tu ne trouverais personne à la maison, viens me chercher au jardin ... à la vigne. — Le jour ... la nuit, le médecin va ... les malades l'appellent. — Dans le village suisse ... je vais passer mes vacances, les habitants parlent le français ... l'allemand.

364. Même exercice que 363.

Les poules grattent le fumier ... elles trouvent des vers ... cherchent des graines dans la grange. — Le clocher ... nichent les hirondelles est tout délabré. — Je côtoie une rivière ... je m'enfonce sous bois ; partout ... je me trouve, j'observe la nature. — Il est paresseux ... distrait, car il oublie tous ses rendez-vous. — ... avez-vous cueilli des champignons ? dans un bois ... dans un pré ? — De la ville ... je me rends, je rapporterai des gâteaux ... des fruits. — Maman se rend à la clinique ... elle doit accoucher ; Régis aura bientôt un petit frère ... une petite sœur.

365. Même exercice que 363.

De ma fenêtre ... fleurissent des géraniums, je regarde passer les péniches qui remontent ... descendent la Seine. — Je sèmerai des graines de salades ... de radis à l'emplacement ... je mettais des poireaux. — Dans la cafétéria ... Catherine déjeune, on choisit le menu touristique ... le plat du jour. — Pour la maison de campagne ... vous séjournerez, achetez des meubles de bois blanc ... des meubles peints. — A la gare ... vous descendrez, vous prendrez l'autocar ... une automobile.

366. Remplacez les points par la ou là.

Cette émission-... plaît à tous les jeunes enfants, ils ... regardent chaque mercredi. — ... maison que vous voyez ...-bas dans ... verdure m'appartient. — C'est ... où je suis né. — ... où entre ... lumière du soleil, le médecin n'entre pas. — ..., cachée sous les feuilles, ... violette exhale sa subtile senteur. — ...-bas, près de ... station de métro, ... foule écoute un guitariste. — ... poire que je mange, je l'ai cueillie sur ce poirier-... — Ce livre-... provient de ... bibliothèque scolaire.

367. Même exercice que 366.

Tout s'anime dès que l'horizon s'éclaire. Ici, c'est le claironnement d'un coq, ... le chant d'un oiseau, ... encore l'aboiement d'un chien, plus loin ...-bas le départ du premier tracteur ; ... nature s'éveille. — Mettez ... bêche dans ce coin-..., je ... rangerai tout à l'heure. — En ce temps-..., ... route était étroite et peu fréquentée. — Ne venez pas ..., car ... falaise est à pic. — ... fleurissaient ... pâquerette et le bouton-d'or. — ... grenouille se cache ... où elle trouve ... fraîcheur. — Jusque-... le temps avait été beau, puis le ciel se couvrit et ... pluie se mit à tomber.

368. Remplacez les points par la, là ou l'a.

Cette veste-... était ... dernière ; ... marchande me ... vendue avec une bonne remise. — ...-dessus, il prit la porte et s'en alla sans dire un mot. — ... maîtresse a appelé cette fillette-... et ... interrogée. — ...-haut dans ... montagne, on trouve des œillets sauvages et des fleurs parfumées. — ... sonnerie ... réveillé. — Çà et-..., ... prairie se piquait de fleurs. — Son père ... grondé pour ... faute qu'il a commise, mais il ne ... pas puni. — C'est ..., dans cette campagne paisible, que je passerai ... plus grande partie de mes vacances. — Norbert cueillit ... pomme et ... mangea.

369. Remplacez les points par le mot qui convient.

Cette chanson-... me plaît. — Le menuisier a scié ... planche et ... rabotée. — Le Petit Chaperon rouge aperçut ... maison de sa grand-mère ...-bas, à l'entrée du village. — Vous porterez ces lettres-... et ce paquet au bureau de poste ; ..., ils seront pesés et enregistrés. — J'ai porté ... bicyclette chez le mécanicien qui ... réparée. — Retournerai-je à ... rivière ... j'ai pris tant de poissons, ... au bois ... j'ai ramassé de si bons champignons ? — Claudine a préparé ... galette et ... mise au four.

370. 1° Analysez où **et** ou **dans les cinq premières phrases de l'ex. 363.**

2° Analysez là **et** la **dans les cinq premières phrases de l'ex. 366.**

3° Construisez cinq phrases renfermant à la fois où **et** ou**.**

4° Construisez cinq phrases renfermant à la fois la **ou** là**.**

371. MOTS A ÉTUDIER.

I. le compte ; torride ; l'affût, affûter ; quelqu'un.

II. la halle ; le marché ; la densité, dense, condenser.

PRÈS — PRÊT   PLUS TÔT — PLUTÔT

- Les nageurs alignés **près** du bord sont **prêts** à plonger.
- Les nageuses alignées **près** du bord sont **prêtes** à plonger.
- **Plutôt** que de flâner, essayez de rentrer **plus tôt**.

RÈGLES

Il faut écrire **prêt (p.r.ê.t)** quand on peut le mettre au **féminin**, c'est un adjectif qualificatif. — Sinon il faut écrire **près (p.r.è.s)**.
Il faut écrire **plus tôt** en **deux mots** lorsqu'il est le contraire de **plus tard**. — Dans le cas contraire, il faut l'écrire en un mot.

EXERCICES

372. Conjuguez au présent et à l'imparfait de l'indicatif :

être prêt à sortir   être prêt à sauter   être prêt à partir
être près du bord   être près du mur   être près du puits

373. Complétez avec près **ou** prêt, **accordez s'il y a lieu. Justifiez l'emploi de** prêt **en écrivant le féminin entre parenthèses.**
1. Nous ne sommes pas ..., attendez-nous ... de l'église. — Ils sont si ... du but qu'ils sont ... à faire un effort. — Nous nous tenions tout ... de là, ... à riposter. — Soyez toujours ... à faire votre devoir. — Nous étions ... à tirer sur le sanglier quand il passerait ... de l'étang.
2. Les voiliers rangés ... de la jetée sont ... au départ. — Je suis ... à vous accorder ma confiance, si vous êtes ... à tenir vos engagements. — Les enfants rassemblés ... du professeur se tiennent ... à chanter. — Les voitures sont ... à démarrer. — La maman reste ... du berceau où repose son bébé ... à s'endormir. — Les fillettes sont ... à partir pour l'école.

374. Remplacez les points par plus tôt **ou** plutôt. **Justifiez l'emploi de** plus tôt **en écrivant** plus tard **entre parenthèses.**
1. Si je pouvais, je rentrerais ... — ... réfléchir que de se précipiter pour écrire la réponse. — Si tu étais parti un peu ... tu n'aurais pas manqué le train. — ... que de jeter ces vêtements, vous auriez dû les donner. — J'aime ... la fraise que la cerise. — On se passerait ... d'or que de fer.
2. Je lis ... les romans que les bandes dessinées. — Les soldats de la Révolution décidèrent de se défendre ... que de se rendre. — Les fruits sont plus gros que les années passées, mais ils sont ... moins sucrés. — Les bêtes sont allées au pré ... que de coutume. — ... que de perdre du temps, étudiez.

375. 1° Construisez cinq phrases renfermant à la fois près **et** prêt.
2° Construisez cinq phrases renfermant à la fois plus tôt **et** plutôt.

376. MOTS A ÉTUDIER.
  I. la persévérance, persévérant, persévérer ; le temps, longtemps.
 II. la sculpture, le sculpteur, sculpter ; le cygne ; l'examen.

PEU — PEUT

- La voiture **peu** rapide ne **peut** pas doubler.
- La voiture **peu** rapide ne **pouvait** pas doubler.

RÈGLE

Il ne faut pas confondre **peut** (p.e.u.t), du verbe **pouvoir**, avec **peu** (p.e.u) adverbe de quantité.
Si l'on peut mettre l'imparfait **pouvait**, il faut écrire **peut** (p.e.u.t).

EXERCICES

377. Conjuguez au présent et à l'imparfait de l'indicatif :

pouvoir feuilleter ce livre　　　　　　　être peu fatigué
pouvoir flâner à sa guise　　　　　　　être un peu gourmand

378. Remplacez les points par peu **ou** peut. **Jusfifiez l'emploi de** peut **en écrivant** pouvait **entre parenthèses.**

... à ... les nuages se dissipent et l'on ... sortir. — Ce candidat ne ... pas trouver la réponse, car il a trop ... de temps pour réfléchir. — Le client ne ... pas tout acheter parce qu'il a ... d'argent. — Il a ... de temps et ne ... pas venir nous voir. — La récolte a été ... abondante, le maraîcher ne ... pas vendre beaucoup de produits. — Cet élève ... mieux faire ; il faut qu'il travaille avec un ... plus d'ardeur. — Un ... d'aide fait grand bien.

379. Même exercice que 378.

Vous me rapportez ... de chose, mais cela ... me tirer d'affaire. — Si ... que vous fassiez pour cet homme, faites-le, cela ne ... que lui rendre service. — Il ... porter ce paquet ... volumineux. — Il est ... raisonnable de sortir, car le temps ... se gâter subitement. — ... à ... le blessé reprend connaissance et ... expliquer sa chute. — Ce chat ... commode ... vous faire regretter vos taquineries. — Cette maladie est ... fréquente, on ... la combattre efficacement. — Faites ..., mais faites bien.

380. Même exercice que 378.

La fusée ... décoller, car le brouillard est ... épais. — Il se ... que les concurrents demandent un ... de repos. — ... à ... on connaîtra la vérité et on découvrira le coupable. — Ce commerçant ne ... livrer que ... de marchandises. — L'eau est ... profonde, on ... se baigner sans crainte. — Ce pont est ... solide, je ne sais si l'on ... s'y aventurer sans risque. — ... à ... la nature reprend son calme et le touriste ... continuer sa promenade.

381. Construisez cinq phrases renfermant à la fois peut **et** peu.

382. MOTS A ÉTUDIER.

I. le tissu, la crête ; un aperçu, apercevoir ; malgré.
II. la conscience, consciencieux ; la tranquillité, tranquille ; la paix.

QUANT À   QUAND — QU'EN

● **Quant à** moi, j'irai te voir **quand** il fera beau. **Qu'en** dis-tu ?
  (en ce qui concerne)   (lorsque)   (Que... en)

RÈGLE

Il ne faut pas confondre quand (q.u.a.n.d) avec quant (q.u.a.n.t) ni avec qu'en (q.u'.e.n). Il faut écrire :
— q.u.a.n.d, si ce mot exprime le temps. On peut généralement le remplacer par lorsque ;
— q.u'.e.n, si l'on peut décomposer qu'en en que en ;
— q.u.a.n.t, si ce mot peut être remplacé par en ce qui concerne. Il est suivi de la préposition à ou de au, aux.

EXERCICES

383. Complétez avec : quand, quant **ou** qu'en. **Justifiez** quand **ou** qu'en **en écrivant** lorsque **ou** que en **entre parenthèses.**
Les recommandations de vos maîtres, ... faites-vous ? — Je ne pourrai m'absenter ... demandant la permission et ... mon camarade sera rentré de vacances. — Le rossignol chante ... la nuit vient. — ... à moi, je ne puis accepter cette excuse ; ... on a une tâche, il faut l'accomplir. — L'hiver, les Esquimaux ne se déplacent ... traîneaux. — Cette maison n'est habitée ... partie. — ... aux fleurs que je vous ai offertes, elles se garderont fraîches quelques jours, si vous changez l'eau chaque matin.

384. Même exercice que 383.
... aux erreurs que j'ai relevées dans votre devoir, elles ne sont pas graves, mais elles sont regrettables. — Cette poule-ci est bonne pondeuse ; ... à celle-là, elle pond rarement. — ... on a travaillé pendant toute une année, on est bien content de se reposer quelques jours à la campagne. — Vous ne paierez ... sortant. — ... j'irai voir ma camarade, je lui porterai des disques. — ... penses-tu ?

385. Même exercice que 383.
... il aura plu, j'irai cueillir des cèpes. — Si je te prête ce livre, ... feras-tu ? — Je le lirai ... j'aurai fini mon travail. — Le maître dit : « Je suis content de ces élèves ; ... à ceux-ci, leur travail laisse à désirer, ils devront emporter leurs livres ... ils partiront en vacances. » — ... à moi, ne m'attendez pas pour dîner. — Ils ne viennent ... été dans cette maison. — ... tu viendras, préviens-moi. — Je ne voyage ... auto.

386. Construisez trois phrases avec quand, quant à **et** qu'en.

387. MOTS A ÉTUDIER.
  I. le sommaire ; mieux ; hors, alors, dehors.
  II. le commis, le commissionnaire, la commission ; le sort, le sortilège.

RÉVISION

388. Écrivez les verbes en italique au présent de l'indicatif.

Le gardien et son chien *surveiller* l'entrée de la banque. — Les branches du pommier *se couvrir* de fleurs. — Le champ où *se poser* les corbeaux est ensemencé. — Dès la tombée de la nuit *s'éclairer* les fenêtres des maisons. — Tu lui *donner* de bons conseils. — Tu me *rendre* mon livre. — Tu *avoir* des cahiers propres. — Tu *être* de bonne humeur. — Tu leur *raconter* une histoire.

389. Écrivez les verbes en italique à l'imparfait de l'indicatif.

Toi qui *avoir* de bonnes joues, tu as perdu tes couleurs. — Moi qui *être* si patient, voilà que je m'emporte. — Une joie trop forte, un petit chagrin, tout la *contrarier*. — Les hirondelles qui *raser* le sol *annoncer* la pluie. — Skier, sauter les bosses, voilà ce qui lui *plaire*. — Menaces ou injures, rien ne me *faire* peur. — Jacinthes et tulipes *fleurir* le jardin.

390. Écrivez les verbes en italique au présent de l'indicatif.

Les cerises sont mûres, je les *cueillir*. — Le jardinier *arracher* les radis et les *disposer* en bottes. — Les maçons *préparer* le béton et le *verser* dans les coffrages. — Les bûcherons *abattre* le vieux chêne et l'*ébrancher*. — Le caissier *compter* les billets et les *ranger* par paquets de dix. — Les rayons du soleil *éclairer* la terre et la *réchauffer*.

391. Remplacez les points par leur ou leurs et faites les accords, s'il y a lieu.

Je retrouve de bons camarades, je ... serre la main avec plaisir. — Les usines dressent vers le ciel ... cheminée... géante... — Autrefois, les dentellières transformaient de ... doigt... agile... le fil en fines dentelles. — Cette poussière ... brûle les yeux. — Les pêcheurs partent de bonne heure ; le vent matinal ... fouette le visage et ... gonfle la poitrine. — Les corbeaux font entendre ... croassement... lugubre...

392. Écrivez correctement les participes passés des verbes en italique.

1. Le jardin est *entourer* de murs *élever*. — Les feuilles *jaunir*, *rouiller*, étaient *griller* par les gelées. — Mes livres *préférer* sont *ranger* dans la bibliothèque. — Les sentiers sont *joncher* de débris. — Quand les arbres auront été *abattre*, les tracteurs les emporteront. — Les noix avaient été *gauler* et *mettre* en sacs.

2. Le carrelage *laver* brille. — Les serviettes *laver* ont été étendues sur la corde. — Les rues sont *laver* par la pluie. — Les pluies ont *laver* les rues. — On a *laver* le linge. — Les assiettes que Jean-Pierre a *laver* ont été rangées dans le buffet. — Les vitres ont été *laver*, la maison nettoyée à fond. — Ils se sont *laver* les mains. — Ils se sont *laver* à grande eau.

DEUXIÈME PARTIE

CONJUGAISON

CLASSIFICATION DES VERBES

D'après la terminaison de la 1re personne du singulier du présent de l'indicatif, on peut classer les verbes en deux grandes catégories :

1. La catégorie des **verbes en e** comprend : — les verbes en **e.r** (1er groupe de conjugaison) : **couper, je coup.e ;**

— quelques verbes comme **cueillir, offrir...** : **cueillir, je cueill.e.**

2. La catégorie des **verbes en s** comprend : — les verbes en **i.r** (2e groupe de conjugaison, dont le participe présent est en **issant**) : **finir, je fini.s, en finissant ;**

— les verbes du 3e groupe de conjugaison : **sortir, je sor.s, en sortant. — voir, je voi.s. — prendre, je prend.s.**

REMARQUES SUR QUELQUES INFINITIFS

Les verbes dont le participe présent est en **issant** (2e groupe) ont toujours l'infinitif en **i.r : en finissant → finir (i.r).**

Les verbes en **oir** s'écrivent **o.i.r**, sauf **boire, croire, accroire.**

Les verbes en **uir** s'écrivent **u.i.r.e**, sauf **fuir** et **s'enfuir.**

Les verbes en **air** s'écrivent **a.i.r.e : faire, plaire...**

Quelques verbes s'écrivent **i.r.e : lire, écrire, rire, suffire...**

EXERCICES

393. **Écrivez douze verbes en** uire, **douze verbes en** aire, **douze verbes en** oir.

394. **Indiquez entre parenthèses l'infinitif des verbes suivants et le groupe de conjugaison auquel ils appartiennent :**

je dors	je souris	je nourris	je pars	je vends	je polis
j'étudie	j'essuie	je remue	je joue	je lis	je perds

395. **Écrivez l'infinitif et le participe présent de quinze verbes du 2e groupe.**

396. **Mettez la terminaison de l'infinitif des verbes suivants :**

ri...	suffi...	construi...	fui...	vouloi...	mouri...
couri...	sorti...	détrui...	boi...	réussi...	parcouri...
éli...	épanou...	apercevoi...	croi...	noirci...	recevoi...
choisi...	lui...	s'évanoui...	prévoi...	souri...	sali...

MAINTENANT, AUJOURD'HUI : **PRÉSENT DE L'INDICATIF**

● **Je pense à l'infinitif.**

Verbes en **er** → **e-es-e**		Autres verbes → **s-s-t** ou **d**	
couper	**étudier**	**bondir**	**attendre**
je coup.e	j' étudi.e	je bond.is	j' attend.s
tu coup.es	tu étudi.es	tu bond.is	tu attend.s
il coup.e	il étudi.e	il bond.it	il atten.d
ns coup.ons	ns étudi.ons	ns bond.issons	ns attend.ons
vs coup.ez	vs étudi.ez	vs bond.issez	vs attend.ez
ils coup.ent	ils étudi.ent	ils bond.issent	ils attend.ent

RÈGLE FONDAMENTALE

Au **présent de l'indicatif**, les **verbes** se divisent en **deux grandes catégories** :

1. **Les verbes en e.r,** qui prennent **e, e.s, e** :
j'étudi.**e**, tu étudi.**e.s**, il étudi.**e**.

2. **Les autres** verbes qui prennent **s, s, t** ou **d** :
je bondi.**s**, tu bondi.**s**, il bondi.**t** — il atten.**d**.

Nota : Quelques verbes ne suivent pas cette règle. Ex. : **Je peux, il va...**

Pour bien écrire un verbe au **présent de l'indicatif** il faut penser à **l'infinitif**,
puis à la personne :
j'étudi**e** (étudier) e — je bondi**s** (bondir) s.

copier	plier	avertir	grossir	clouer	suer
envier	publier	fléchir	guérir	échouer	tuer
épier	remercier	frémir	saisir	louer	créer
falsifier	supplier	garnir	surgir	continuer	suppléer

EXERCICES

397. Conjuguez au présent de l'indicatif :

1. scier une bûche — balbutier quelques mots — oublier son livre — fleurir sa demeure — bâtir un mur — établir un plan
2. remercier son père — plier des serviettes — trier le courrier — noircir ses souliers — emplir un panier — pétrir la pâte
3. distribuer des bonbons — saluer son maître — remuer les cendres — maugréer contre la pluie — secouer l'amandier — jouer du piano

398. Mettez les verbes aux trois personnes du singulier du présent de l'indicatif. La 3ᵉ personne sera représentée par un nom.

convier des amis à dîner — négocier une affaire — franchir un obstacle — tuer la perdrix — pétrir l'argile — allouer un secours — démolir un mur — crier à tue-tête — lier une amitié

399. Mettez les verbes au présent de l'indicatif, justifiez la terminaison en écrivant l'infinitif entre parenthèses.

j'appréci...	tu sci...	il grandi...	tu bondi...	je distribu...
je noirci...	tu bruni...	il mendi...	tu gravi...	je nou...
il adouci...	j'applaudi...	tu pari...	il châti...	tu cré...
il remerci...	j'étudi...	tu guéri...	il amorti...	tu contribu...

400. Même exercice que 399.

On appréci... le retour du printemps. — Le castor bâti... sa hutte. — L'infirmière se dévou... à ses malades. — La grappe mûri... au soleil. — La machine li... les bottes de paille. — Le voyageur s'expatri... — Le vent secou... le peuplier d'or. — Le commerçant expédi... des marchandises. — La foule afflu... dans les gares. — L'étoile pâli... au firmament. — Le navire s'échou... sur la grève. — Le coupable expi... ses fautes. — La gelée durci... la terre. — L'écolier rectifi... une erreur. — En hiver, la clarté diminu... — La pluie contrari... le chasseur.

401. Même exercice que 399.

Le chef d'orchestre salu... le public. — Tu étudi... une leçon difficile. — Tu applaudi... le chanteur. — L'enfant remu... ses petites mains. — Elle blêmi... de frayeur. — Je su... à grosses gouttes. — J'embelli... mon appartement. — Tu t'habitu... à ton nouveau travail. — Le jardinier enfoui... les mauvaises herbes. — Le chien mendi... une caresse. — Le chevreuil bondi... dans le fourré. — Je me réfugi... sous le porche de l'église pendant la pluie. — Je rougi... de plaisir. — L'homme prévoyant se souci... de l'avenir. — Tu supplé... un ami malade. — Tu tri... des timbres-poste. — Tu te meurtri... les mains.

402. Mettez la terminaison convenable du présent de l'indicatif.

L'hirondelle se réfugi..., se blotti... sous la gouttière. — L'orage stri... le ciel de ses éclairs, grossi... la rivière, anéanti... les récoltes. — Le facteur effectu... sa tournée habituelle. — Le fauve se tapi... dans les herbes et épi... sa proie. — Je fini... mon travail et je le vérifi... — Le soleil resplendi..., incendi... le ciel. — Tu assoupli..., tu fortifi... tes muscles. — Le bambin balbuti... quelques mots, puis s'assoupi... — Le bûcheron équarri... le chêne et le sci... — Le vent gémi..., la girouette cri... au sommet du clocher. — Tu multipli... tes efforts et tu accompli... bien ta tâche.

403. MOTS A ÉTUDIER.

I. le courrier ; la promptitude, prompt, promptement ; d'abord.

II. brandir ; le fourré ; le printemps ; l'humidité, humide.

III. le voyageur ; le saut, l'assaut ; le loriot ; le sureau.

PRÉSENT DE L'INDICATIF : **VERBES COMME : CUEILLIR**

cueillir		ouvrir		offrir	
je	cueille	j'	ouvre	j'	offre
tu	cueilles	tu	ouvres	tu	offres
il	cueille	il	ouvre	il	offre
nous	cueillons	nous	ouvrons	nous	offrons
vous	cueillez	vous	ouvrez	vous	offrez
ils	cueillent	ils	ouvrent	ils	offrent

RÈGLE

Les verbes comme **cueillir, ouvrir, offrir** se conjuguent au présent de l'indicatif **comme les verbes en e.r** :
Je cueill.e, tu cueill.e.s, il cueill.e.

cueillir	offrir	découvrir	souffrir
accueillir	ouvrir	recouvrir	assaillir
recueillir	couvrir	entrouvrir	tressaillir

EXERCICES

404. Conjuguez au présent de l'indicatif :
accueillir des amis   entrouvrir la fenêtre   souffrir de la tête
recueillir un chien   recouvrir un toit   tressaillir de joie

405. Mettez les verbes aux trois personnes du singulier du présent de l'indicatif. La 3ᵉ personne sera représentée par un nom.
recueillir des graines   découvrir la marmite   tressaillir de peur
frapper à la porte   penser à ses parents   garder la maison
couvrir un hangar   offrir des tulipes   assaillir le prunier

406. Mettez les verbes en italique au présent de l'indicatif.
Je *tressaillir* au moindre bruit. — Je *se hâter* vers la maison. — J'*accueillir* gentiment mes amis. — Tu *hésiter* à sortir. — Tu *découvrir* de vieilles choses dans le grenier. — Tu *écouter* le chant du vent. — Tu *cueillir* une rose et tu l'*offrir* à ta mère. — Le feu *flamber* et *pétiller*. — Le soleil *entrouvrir* les fleurs. — Les papillons *voltiger*. — Les moineaux *assaillir* et *piller* le cerisier.

407. Même exercice que 406.
L'hirondelle *édifier* son nid. — Tu *souffrir* de la chaleur. — Tu *rentrer* les oignons. — Du sommet de la colline, on *découvrir* un splendide panorama. — Le vendeur *certifier* la qualité de cet appareil. — Le nuage *assombrir* le ciel. — Je *finir* mon travail. — Tu *nier* l'évidence. — Tu *assaillir* ta bonne grand-mère de tes questions. — La source *jaillir* au pied du chêne. — Je *cueillir* des violettes.

408. MOTS A ÉTUDIER.
l'odeur ; le brin ; quelquefois, parfois, toutefois.

PRÉSENT DE L'INDICATIF :

QUELQUES VERBES DU 3e GROUPE

courir	rompre	construire	lire
je **cours**	je **romps**	je construi**s**	je li**s**
tu **cours**	tu **romps**	tu construi**s**	tu li**s**
il **court**	il **rompt**	il construi**t**	il li**t**
ns **courons**	ns **rompons**	ns construi**sons**	ns li**sons**
vs **courez**	vs **rompez**	vs construi**sez**	vs li**sez**
ils **courent**	ils **rompent**	ils construi**sent**	ils li**sent**

cuire	instruire	produire	éconduire	conclure	accourir
déduire	introduire	réduire	relire	exclure	parcourir
détruire	luire	séduire	élire	rire	secourir
enduire	nuire	traduire	suffire	sourire	interrompre

EXERCICES

409. Conjuguez au présent de l'indicatif :

1. interrompre son travail / rire aux éclats / relire un livre
   conduire une voiture / secourir un blessé / suffire à sa tâche
2. saluer son maître / confire des fruits / lier une sauce
   conclure une affaire / confier un secret / lire le journal

410. Écrivez aux trois personnes du pluriel du présent de l'indicatif :
détruire   faiblir   obéir   maigrir   produire   lire

411. Mettez les verbes au présent. Indiquez leur infinitif.
Je labou... tu parcour... je grossi... tu nui... je bourr... il restitu... je cour... il conclu... je congédi... tu choisi... tu exclu... il concour... tu savour... il remu... tu ni... je secour... tu continu... il entour...

412. Révision. Mettez la terminaison convenable.
Le merle construi... son nid. — L'artisan conclu... une affaire. — Le feuillage remu... imperceptiblement. — Tu ri... de bon cœur. — Le piéton injuri... l'automobiliste. — Le lièvre cour... — Le maître exclu... l'élève bruyant. — Le chasseur tu... la perdrix. — Je li... une lettre. — Je li... conversation avec mon voisin. — Nous condui... les enfants au cinéma. — Nous garni... les mangeoires des oiseaux.

413. Même exercice que 411.
La mésange détrui... des milliers d'insectes. — Je romp... le silence. — Cette machine produi... des centaines de pièces en une heure. — Je rédui... mes dépenses. — Je vous confi... ce coffret. — La chaleur corromp... les aliments. — Tu nui... à tes camarades par ton inexactitude. — Le passant secour... l'aveugle. — Le fermier labour... ses terres. — Tu savour... une pêche. — Tu accour... à mon appel. — L'orateur interromp... son discours.

414. MOTS A ÉTUDIER.
le fouillis ; le marché ; l'égout ; manœuvrer ; souffler.

PRÉSENT DE L'INDICATIF :   # VERBES EN DRE

	répondre					perdre		
je	réponds	nous	répondons		je	perds	nous	perdons
tu	réponds	vous	répondez		tu	perds	vous	perdez
il	répond	ils	répondent		il	perd	ils	perdent

RÈGLE

Les verbes en **dre** conservent généralement **d** au présent de **l'indicatif** : Je réponds **(d.s)**, tu réponds **(d.s)**, il répond **(d)**. Les verbes en **endre** s'écrivent **e.n.d.r.e**, sauf **épandre** et **répandre** qui s'écrivent avec un **a**.

défendre	descendre	vendre	fondre	tondre	détordre
prendre	étendre	épandre	confondre	correspondre	mordre
suspendre	entendre	répandre	pondre	reperdre	démordre

EXERCICES

415. Conjuguez au présent de l'indicatif :

1. rendre la monnaie   tondre son chien   descendre l'escalier
   perdre des points   tordre un clou   répandre la nouvelle

2. rompre le pain   fendre des bûches   correspondre avec Jean
   étendre les bras   épandre du fumier   mordre à belles dents

416. Conjuguez les verbes aux trois personnes du singulier du présent de l'indicatif. — La 3ᵉ personne sera représentée par un nom.

tondre la pelouse   décorer une assiette   coudre un bouton
interrompre le maître   détordre un fil de fer   dénouer sa ceinture

417. Mettez la terminaison convenable du présent de l'indicatif.

L'avocat défen... l'accusé. — Le soleil répan... sa lumière sur la campagne. — Le gendarme surpren... le malfaiteur. — Après son accident, Monsieur Girard réappren... à marcher. — Le vent tor... les branches. — Le brouillard s'évapor... — Le trapéziste se suspen... dans le vide. — Le beurre fon... — Le chien mor... le facteur. — La pluie glacée morfon... le voyageur. — La cane pon... de gros œufs. — La barque s'échou... — La caissière ren... la monnaie. — Le moineau s'ébrou... dans le sable.

418. Même exercice que 417.

J'enten... le chant du rossignol. — Tu écout..., tu réfléchi..., tu compren..., tu appren... — Le voyageur explor... une région inconnue. — Tu mor... avec plaisir dans le fruit mûr. — Le fermier épan... du fumier. — Je romp... le pain au-dessus de l'assiette. — Tu répon... avec assurance. — Il secou... le pommier. — Tu mou... du café.

419. MOTS A ÉTUDIER.

I. le chèvrefeuille ; le creux ; le genêt ; le goujon ; répandre.
II. la paix ; immense ; le gazouillement ; longtemps ; épandre.

PRÉSENT DE L'INDICATIF : **VERBES EN YER**

	appuyer				employer		
j'	appuie	nous	appuyons	j'	emploie	nous	employons
tu	appuies	vous	appuyez	tu	emploies	vous	employez
il	appuie	ils	appuient	il	emploie	ils	emploient

RÈGLE

Les verbes en **yer** changent l'**y** en **i** devant un **e** muet : J'appuie (i.e), tu appuies (i.e.s), il appuie (i.e), nous appuyons (y.o.n.s), vous appuyez (y.e.z), ils appuient (i.e.n.t).

Les verbes en **ayer** peuvent conserver ou prendre l'**y** devant un **e** muet : je balaye, je balaie, tu balayes, tu balaies....

Pour simplifier l'orthographe, il est préférable d'appliquer la règle à tous les verbes en **yer**.

ennuyer	tournoyer	festoyer	ployer	bégayer	étayer
essuyer	broyer	larmoyer	renvoyer	effrayer	payer
aboyer	déployer	nettoyer	rudoyer	égayer	rayer
apitoyer	envoyer	noyer	tutoyer	essayer	zézayer

EXERCICES

420. Conjuguez au présent de l'indicatif :
essuyer la vaisselle   ennuyer ses camarades   nettoyer ses habits
choyer sa grand-mère   tutoyer son voisin   broyer du sucre
payer une note   balayer la cuisine   zézayer légèrement

421. Mettez aux 1ʳᵉ et 2ᵉ personnes du singulier et à la 1ʳᵉ personne du pluriel du présent de l'indicatif :
appuyer   convoyer   employer   larmoyer   envoyer   rayer
apitoyer   déployer   festoyer   octroyer   effrayer   essuyer

422. Mettez les verbes en italique au présent de l'indicatif :
Le soleil *rougeoyer*. — La route *poudroyer* sous le soleil. — Tu *appuyer* sur le déclic. — Nous *envoyer* une lettre à nos amis. — Les brouillards *noyer* les prés de leur nappe laiteuse. — Tu *effrayer* l'enfant par tes grimaces. — Les fleurs *égayer* le jardin. — Je *délayer* de la farine dans du lait. — Vous vous *frayer* un chemin dans les buissons. — Nous *essuyer* la table. — Le cow-boy brutal *rudoyer* son cheval. — Les gardiens *convoyer* le fourgon blindé. — Vous *nettoyer* votre bicyclette. — Vous *côtoyer* le gouffre. — Nous *essayer* des chaussures. — Les corbeaux *tournoyer* dans le ciel.

Verbes en **uyer, oyer, ayer** ou en **uire, oir, aire ?**
Je pense à l'infinitif.

423. Mettez aux trois personnes du singulier du présent de l'indicatif :

construire	reproduire	revoir	croire	bégayer	soustraire
ennuyer	essuyer	renvoyer	ployer	faire	essayer

424. Mettez les verbes aux trois personnes du singulier du présent de l'indicatif. La 3ᵉ personne sera représentée par un nom.

conduire un tracteur	boire de la tisane	étayer un mur
appuyer sur la pédale	détruire les chenilles	distraire l'enfant
entrevoir la vérité	larmoyer sans raison	frayer un chemin
envoyer un mandat	extraire de la pierre	traire la vache

425. Mettez les verbes au présent de l'indicatif et justifiez la terminaison en écrivant l'infinitif entre parenthèses.

Le soleil flamboi... et boi... la rosée du matin. — La nuit tombe, l'oiseau se tai... — Le maçon étai... la vieille bâtisse. — Au printemps, la campagne verdoi... — Mon père doi... rentrer à sept heures. — Les chouettes voi... clair la nuit. — Les commerçants envoi... des échantillons. — Il fait chaud, je sui... le sentier, j'essui... la sueur de mon front et je poursui... mon chemin. — Les élèves tutoi... leurs camarades. — L'hirondelle détrui... les insectes. — Les ouvriers nettoi... les outils. — Il reçoi... une lettre de son père.

426. Même exercice que 425.

Je suis attentif, j'essai... de comprendre et je sai... ma leçon. — Le blé ondoi... sous la caresse du vent. — Je broi... du gros sel. — Je pourvoi... aux besoins de ma famille. — Tu ennui... tes camarades et tu leur nui... — Tu voi... l'écureuil se balancer dans l'arbre. — Tu envoi... des cartes postales à tes amis. — Les chien aboi... toute la nuit. — Le malade boi... une tisane chaude. — Tu fai... ton travail avec application. — Tu effrai... la volaille.

427. Même exercice que 425.

La soupe cui... sur le gaz. — La carabine s'enray... au premier coup de feu. — Tu aperçoi... une voile à l'horizon. — Tu ploi... sous la charge. — Je me plai... à la campagne. — Tu pai... une facture. — Je balai... la terrasse. — Je trai... la vache. — Au feu vert, le conducteur embray... rapidement. — Le clown distrai... les enfants. — La rivière chatoi... sous le soleil. — Je croi... ce que vous dites. — Je déblai... le grenier. — Je bégai... des excuses. — Je satisfai... mon maître par mon travail.

428. MOTS A ÉTUDIER.

I. la vaisselle ; le hangar ; la faux ; la faïence ; toujours.

II. le gazouillis, gazouiller ; l'hymne ; moins, néanmoins.

PRÉSENT DE L'INDICATIF :

VERBES EN INDRE ET EN SOUDRE

atteindre	craindre	joindre	résoudre
j' atteins	je crains	je joins	je résous
tu atteins	tu crains	tu joins	tu résous
il atteint	il craint	il joint	il résout
ns atteignons	ns craignons	ns joignons	ns résolvons
vs atteignez	vs craignez	vs joignez	vs résolvez
ils atteignent	ils craignent	ils joignent	ils résolvent

RÈGLE

Les verbes en **indre, oindre** et **soudre** perdent le **d** au présent de l'indicatif et prennent **s, s, t** :
j'atteins (n.s), tu atteins (n.s), il atteint (n.t).

REMARQUES

1. Les personnes du pluriel du présent de l'indicatif des verbes en **indre** et en **oindre** sont en **gn : nous atteignons (g.n.o.n.s), vous atteignez (g.n.e.z), ils atteignent (g.n.e.n.t).**

2. Les verbes en **indre** s'écrivent **e.i.n.dre** sauf **plaindre, craindre** et **contraindre** qui s'écrivent avec un **a**.

3. Il ne faut pas confondre les verbes en **soudre** avec les verbes en **oudre** qui suivent la règle des verbes en **dre : je résous, je couds.**

teindre	empreindre	enfreindre	plaindre	disjoindre	résoudre
peindre	geindre	ceindre	craindre	enjoindre	absoudre
étreindre	feindre	éteindre	contraindre	rejoindre	dissoudre

EXERCICES

429. Conjuguez au présent de l'indicatif :

peindre la grille   rejoindre ses parents   craindre le froid
plaindre l'orphelin   atteindre le but   résoudre un problème

430. Mettez les verbes en italique au présent de l'indicatif.

Tu *craindre* de t'enrhumer. — J'*éteindre* la lanterne. — L'ouvrier *peindre* les volets de la maison. — Vous vous *plaindre* de la mauvaise saison. — Je *résoudre* une difficulté. — Tu *étreindre* ta mère que tu aimes tant. — Le malade *geindre* faiblement. — Le sel *se dissoudre* dans l'eau. — La bourrasque *disjoindre* le volet. — Les alpinistes *atteindre* le sommet de la montagne. — Nous *teindre* des étoffes. — Tu *se restreindre*. — Ils *rejoindre* leurs amis. — Vous *feindre* la surprise. — Nous *joindre* les mains.

| **Verbes en dre ou en indre ?** Je pense à l'infinitif.

431. Conjuguez au présent de l'indicatif :
éteindre la lampe   fendre du bois   coudre un bouton
étendre le bras   feindre un malaise   résoudre une énigme

432. Mettez aux trois personnes du singulier et à la 1ʳᵉ personne du pluriel du présent de l'indicatif :
teindre   tendre   descendre   disjoindre   éteindre   peindre
atteindre   ceindre   coudre   dissoudre   détendre   pendre

433. Écrivez au présent de l'indicatif :
Je tein...   Tu cein...   Il atten...   Il voi...   Tu cou...   Il étudi...
Je ten...   Tu descen...   Il attein...   Il envoi...   Tu résou...   Il bondi...

434. Mettez les verbes en italique au présent de l'indicatif.
La tortue *atteindre* le but. — Le voyageur *attendre* le train. — La poule *pondre*. — Le soleil *poindre* à l'horizon, embrase le ciel, *descendre,* puis *s'éteindre*. — On *étendre* le linge sur la corde. — Le bûcheron *fendre* des bûches. — L'acteur *feindre* de s'évanouir. — Le maire *ceindre* son écharpe. — L'avion plane et *descendre*. — Le militaire *rejoindre* son régiment. — L'écolier *répondre* poliment. — Le fruit *pendre* au bout du rameau. — Mon père *peindre* la grille du jardin.

435. Même exercice que 434.
La tempête *contraindre* l'avion à atterrir. — Tu *entendre* la voiture des pompiers. — Tu *éteindre* la lampe. — Ali Baba *surprendre* le secret de la caverne des voleurs. — Je *s'étendre* sur le sable. — Je *teindre* un manteau. — Le fermier *épandre* de l'engrais. — Je *craindre* l'orage. — Je *résoudre* un problème. — Je *coudre* mon chemisier. — Je *secouer* le tapis. — Tu *enfreindre* le règlement. — J'*étreindre* ma bonne grand-mère. — Tu *apprendre* ta leçon. — Tu *rejoindre* tes camarades.

436. Même exercice que 434.
Nous *tendre* la main à nos amis. — Nous *teindre* la robe. — Vous *atteindre* le village. — Vous *tendre* les bras. — Vous *peigner* votre poupée. — Vous *peindre* le buffet de la cuisine. — Vous *suspendre* le vêtement. — Le motard *craindre* la pluie. — Le soleil *éteindre* les étoiles. — Je *plaindre* les malheureux. — Je *ceindre* mon front d'un ruban. — Tu *comprendre* l'explication.

437. Après chaque verbe, écrivez un nom de la même famille.
vendre   attendre   défendre   peindre   ceindre
fendre   descendre   apprendre   teindre   empreindre
tendre   suspendre   pendre   craindre   plaindre

438. MOTS A ÉTUDIER.
I. le sommet ; craindre, plaindre ; geindre, ceindre.
II. contraindre ; empreindre ; l'ardeur, ardent ; toujours.

PRÉSENT DE L'INDICATIF : VERBES EN TRE

mettre	battre	paraître	croître
je mets	je bats	je parais	je croîs
tu mets	tu bats	tu parais	tu croîs
il met	il bat	il paraît	il croît
ns mettons	ns battons	ns paraissons	ns croissons
vs mettez	vs battez	vs paraissez	vs croissez
ils mettent	ils battent	ils paraissent	ils croissent

RÈGLE

Les verbes en tre comme mettre, battre, paraître, croître, perdent un t de leur infinitif aux personnes du singulier du présent de l'indicatif. Ainsi je mets (n'a plus qu'un t), je parais (n'en a plus).

REMARQUES

Les verbes comme paraître et croître conservent l'accent circonflexe quand l'i du radical est suivi d'un t : il paraît, il croît.

Le verbe croître conserve l'accent circonflexe quand il peut être confondu avec le verbe croire : je croîs (croître) ; je crois (croire).

Les verbes de la famille de mettre s'écrivent e.tt.r.e.

admettre	transmettre	abattre	naître	reparaître	accroître
soumettre	omettre	combattre	connaître	apparaître	décroître

EXERCICES

439. **Conjuguez au présent de l'indicatif :**
promettre une récompense, abattre un mur, accroître ses ressources, compromettre son avenir, connaître la vérité, reconnaître ses fautes.

440. **Mettez les verbes aux trois personnes du singulier du présent de l'indicatif. La 3ᵉ personne sera représentée par un nom.**
comparaître   rabattre   naître   s'abattre   reparaître   se débattre
croître   combattre   s'ébattre   renaître   disparaître   paître

441. **Mettez les verbes en italique au présent de l'indicatif.**
Le maître *promettre* une récompense. — Le jour *croître*. — Je *reconnaître* mon erreur. — Tu *admettre* mon raisonnement. — Le cristal *émettre* un son pur. — Au printemps, la nature *renaître*. — Je *battre* la semelle. — Je *compromettre* mon classement. — La vache *paître*. — Tu *commettre* une faute. — Il *croire* ce que je lui dis. — Je *rabattre* le col de mon manteau. — Tu *transmettre* un ordre. — Tu *paraître* en bonne santé. — L'arbre *croître* rapidement.

442. **MOTS A ÉTUDIER.**
I. dispos ; bon gré, malgré ; l'appétit ; transparaître.
II. la méthode, méthodique, méthodiquement ; la jungle ; le brasero.

PRÉSENT DE L'INDICATIF :

VERBES EN TIR COMME MENTIR

	mentir		se repentir		
je mens	nous mentons	je me repens	nous nous repentons		
tu mens	vous mentez	tu te repens	vous vous repentez		
il ment	ils mentent	il se repent	ils se repentent		

RÈGLE

Les verbes en **tir** du 3ᵉ groupe, comme **mentir, sortir, sentir, partir, se repentir**, perdent le t de leur infinitif aux personnes du **singulier** du présent de l'indicatif et prennent s, s, t :
Je mens (n.s), tu mens (n.s), il ment (n.t).

mentir	sortir	sentir	consentir	partir	départir
démentir	ressortir	ressentir	pressentir	repartir	se repentir

Il ne faut pas les confondre avec les verbes du 2ᵉ groupe :
ralentir → je ralentis
mentir → je mens
Verbes apparentés perdant la consonne qui précède la terminaison de l'infinitif :

dormir	rendormir	desservir	vivre	survivre	poursuivre
endormir	servir	resservir	revivre	suivre	s'ensuivre

EXERCICES

443. Conjuguez au présent de l'indicatif :
sortir par un beau soleil   consentir un rabais   démentir une nouvelle
ralentir le pas   partir pour l'école   avertir un camarade
dormir à poings fermés   servir la salade   suivre le bon chemin

444. Mettez les verbes en italique au présent de l'indicatif.
L'alcool *abêtir* l'homme. — Je *se blottir* derrière un buisson. — Je *partir* pour la ville. — Tu ne *mentir* jamais. — Tu *sentir* le rouge te monter au front. — Je *bâtir* une hutte. — Tu *sortir* de bonne heure. — Tu *consentir* à répondre. — Je *se repentir* de ma faiblesse. — La vague *engloutir* la barque. — La grêle *anéantir* les récoltes. — Je *vivre* tranquillement à la campagne. — Je *poursuivre* mon chemin. — Tu *servir* le potage.

445. Mettez les verbes au présent de l'indicatif et justifiez la terminaison en écrivant l'infinitif entre parenthèses.
Tu par... ta chambre. — Marie-Hélène par... pour les champs. — Tu par... au travail. — Au printemps, la terre se par... de fleurs. — Tu ser... la main de ton ami. — Tu ser... un rafraîchissement. — Mon voisin se ser... d'une perceuse pour installer des appliques. — Le mécanicien ser... les boulons du moteur. — Le village dor... dans le calme de midi. — Le soleil dor... les blés.

446. MOTS A ÉTUDIER.
le linceul ; la paix ; la zone ; le chèvrefeuille ; l'alcôve.

PRÉSENT DE L'INDICATIF : VOULOIR, POUVOIR, VALOIR

vouloir		pouvoir		valoir	
je	veux	je	peux	je	vaux
tu	veux	tu	peux	tu	vaux
il	veut	il	peut	il	vaut
nous	voulons	nous	pouvons	nous	valons
vous	voulez	vous	pouvez	vous	valez
ils	veulent	ils	peuvent	ils	valent

RÈGLE

Les verbes **vouloir, pouvoir, valoir** prennent **x, x, t** aux personnes du singulier du présent de l'indicatif : **Je veu.x — tu veu.x — il veu.t.**

REMARQUE

Il ne faut pas confondre **peut** (p.e.u.t), du verbe **pouvoir** avec **peu** (p.e.u), adverbe de quantité. Si l'on peut mettre l'imparfait **pouvait**, il faut écrire **p.e.u.t** :
On ne peut pas réussir si l'on ne travaille pas un peu.
On ne pouvait pas réussir si l'on ne travaillait pas un peu.

EXERCICES

447. Conjuguez au présent de l'indicatif :
vouloir se rendre utile   pouvoir beaucoup   valoir mieux
se sentir du courage   poursuivre sa route   servir le potage

448. Remplacez les points par peu ou peut. Justifiez l'emploi de peut en écrivant pouvait entre parenthèses.
Le coureur ... fatigué ... reprendre sa route. — Il ne ... manger cette viande ... cuite. — Ce détour ... important ne ... pas nous retarder. — Que ... l'aviateur ... expérimenté contre la tempête ? Il ne ... qu'atterrir. — Il sait de tout un ..., mais si ... qu'il ne ... faire grand-chose. — Avant de conduire, l'automobiliste ne ... boire que très ... de vin. — Il veut, donc il ... — Cette plate-bande ... fumée donnera ... de légumes. — Il a si ... de loisirs qu'il ne ... plus lire. — Cet élève ne ... comprendre les explications en étant trop ... attentif.

449. Mettez la terminaison convenable du présent de l'indicatif.

J'étein...	Je produi...	Il envoi...	Je peu...	Il flamboi...	Tu t'appui...
J'éten...	J'essui...	Tu jou...	Je veu...	Il pen...	Tu t'instrui...
Il oubli...	Il nettoi...	Tu cou...	Je vau...	Il pein...	Tu veu...
Il faibli...	Il voi...	Tu résou...	Il boi...	Tu peu...	Tu vau...

450. MOTS A ÉTUDIER.
le comptable, compter ; strident ; la trahison, trahir.

PRÉSENT DE L'INDICATIF :

VERBES COMME ESPÉRER ET ACHEVER

espérer			achever		
j'	espère	nous espérons	j'	achève	nous achevons
tu	espères	vous espérez	tu	achèves	vous achevez
il	espère	ils espèrent	il	achève	ils achèvent

RÈGLES

1. Les verbes comme **espérer** changent l'**accent aigu** de l'avant-dernière syllabe en **accent grave** devant une terminaison **muette : tu espères →** **vous espérez.**

2. Les verbes comme **achever** prennent un **accent grave** à l'avant-dernière syllabe devant une terminaison **muette : tu achèves → vous achevez.**

verbes comme espérer				verbes comme achever	
aérer	ébrécher	pénétrer	sécher	crever	lever
céder	empiéter	persévérer	succéder	dépecer	mener
célébrer	espérer	posséder	suggérer	égrener	peser
compléter	exagérer	protéger	tempérer	emmener	promener
digérer	inquiéter	rapiécer	vénérer	grever	semer

EXERCICES

451. Conjuguez au présent de l'indicatif :

1. aérer l'appartement   vénérer ses parents   régler sa montre
ébrécher un couteau   succéder à son père   rapiécer un vêtement

2. égrener du maïs   semer du blé   enlever une tache
crever son ballon   peser des fruits   promener son chien

452. Écrivez aux 2ᵉ pers. du singulier et du pluriel du présent :

abréger	céder	inquiéter	protéger	malmener	énumérer
adhérer	semer	peser	régner	refléter	pénétrer
amener	exagérer	soulever	promener	empeser	parachever

453. Écrivez les verbes en italique au présent de l'indicatif.

Le cycliste *accélérer*. — Nous *posséder* une maison. — Le 14 juillet, on *célébrer* l'anniversaire de la prise de la Bastille. — Tu *se promener* au bord de l'eau. — Le linge *sécher* sur le balcon. — Les feuilles mortes *parsemer* le gazon. — Nous *soulever* une pierre. — Je *compléter* mon devoir. — Vous *persévérer* dans l'effort. — L'acheteur *soupeser* un fruit. — Le marin *rapiécer* la voile. — Quelques rayons de soleil *tempérer* l'atmosphère. — Il est onze heures et Julie n'est pas rentrée : ses parents *s'inquiéter*.

454. MOTS A ÉTUDIER.

I. la persévérance, persévérer ; l'étang ; la silhouette ; le plomb.
II. le torrent, une pluie torrentielle ; le wagon, le wagonnet.

PRÉSENT DE L'INDICATIF DES VERBES ÊTRE ET AVOIR
ET DE QUELQUES VERBES IRRÉGULIERS.

dire		être		avoir		faire	
je	dis	je	suis	j'	ai	je	fais
tu	dis	tu	es	tu	as	tu	fais
il	dit	il	est	il	a	il	fait
nous	disons	nous	sommes	nous	avons	nous	faisons
vous	dites	vous	êtes	vous	avez	vous	faites
ils	disent	ils	sont	ils	ont	ils	font

aller		asseoir				boire	
je	vais	j'	assois	j'	assieds	je	bois
tu	vas	tu	assois	tu	assieds	tu	bois
il	va	il	assoit	il	assied	il	boit
nous	allons	nous	assoyons	nous	asseyons	nous	buvons
vous	allez	vous	assoyez	vous	asseyez	vous	buvez
ils	vont	ils	assoient	ils	asseyent	ils	boivent

croire		voir		fuir		traire	
je	crois	je	vois	je	fuis	je	trais
tu	crois	tu	vois	tu	fuis	tu	trais
il	croit	il	voit	il	fuit	il	trait
nous	croyons	nous	voyons	nous	fuyons	nous	trayons
vous	croyez	vous	voyez	vous	fuyez	vous	trayez
ils	croient	ils	voient	ils	fuient	ils	traient

bouillir		coudre		moudre		mourir	
je	bous	je	couds	je	mouds	je	meurs
tu	bous	tu	couds	tu	mouds	tu	meurs
il	bout	il	coud	il	moud	il	meurt
nous	bouillons	nous	cousons	nous	moulons	nous	mourons
vous	bouillez	vous	cousez	vous	moulez	vous	mourez
ils	bouillent	ils	cousent	ils	moulent	ils	meurent

mouvoir		haïr		plaire		vaincre	
je	meus	je	hais	je	plais	je	vaincs
tu	meus	tu	hais	tu	plais	tu	vaincs
il	meut	il	hait	il	plaît	il	vainc
nous	mouvons	nous	haïssons	nous	plaisons	nous	vainquons
vous	mouvez	vous	haïssez	vous	plaisez	vous	vainquez
ils	meuvent	ils	haïssent	ils	plaisent	ils	vainquent

prendre		venir		acquérir		écrire	
je	prends	je	viens	j'	acquiers	j'	écris
tu	prends	tu	viens	tu	acquiers	tu	écris
il	prend	il	vient	il	acquiert	il	écrit
nous	prenons	nous	venons	nous	acquérons	nous	écrivons
vous	prenez	vous	venez	vous	acquérez	vous	écrivez
ils	prennent	ils	viennent	ils	acquièrent	ils	écrivent

455. Conjuguez au présent de l'indicatif :

1. défaire son travail ; mourir de frayeur ; acquérir une maison ; distraire ses amis ; moudre du café ; s'asseoir à l'ombre (2 formes).

2. prendre un bain ; tenir parole ; recoudre un bouton ; haïr le mensonge ; aller au champ ; contrefaire sa voix.

456. **Trouvez des verbes de la famille de** venir **et écrivez-les aux 2ᵉ et 3ᵉ personnes du singulier, puis aux 1ʳᵉ et 3ᵉ personnes du pluriel.**

457. **Écrivez des verbes de la famille de** tenir **aux 1ʳᵉ et 3ᵉ personnes du singulier, puis aux 2ᵉ et 3ᵉ personnes du pluriel.**

458. **Écrivez des verbes de la famille de** prendre **à la 1ʳᵉ personne du singulier, puis aux trois personnes du pluriel.**

459. **Mettez les verbes en italique au présent de l'indicatif.**

Vous *faire* votre travail avec goût. — Vous *dire* toujours la vérité. — Vous *être* de bonne humeur. — Le vigneron *aller* à sa vigne. — Tu *être* docile. — Je *s'asseoir* au bord du fossé. — Nous *moudre* du café. — Le cascadeur *vaincre* sa peur. — Le paysage *plaire* au voyageur. — Vous *traire* la chèvre. — L'homme économe *acquérir* une maison pour ses vieux jours. — Les hirondelles *s'enfuir* vers les pays chauds. — Les hiboux *voir* clair la nuit. — L'énorme machine *se mouvoir* facilement. — Je *haïr* la guerre. — Tu *avoir* une bonne santé.

460. **Révision. Mettez la terminaison convenable du présent de l'indicatif.**

Je copi... le résumé. — Je me tapi... dans l'herbe. — Le chien mendi... un morceau de sucre. — Le cerf bondi... dans le buisson épais. — Tu pli... le linge. — Jean-Marie rempli... le seau avec du sable. — Tu oubli... ton cahier. — Tu te rétabli... lentement. — Je remerci... mes parents. — Je noirci... mes souliers. — Je pren... de bonnes résolutions. — Je repein... des chaises de jardin. — Je revoi... mon travail. — J'envoi... une caisse de livres à mon frère. — Je met... le couvert. — Tu essui... le meuble. — Tu te condui... bien. — L'eau bou... dans la casserole. — Je cou... un bouton. — L'écolier résou... un problème difficile.

461. **MOTS A ÉTUDIER.**

  I. ressusciter ; le nain, la naine ; tu vaincs, il vainc.

  II. la denrée ; le nez ; un fruit mûr, mûrir ; ailleurs.

 III. les rênes (guider) ; la rougeole, rougeoyer, rougeaud, rougeâtre.

 IV. la fantaisie, le fantaisiste, fantasque, fantastique ; ailleurs.

  V. certes ; l'humidité, humide, humecter ; volontiers.

HIER : **IMPARFAIT DE L'INDICATIF**

	couper		finir		tendre
je	coupais	je	finissais	je	tendais
tu	coupais	tu	finissais	tu	tendais
il	coupait	il	finissait	il	tendait
nous	coupions	nous	finissions	nous	tendions
vous	coupiez	vous	finissiez	vous	tendiez
ils	coupaient	ils	finissaient	ils	tendaient

RÈGLE

À l'imparfait, tous les verbes prennent les **mêmes terminaisons** :
a.i.s — a.i.s — a.i.t — i.o.n.s — i.e.z — a.i.e.n.t.

verbes du 1ᵉʳ groupe		verbes du 2ᵉ groupe		verbes du 3ᵉ groupe	
hasarder	aiguiser	vieillir	amincir	tendre	partir
examiner	jouer	arrondir	noircir	rompre	mettre
honorer	continuer	bondir	réussir	conclure	recevoir

EXERCICES

462. Conjuguez à l'imparfait de l'indicatif :

enjamber le ruisseau — avouer son ignorance — tuer la perdrix — rougir de plaisir — remplir son panier — sortir le soir — conclure une affaire — tenir la rampe — perdre des billes

463. Écrivez aux trois personnes du singulier et à la 3ᵉ personne du pluriel de l'imparfait de l'indicatif :

rompre — grandir — réprimander — mourir — secouer — remuer — tordre — saluer — correspondre — courir — franchir — recevoir

464. Écrivez aux trois personnes du pluriel du présent et de l'imparfait :

surgir — engloutir — fouiller — venir — ouvrir — suer — conclure — répandre — distribuer — guérir — souffrir — jouer

465. Mettez les verbes en italique à l'imparfait de l'indicatif.

Vous *assouvir* votre faim. — Hors du réfrigérateur, le beurre *rancir*. — La tempête *engloutir* le navire. — Les enfants *répondre* avec assurance. — L'étoile *scintiller* dans le ciel clair. — La carpe *happer* le moucheron. — Tu *embellir* ta maison. — La brise *fraîchir* vers le soir. — Les coureurs *accomplir* trois tours de piste. — En juin, les beaux jours *revenir*. — Je *perdre* mes forces. — Les fleurs *embaumer* l'air. — Tu *offrir* une rose à ta mère. — Le ciel *s'obscurcir*. — Nous *unir* nos efforts. — La commerçante *rendre* la monnaie. — Grâce à cette pommade, vous *atténuer* votre douleur. — Autrefois, monsieur Papin *fumer* un paquet de cigarettes par jour.

466. MOTS A ÉTUDIER.

I. compter ; aiguiser ; réprimander ; hésiter ; parmi.
II. l'amandier ; humer ; errer ; exhaler ; manœuvrer.

IMPARFAIT DE L'INDICATIF : VERBES EN YER — IER — ILLER — GNER

employer	crier	habiller	gagner
j' employais	je criais	j' habillais	je gagnais
tu employais	tu criais	tu habillais	tu gagnais
il employait	il criait	il habillait	il gagnait
ns employions	ns criions	ns habillions	ns gagnions
vs employiez	vs criiez	vs habilliez	vs gagniez
ils employaient	ils criaient	ils habillaient	ils gagnaient

REMARQUES

Aux deux premières personnes du pluriel de l'imparfait de l'indicatif :

— Les verbes en **yer** s'écrivent avec un **y** et un **i** : **nous employions (y.i.o.n.s).**

— Les verbes en **ier** s'écrivent avec **deux i : nous criions (ii.o.n.s).**

— Les verbes en **iller** s'écrivent avec un **i** après **ill : nous habillions (i.ll.i.o.n.s).**

— Les verbes en **gner** s'écrivent avec un **i** après **gn : nous gagnions (gn.i.o.n.s).**

Les verbes en **yer, ier, iller, gner** ont une prononciation presque semblable aux deux premières personnes du pluriel du présent et de l'imparfait de l'indicatif. Pour éviter la confusion, il faut penser à la personne correspondante du singulier : **nous criions → je criais ; nous crions → je crie.**

ennuyer	certifier	tailler	soigner	verbes comme employer	verbes comme crier
appuyer	confier	détailler	peigner		
ployer	copier	travailler	saigner	asseoir	rire
tutoyer	étudier	conseiller	enseigner	voir	sourire
broyer	expédier	effeuiller	aligner	fuir	verbes comme habiller
rayer	manier	briller	signer	croire	
essayer	mendier	fouiller	désigner	traire	cueillir
balayer	remercier	tortiller	égratigner	soustraire	bouillir
égayer	trier	dépouiller	cogner	distraire	tressaillir

EXERCICES

467. Conjuguez à l'imparfait de l'indicatif :

1. oublier son livre
   nettoyer le fusil
2. extraire du sable
   essuyer un meuble
3. écailler la carpe
   trier des clous

rire aux éclats
payer une dette
voir ses amies
croire en l'avenir
cueillir un dahlia
effeuiller la rose

fuir les bavards
soigner un malade
balbutier une excuse
aligner des chiffres
verrouiller la porte
tressaillir de peur

101

468. Écrivez aux deux premières personnes du pluriel du présent et de l'imparfait de l'indicatif :

1.			2.		
larmoyer	cueillir	rire	appuyer	saigner	sommeiller
expédier	égayer	payer	justifier	soustraire	accueillir
tournoyer	voir	signer	fuir	bâiller	cogner
fouiller	peigner	essayer	entrevoir	gagner	manier

469. Mettez les verbes en italique à l'imparfait de l'indicatif.

Nous *côtoyer* une jolie rivière. — Vous *essuyer* la vaisselle. — Nous *envoyer* une lettre. — Nous *tutoyer* nos amis. — Les branches *ployer* sous le poids des fruits mûrs. — Nous *fouiller* dans l'armoire. — Nous *balayer* la cuisine. — Vous *peigner* vos cheveux. — Nous *saigner* abondamment. — Vous *crier* à tue-tête. — Vous *fuir* les mauvaises compagnies. — Nous *manier* le rabot. — Vous *tortiller* un papier. — Vous *distraire* vos camarades. — Vous *soigner* un blessé. — Le facteur *trier* les lettres. — Nous *essayer* un costume neuf. — Vous *rire* de bon cœur. — Nous *apprécier* un mets délicieux. — Vous *effeuiller* la marguerite.

470. Après chaque verbe, écrivez la personne correspondante du pluriel.

Je trayais une vache. — Tu étudies une fable. — Je plie des serviettes. — Tu riais aux larmes. — Tu recueilles des renseignements. — Tu broyais du sucre. — Je m'assieds au pied du chêne. — Tu sautillais de plaisir. — Tu fuyais les vantards. — Tu vérifies une longue opération. — J'accompagne un ami à la gare. — Tu habilles une poupée. — Je m'éloignais de la maison. — Je travaillais avec ardeur. — Je cueille des fleurs. — J'effrayais le chien. — Tu t'apitoies sur le sort des réfugiés. — Tu rayais le verre avec un diamant. — Je babillais comme un pinson.

471. Après chaque verbe, écrivez la personne correspondante du singulier.

Vous criiez de douleur. — Nous cognions un clou. — Vous effrayez le levraut. — Vous babillez sans relâche. — Nous ployions sous les ennuis. — Vous fuyez la solitude. — Nous liions des gerbes. — Nous balbutiions des remerciements. — Vous maniez le rabot avec aisance. — Nous assaillions le maître de questions. — Vous aligniez des chiffres. — Nous rectifiions une erreur. — Vous essayiez une nouvelle voiture. — Vous accueillez des amis. — Nous signons une lettre. — Vous fouillez dans le tiroir. — Nous gagnions la partie. — Vous riiez jaune. — Nous taillons la vigne. — Nous dépouillions le lapin.

472. MOTS A ÉTUDIER.

la transparence, transparent ; la réprimande, réprimander ; parmi.

VERBES EN ELER ET EN ETER

	rappeler				jeter	
Présent		**Imparfait**		**Présent**		**Imparfait**
je rappelle		je rappelais		je jette		je jetais
tu rappelles		tu rappelais		tu jettes		tu jetais
il rappelle		il rappelait		il jette		il jetait
ns rappelons		ns rappelions		ns jetons		ns jetions
vs rappelez		vs rappeliez		vs jetez		vs jetiez
ils rappellent		ils rappelaient		ils jettent		ils jetaient

RÈGLE

Les verbes en **eler** et en **eter** prennent généralement **deux l** ou **deux t** devant un **e muet** : je rappelle → je rappelais ; je jette → je jetais.

REMARQUE

Quelques verbes en **eler** et en **eter** ne doublent pas l'**l** ou le **t** devant un **e muet**, mais s'écrivent avec un **accent grave** sur l'**e** : je martèle → je martelais ; j'achète → j'achetais.

verbes doublant l'l ou le t devant un e muet				verbes ne doublant pas l'l ou le t devant un e muet	
amonceler	épeler	renouveler	empaqueter	celer	démanteler
atteler	étinceler	ressemeler	épousseter	ciseler	marteler
botteler	ficeler	ruisseler	étiqueter	déceler	modeler
carreler	harceler	cacheter	projeter	geler	peler
chanceler	morceler	caqueter	rejeter	dégeler	acheter
dételer	niveler	décacheter	souffleter	congeler	fureter
ensorceler	râteler	déchiqueter	voleter	écarteler	haleter

Liste conforme à l'orthographe du *Dictionnaire de l'Académie française*, éd. 1932.

EXERCICES

473. Conjuguez au présent et à l'imparfait de l'indicatif :

1. appeler son chien
   atteler le cheval

   râteler le foin
   fureter partout

   carreler la cuisine
   empaqueter du thé

2. marteler ses mots
   projeter un film

   épeler un mot
   peler un fruit

   ficeler un paquet
   cacheter une lettre

3. dégeler le robinet
   étiqueter un objet

   fêler une tasse
   acheter du pain

   arrêter sa voiture
   guetter le signal

474. Mettez les verbes en italique au présent et à l'imparfait de l'indicatif.

Le cordonnier *ressemeler* des chaussures. — Les petits moineaux *voleter* au bord du toit. — L'artiste *ciseler* une statuette de bronze. — Marie-Hélène *dételer* son cheval. — Nous *épeler* un mot difficile. — Vous *niveler* un terrain. — Les héritiers *morceler* le bien de leur père. — Je *renouveler* mes déclarations. — Le soleil *étinceler* dans le ciel clair. — Le cycliste *haleter* dans la côte. — Les enfants *jeter* des graines aux oiseaux. — L'écolier *répéter* sa leçon. — Les chasseurs *guetter* la biche. — Sylvie et Katia *râteler* les feuilles mortes.

475. Même exercice que 474.

Tu *fureter* dans le grenier. — La maman *acheter* un jouet pour son petit enfant. — Les étoiles *étinceler* dans la nuit. — Vous *amonceler* des connaissances inutiles. — Je *cacheter* une lettre. — Les journalistes *harceler* l'actrice de questions. — Tu *épousseter* les bibelots de la vitrine. — Les oies *caqueter* au long du sentier. — Les eaux de l'étang *geler* en hiver. — Tu *empaqueter* soigneusement une marchandise. — Tu *peler* une pêche bien mûre. — Nous *atteler* la vieille jument grise.

476. Mettez les verbes suivants à la 1re personne du singulier et du pluriel du présent et de l'imparfait de l'indicatif :

amonceler	démanteler	caqueter	souffleter	exceller	répéter
chanceler	modeler	déchiqueter	becqueter	démêler	regretter
ciseler	ressemeler	voleter	épousseter	prêter	compléter

477. Révision. Mettez les verbes suivants aux trois personnes du pluriel du présent et de l'imparfait de l'indicatif :

1. appuyer	rejeter	renvoyer	2. cueillir	déblayer	saluer
vieillir	prêter	défendre	tutoyer	éternuer	avouer
sourire	clouer	pétrir	grandir	conseiller	plier
étudier	asseoir	croire	vérifier	travailler	pâlir

478. Mettez les verbes suivants aux trois personnes du singulier du présent et de l'imparfait de l'indicatif :

1. appeler	démêler	fêter	2. quereller	regretter	niveler
atteler	projeter	jeter	marteler	acheter	arrêter
râteler	fouetter	peler	végéter	rejeter	mêler
geler	inquiéter	révéler	exceller	empiéter	fureter

479. MOTS A ÉTUDIER.

I. le marché ; la touffe ; quelquefois, parfois, toutefois.
II. l'osier, l'oseraie ; le flanc (côté), le flan (gâteau) ; parmi.

IMPARFAIT DE L'INDICATIF DES VERBES ÊTRE ET AVOIR ET DE QUELQUES VERBES IRRÉGULIERS.

dire		être		avoir		faire	
je	disais	j'	étais	j'	avais	je	faisais
nous	disions	nous	étions	nous	avions	nous	faisions

croître		paraître		haïr		conduire	
je	croissais	je	paraissais	je	haïssais	je	conduisais
nous	croissions	nous	paraissions	nous	haïssions	nous	conduisions

éteindre		prendre		coudre		vaincre	
j'	éteignais	je	prenais	je	cousais	je	vainquais
nous	éteignions	nous	prenions	nous	cousions	nous	vainquions

résoudre		boire		moudre		écrire	
je	résolvais	je	buvais	je	moulais	j'	écrivais
nous	résolvions	nous	buvions	nous	moulions	nous	écrivions

EXERCICES

480. Conjuguez à l'imparfait de l'indicatif :

haïr le mensonge   paraître joyeux   faire son travail
moudre du grain   vaincre la peur   plaire à ses parents
dire la vérité   apprendre à lire   craindre le froid

481. Conjuguez au présent et à l'imparfait de l'indicatif :

1. ceindre   rejoindre   peindre   2. comprendre   geindre   résoudre
   craindre   plaindre   peigner   reprendre   feindre   coudre

482. Mettez les verbes en italique à l'imparfait de l'indicatif.

Le maire *ceindre* son écharpe. — Le vent *bruire* dans le feuillage. —
L'eau *dissoudre* le sel. — Les alpinistes *atteindre* le sommet de la montagne. — Le malade *geindre*. — Vous *apprendre* vos leçons. — Je *boire* à petits coups. — Tu *croître* comme une herbe folle. — Ils *vaincre* leur appréhension. — Tu *moudre* du café. — Vous *résoudre* la difficulté. — Les oiseaux *détruire* les chenilles. — Vous *écrire* à vos parents. — Nous *décrire* un paysage.

483. Après chaque verbe, écrivez la personne correspondante du singulier.

Vous vous plaigniez du temps. — Nous feignions d'écouter. — Vous éteigniez la lampe. — Vous rejoigniez des amis. — Nous peignions la porte en rouge. — Nous atteignons le rivage à la nage. — Nous craignions de vous déranger. — Nous contraignons les enfants à partir. — Vous craigniez d'être en retard. — Vous joignez les deux bouts.

484. MOTS A ÉTUDIER.

I. le banc ; l'orme ; la tranquillité, tranquille ; disperser.
II. le rythme ; le lilas ; la hutte ; le gré, malgré.
III. l'églantine, l'églantier ; chaque animal, chaque matin ; ailleurs.
IV. le hêtre, la hêtraie ; la génisse ; vers, envers, travers.

RÉVISION

485. Mettez les verbes en italique au présent de l'indicatif.

Une automobile *surgir* au tournant de la route. — Le facteur *se réfugier* sous la porte cochère pendant l'averse. — L'haltérophile *raidir* ses muscles avant de soulever l'énorme barre. — L'eau de la piscine *tiédir* au soleil. — Le soleil *resplendir* après la pluie. — On *congédier* le mauvais joueur. — Le moineau *mendier* des miettes de pain. — Le canal *réunir* les deux rivières. — Le menuisier *manier* la varlope. — Tu *nier* la vérité. — Tu *vernir* un meuble.

486. Même exercice que 485.

Le renard *déguerpir* à la vue du chasseur qui l'*épier*. — Tu *essuyer* la table. — Tu *étudier* et tu *s'instruire*. — Il pleut, l'enfant *s'ennuyer*. — La mésange *détruire* les insectes. — Tu *appuyer* sur le déclic. — Tu *construire* un cerf-volant. — J'*envoyer* une lettre à mon frère. — Je *voir* des nuages qui annoncent l'orage. — Je *peindre* un paysage. — Je *pendre* un jambon dans la cave. — La mer *descendre*. — Le maire *ceindre* son écharpe.

487. Même exercice que 485.

Tu *éteindre* la lampe. — Tu *étendre* les draps sur le lit. — Bébé *tendre* les bras à son papa. — Le coiffeur *teindre* les cheveux de la cliente. — Le voyageur *attendre* le train. — La tortue *atteindre* le but la première. — Tu *savoir* ta leçon. — Tu *essayer* de faire ton problème. — On *se plaire* bien à la campagne. — Le chien *aboyer* lugubrement. — Le malade *boire* sa tisane. — Tu *se frayer* un passage dans la haie. — L'âne *braire*.

488. Même exercice que 485.

L'herbe *verdoyer* au printemps. — On *devoir* respecter la nature. — Monsieur Abel *aller* au marché. — Vous *faire* votre travail avec soin. — Le médecin *vaincre* la maladie. — Je *s'asseoir* au bord de la rivière. — Vous *dire* toujours la vérité. — Nous *s'asseoir* autour de la table familiale. — Les fleurs *achever* de se faner dans le vase. — L'équipe de France *mener* deux à zéro.

489. Même exercice que 485.

Je *partir* en voyage. — Je *parer* le sapin de Noël. — Le pain *dorer* dans le four. — Le chien *dormir* dans sa niche. — Tu *pouvoir* faire tes devoirs, ils sont faciles. — Je *vouloir* faire plaisir à mes parents. — Tu *valoir* plus que tu ne penses. — Je ne *mentir* jamais. — Tu *sortir* à l'aube. — Je *sentir* la bonne odeur des lilas. — Je *mettre* la casserole sur le feu. — Le candidat *connaître* la réponse. — La machine à laver *essorer* aussi le linge. — L'humidité *ressortir*.

HIER : **PASSÉ SIMPLE**

Il n'y a que les verbes en **e.r** qui prennent au passé simple :
a.i   a.s   a.

	couper		franchir		attendre
je	coupai	je	franchis	j'	attendis
tu	coupas	tu	franchis	tu	attendis
il	coupa	il	franchit	il	attendit
nous	coupâmes	nous	franchîmes	nous	attendîmes
vous	coupâtes	vous	franchîtes	vous	attendîtes
ils	coupèrent	ils	franchirent	ils	attendirent

RÈGLES

1. Au **passé simple,** tous les verbes du **1ᵉʳ groupe** prennent :
a.i — a.s — a — â.m.e.s — â.t.e.s — è.r.e.n.t.

2. Au **passé simple,** tous les verbes du **2ᵉ groupe** prennent :
i.s — i.s — i.t — î.m.e.s — î.t.e.s — i.r.e.n.t.

REMARQUES

1. Beaucoup de verbes du **3ᵉ groupe**, notamment la plupart des verbes en **dre,** prennent au passé simple les **terminaisons des verbes du 2ᵉ groupe.**

2. La **1ʳᵉ personne du singulier du passé simple** et celle de **l'imparfait** de l'indicatif des verbes en **e.r** ont presque la même prononciation. Pour éviter la confusion, il faut penser à la personne **correspondante** du pluriel.

Je coupais   nous coupions. **Imparfait (a.i.s).**
Je coupai   nous coupâmes. **Passé simple (a.i).**

a.i				i.s	
habiller	balayer	franchir	garnir	descendre	cueillir
achever	sommeiller	noircir	surgir	répandre	tressaillir
balbutier	ficeler	remplir	guérir	perdre	voir
secouer	acheter	vieillir	nourrir	mentir	servir
créer	jeter	réjouir	bâtir	sentir	suivre
ennuyer	hésiter	bondir	garantir	battre	rire

EXERCICES

490. Conjuguez au passé simple :

1. nettoyer la lampe   payer la note   pénétrer dans la cour
   remercier ses parents   ficeler un colis   projeter un jeu

2. remplir le seau   dire la vérité   partir en voyage
   ouvrir la porte   farcir la dinde   tondre la brebis.

3. perdre des billes   voir bien clair   souffrir en silence
   accueillir un ami   suivre sa route   fendre des bûches

491. Écrivez aux 1ʳᵉ et 3ᵉ personnes du singulier et à la 3ᵉ personne du pluriel du passé simple :
désherber   sommeiller   danser   accomplir   mordre   suspendre
choyer   apprécier   cueillir   répondre   rompre   interrompre

492. Écrivez à la 1ʳᵉ personne du singulier et du pluriel de l'imparfait de l'indicatif et du passé simple :
clouer   remuer   attendre   combattre   essuyer   adoucir
certifier   bâtir   attendrir   tressaillir   appeler   scier

493. Écrivez à la 2ᵉ personne du singulier et du pluriel du présent de l'indicatif et du passé simple :
obéir   partir   abattre   dormir   ruisseler   blanchir
hasarder   recueillir   répandre   suivre   brunir   grandir

494. Écrivez à la 3ᵉ personne du singulier et du pluriel du passé simple :
choisir   sauter   éternuer   servir   blêmir   grelotter
arrondir   compter   arrêter   avouer   débattre   fréquenter
grossir   descendre   sentir   recueillir   souhaiter   exhorter

495. Mettez les verbes en italique au passé simple.
Le chasseur *tirer,* la perdrix *battre* des ailes et *tomber* dans le buisson. — Le chien *rompre* sa chaîne et *partir* à l'aventure. — Les enfants *écouter* et *entendre* la jolie chanson. — Les souris *grignoter* le morceau de fromage. — Tu *chanter* un refrain entraînant. — La rafale *tordre* les branches du vieux chêne. — Nous *prêter* l'oreille. — L'avocat *défendre* l'accusé. — Je *dîner* sans appétit. — Vous *aplatir* la tête du clou. — Les feuilles *jaunir* à l'approche de l'automne. — Les violettes *sortir* de leurs cachettes et *embaumer* les bois ; les promeneurs les *cueillir.*

496. Mettez les verbes en italique à l'imparfait de l'indicatif et au passé simple.
Le boucher *aiguiser* les couteaux. — Les oies *pondre* de gros œufs. — Le soleil *resplendir* dans l'azur. — Tu *observer* l'horizon. — La lumière *vaciller.* — J'*examiner* la pierre. — Nous *cueillir* un chrysanthème. — Vous *ouvrir* la fenêtre. — Nous *envelopper* des objets. — Nous *suivre* les bons conseils. — Je *ramasser* des pommes de pin. — Les gelées *durcir* la terre. — Le vent *gonfler* les voiles. — Les nuages *obscurcir* le ciel.

497. MOTS A ÉTUDIER.
 I. la brebis ; un heurt, heurter ; la scierie ; l'hélice.
 II. un môle ; l'exhalaison, exhaler ; le hâleur ; le rein.

VERBES EN CER

Présent	Imparfait	Passé simple
j' efface	j' effaçais	j' effaçai
nous effaçons	nous effacions	nous effaçâmes

RÈGLE

Les verbes en **cer** prennent une cédille sous le **c** devant **a** et **o** pour conserver à la lettre **c** le son **[s]** : **nous effaçons, nous effaçâmes.**

lacer	grincer	exercer	rapiécer	lancer	agencer
tracer	rincer	exaucer	annoncer	balancer	cadencer
déplacer	évincer	forcer	prononcer	avancer	ensemencer
espacer	gercer	amorcer	dénoncer	devancer	commencer
pincer	bercer	foncer	froncer	distancer	influencer

EXERCICES

498. Conjuguez au passé simple, au présent et à l'imparfait de l'indicatif :
exercer un métier, exaucer un désir, froncer le sourcil, grincer des dents, évincer les bavards, balancer la tête.

499. Mettez à la 3e personne du singulier et à la 1re personne du pluriel du présent et de l'imparfait de l'indicatif, puis du passé simple :
1. tracer   menacer   évincer   exercer   rapiécer   renoncer
2. grimacer   grincer   rincer   amorcer   acquiescer   annoncer

500. Mettez les verbes en italique au présent et à l'imparfait.
Le ministre *se déplacer* souvent en avion. — Le froid *gercer* la terre. — Nous *distancer* nos camarades. — La machine *rincer* le linge. — L'élève *tracer* un trait. — Vous *lancer* la balle. — Tu *s'efforcer* de bien faire. — Les fermiers *ensemencer* un champ en blé. — La girouette *grincer* au sommet du clocher. — Je *bercer* l'enfant de mes chansons. — Les nuages noirs *annoncer* l'orage. — Nous nous *exercer* au maniement de la lime. — Il *lacer* ses souliers.

501. Mettez les verbes au présent et au passé simple.
Hugues *se pincer* les doigts dans la porte. — Nous *commencer* notre travail. — Vous *effacer* des taches. — Les ouvriers *percer* une tôle. — Vous *remplacer* une vitre cassée. — Les élèves *énoncer* une règle de grammaire. — Les écologistes *dénoncer* le gaspillage de l'énergie. — Les hirondelles *annoncer* le beau temps. — Le pêcheur *amorcer* sa ligne. — Tu *écorcer* une orange. — L'aigle *foncer* sur le chamois.

502. MOTS A ÉTUDIER.
I. la rainette ; le hasard ; agencer ; happer ; gazouiller.
II. un apprenti, une apprentie ; la jungle ; hennir ; s'arc-bouter.

VERBES EN GER

Présent	Imparfait	Passé simple
je voyage	je voyageais	je voyageai
nous voyageons	nous voyagions	nous voyageâmes

RÈGLE

Les verbes en **ger** prennent un **e** muet après le **g** devant **a** et **o**, pour conserver au **g** le son [ʒ] : **Nous voyageons, je voyageais.**

REMARQUE

Les verbes en **anger** s'écrivent **a.n.g.e.r** sauf **venger.**

louanger	démanger	saccager	avantager	diriger	longer
changer	arranger	soulager	alléger	exiger	plonger
vendanger	déranger	partager	protéger	voltiger	ronger
mélanger		ménager	obliger	loger	songer
manger	venger	encourager	négliger	interroger	héberger

EXERCICES

503. Conjuguez au passé simple, au présent et à l'imparfait :

héberger un ami   ranger ses livres   manger un fruit
loger à la belle étoile   exiger la marque   ronger son frein

504. Mettez à la 1ʳᵉ personne du pluriel du présent et de l'imparfait de l'indicatif :

emménager   interroger   exiger   vendanger   mélanger   nager
dédommager   héberger   charger   se venger   louanger   plonger

505. Mettez les verbes au présent et à l'imparfait de l'indicatif.

Le cyclone *saccager* les cultures. — Nous *longer* un bois plein d'oiseaux. — Vous *échanger* des timbres-poste. — Antoine *héberger* un ami étranger. — Nous *manger* avec modération. — Nous *plonger* dans la rivière. — Les élèves *songer* à leurs examens. — Le professeur nous *interroger*. — Vous *vendanger* votre vigne. — Les hirondelles *voltiger* dans l'air léger. — Nous *partager* notre pain avec les cygnes du lac. — Il se *diriger* vers la porte.

506. Mettez les verbes à l'imparfait et au passé simple.

Le cavalier *ménager* sa monture. — Les fermiers *engranger* le foin. — Je *ranger* mes livres. — Par grand froid, la neige *protéger* les cultures. — Nous *allonger* le pas. — Vous *négliger* votre travail. — L'ouvrier *changer* de vêtement. — La grand-mère de Rémi *songer* à prendre sa retraite. — Tu *emménager* dans une maison neuve. — La cime des peupliers *émerger* du brouillard. — La sauce *figer* dans le plat.

507. MOTS A ÉTUDIER.

I. le gymnaste, la gymnastique ; le cygne ; l'humidité, humide.
II. l'aboiement ; la sphère, l'atmosphère ; le torse, la torsade.

110

VERBES EN GUER ET EN QUER

naviguer

Présent	Imparfait	Passé simple
je navigue	je naviguais	je naviguai
nous naviguons	nous naviguions	nous naviguâmes

fabriquer

je fabrique	je fabriquais	je fabriquai
nous fabriquons	nous fabriquions	nous fabriquâmes

RÈGLE

Les verbes en guer et en quer se conjuguent régulièrement. La lettre u de leur radical se retrouve à toutes les personnes et à tous les temps de leur conjugaison.

reléguer	distinguer	divaguer	attaquer	pratiquer	embarquer
prodiguer	carguer	élaguer	appliquer	suffoquer	marquer
fatiguer	narguer	draguer	expliquer	croquer	risquer

EXERCICES

508. Conjuguez au passé simple, au présent et à l'imparfait :
expliquer un problème   traquer le cerf   prodiguer des soins
appliquer la règle   draguer la rivière   marquer du linge

509. Mettez à la 2e personne du singulier du présent, de l'imparfait et du passé simple de l'indicatif, puis au participe présent :
1. embarquer   risquer   haranguer   2. pratiquer   zigzaguer   croquer
   attaquer   draguer   élaguer   subjuguer   piquer   indiquer
   alléguer   marquer   convoquer   suffoquer   remarquer   naviguer

510. Mettez les verbes en italique au présent et à l'imparfait de l'indicatif, puis au passé simple :
Les chasseurs *s'embusquer* derrière les buissons. — L'orateur *haranguer* la foule. — Les glaces *se disloquer* avec fracas. — Les mariniers *draguer* le fleuve. — Les ruisseaux *zigzaguer* dans la prairie. — Vous *appliquer* une règle de grammaire. — L'artisan *fabriquer* un bahut. — Nous *suffoquer* de chaleur. — Les barques *naviguer* par temps calme. — Tu *indiquer* le chemin au voyageur. — Les avions *piquer* droit sur l'aérodrome. — Vous *risquer* votre vie. — Dans la brume, nous *distinguer* les tours du château. — Le loup *attaquer* la petite chèvre.

511. MOTS A ÉTUDIER.
I. le zigzag, zigzaguer ; l'églantier, l'églantine ; dorénavant.
II. tanguer ; le mâchefer ; cependant ; parmi ; ailleurs.

HIER : PASSÉ SIMPLE en US et en INS

courir	recevoir	tenir	venir
je cour**us**	je reç**us**	je t**ins**	je v**ins**
tu cour**us**	tu reç**us**	tu t**ins**	tu v**ins**
il cour**ut**	il reç**ut**	il t**int**	il v**int**
ns cour**ûmes**	ns reç**ûmes**	ns t**înmes**	ns v**înmes**
vs cour**ûtes**	vs reç**ûtes**	vs t**întes**	vs v**întes**
ils cour**urent**	ils reç**urent**	ils t**inrent**	ils v**inrent**

RÈGLES

1. Au passé simple, un certain nombre de verbes comme courir, mourir, valoir, recevoir, paraître, etc., prennent u.s — u.s — u.t — û.m.e.s — û.t.e.s — u.r.e.n.t.

2. Au passé simple, les verbes de la famille de tenir et de venir prennent i.n.s — i.n.s — i.n.t — î.n.m.e.s — î.n.t.e.s — i.n.r.e.n.t.

u.s			i.n.s		
parcourir	vouloir	croître	maintenir	s'abstenir	prévenir
secourir	apparaître	accroître	contenir	entretenir	survenir
valoir	disparaître	recevoir	soutenir	parvenir	devenir
lire	connaître	apercevoir	obtenir	souvenir	intervenir

EXERCICES

512. Conjuguez au passé simple :

accourir au signal   vouloir un jouet   mourir de peur
revenir de l'école   lire un livre   maintenir sa candidature
entretenir le feu   paraître fatigué   apercevoir la terre

513. Mettez les verbes en italique au passé simple.
Je *vouloir* réussir. — Tu *parvenir* au sommet de la colline. — Le bateau *parvenir* à éviter l'écueil. — Nous *parcourir* la ville en tous sens. — On *connaître* la réponse. — Vous *convenir* de votre erreur. — Les enfants *lire* un ouvrage amusant. — L'avion *disparaître* à l'horizon. — Je *se maintenir* en bonne santé par la pratique des sports. — Son travail lui *valoir* une récompense. — Le chasseur *apercevoir* la perdrix. — Vous *percevoir* du bruit dans le grenier.

514. Mettez les verbes en italique à l'imparfait de l'indicatif et au passé simple.
Tu *vouloir* et tu *réussir*. — Le coupable *comparaître* devant les juges. — Nous *revenir* sur notre décision. — Vous *contenir* votre indignation. — Les touristes *parcourir* les routes de France. — L'écolier *accroître* ses connaissances. — La grand-mère *recevoir* une lettre de son petit-fils. — L'avocat *intervenir* pour défendre l'accusé.

515. MOTS A ÉTUDIER.
l'abri ; la discussion ; l'antenne ; dorénavant, auparavant.

PASSÉ SIMPLE

DES VERBES ÊTRE ET AVOIR ET DE QUELQUES VERBES IRRÉGULIERS.

savoir	avoir	être	devoir
je sus	j' eus	je fus	je dus
nous sûmes	nous eûmes	nous fûmes	nous dûmes

croire	boire	plaire	taire
je crus	je bus	je plus	je tus
nous crûmes	nous bûmes	nous plûmes	nous tûmes

résoudre	moudre	pouvoir	vivre
je résolus	je moulus	je pus	je vécus
nous résolûmes	nous moulûmes	nous pûmes	nous vécûmes

écrire	faire	plaindre	voir
j' écrivis	je fis	je plaignis	je vis
nous écrivîmes	nous fîmes	nous plaignîmes	nous vîmes

conduire	asseoir	coudre	prendre
je conduisis	j' assis	je cousis	je pris
nous conduisîmes	nous assîmes	nous cousîmes	nous prîmes

vaincre	naître	acquérir	mettre
je vainquis	je naquis	j' acquis	je mis
nous vainquîmes	nous naquîmes	nous acquîmes	nous mîmes

EXERCICES

516. Conjuguez au passé simple :

1. avoir des billes   être malade   savoir sa leçon
   taire sa peine   résoudre un problème   moudre du café

2. écrire une lettre   éteindre la lampe   craindre le noir
   conduire un camion   coudre un bouton   vaincre la peur

517. Mettez aux 1re et 3e personnes du singulier et à la 3e personne du pluriel du passé simple :

1. détruire   produire   souscrire   2. transcrire   peindre   plaindre
   instruire   séduire   taire   apprendre   peigner   recoudre
   comprendre   décrire   tuer   suspendre   reprendre   naître

518. Mettez à la 3e personne du singulier et aux 1re et 3e personnes du pluriel du passé simple :

1. permettre   craindre   promettre   adjoindre   contraindre
   étreindre   admettre   geindre   attendre   revenir

2. ceindre   saigner   rejoindre   croire   renaître
   entreprendre   croître   convaincre   déplaire   soutenir

519. Mettez les verbes en italique au passé simple.

L'enfant *commettre* une erreur. — Les enfants *apprendre* la leçon ; ils la *réciter* sans hésitation. — Jean Bart *naître* à Dunkerque. — Claude *recoudre* son bouton. — Tu *conduire* ta petite sœur à l'école maternelle. — Je *détruire* les chenilles. — Tu *savoir* ta fable. — Tu *peindre* la grille. — La maman *peigner* sa fillette. — Je *vouloir,* mais je ne *pouvoir* pas finir mon travail. — Nous *être* contents de notre promenade. — Tu *écrire* à tes parents. — Il *comprendre* son devoir. — Le bavard *se taire* enfin. — Le vent *éteindre* le lampion.

520. Même exercice que 519.

La tempête *ravager* les blés mûrs. — Le chasseur *épauler* son fusil, *viser, tirer,* et la perdrix *s'abattre* dans le buisson. — Un orage *survenir* qui *briser* tout sur son passage. — Les amis *choquer* leurs verres. — Nous *évoquer* des souvenirs. — Les gourmands *croquer* du chocolat. — Vous vous *fatiguer.* — Le soleil *disparaître* derrière les nuages. — L'ogre *regarder* le Petit Poucet et *froncer* les sourcils. — Vous vous *diriger* vers la gare. — Tu *claquer* des dents. — Le médecin *accourir* aussitôt.

521. Mettez les verbes en italique au présent de l'indicatif et au passé simple.

Nous *boire* à la source fraîche. — Vous *vaincre* votre frayeur. — Il *résoudre* un problème difficile. — Le maire *ceindre* son écharpe. — Je *mettre* la soupière sur la table. — Nous nous *permettre* d'entrer. — Vous *prévenir* les gendarmes. — Le ciel *devenir* subitement sombre. — Le navire *tanguer* fortement. — Les jardiniers *élaguer* les platanes. — Les barmans *rincer* les verres. — Tu *nager* comme un poisson. — L'instituteur *éduquer* les enfants. — Nous *fuir* les forêts désertes.

522. Mettez les verbes en italique à l'imparfait de l'indicatif et au passé simple.

Le semi-remorque *atteindre* le sommet de la côte. — J'*écrire* une longue lettre à mon oncle. — J'*avoir* une bonne récompense. — Tu *être* félicité par tes coéquipiers. — Le poisson *mordre* à l'hameçon. — Je *répondre* correctement. — Tu *se souvenir* des conseils de tes parents. — Nous *craindre* de prendre froid. — Vous vous *plaire* à la campagne. — Nous nous *asseoir* à l'ombre d'une haie. — Il *faire* ce qu'il *pouvoir.*

523. MOTS A ÉTUDIER.

I. le bohémien ; le concert, concerter, déconcerter ; l'embonpoint.

II. le soubresaut, le sursaut, l'assaut ; la sonorité, sonore.

III. l'ahurissement, ahuri ; l'insolence, la violence, l'opulence.

IV. le circuit ; la fascination, fasciner ; au-dessus, au-dessous.

V. heurter, le heurt ; l'oscillation, osciller ; insolite.

DEMAIN, DANS L'AVENIR : **FUTUR SIMPLE**

● **Je pense à l'infinitif.**

couper	étudier	bondir	tendre
je couperai	j' étudierai	je bondirai	je tendrai
tu couperas	tu étudieras	tu bondiras	tu tendras
il coupera	il étudiera	il bondira	il tendra
ns couperons	ns étudierons	ns bondirons	ns tendrons
vs couperez	vs étudierez	vs bondirez	vs tendrez
ils couperont	ils étudieront	ils bondiront	ils tendront

RÈGLES

1. Au **futur simple**, tous les verbes prennent les mêmes terminaisons : **a.i** — **a.s** — **a** — **o.n.s** — **e.z** — **o.n.t**, toujours précédées de la lettre **r**.

2. Au **futur simple**, les verbes du **1er** et du **2e groupe** conservent généralement l'infinitif en entier.
Ex. : j'**étudier.ai**, je **bondir.ai**.

> Pour bien écrire un verbe au **futur simple**, il faut penser à **l'infinitif**, puis à la **personne**.

compter	saluer	mendier	garnir	interrompre	craindre
aiguiser	remuer	balbutier	gravir	peindre	connaître
respecter	secouer	plier	choisir	battre	naître
moissonner	jouer	remédier	pâlir	permettre	croire
hésiter	avouer	supplier	franchir	attendre	conduire

EXERCICES

524. Conjuguez au futur simple :

1. vérifier son travail   scier une planche   manier la varlope
   franchir le fossé   assouplir l'osier   démolir le vieux mur

2. clouer une caisse   moudre le grain   rompre le pain
   coudre la robe   saluer le maître   grimper à l'arbre

3. lire une histoire   confire des fruits   distribuer des récompenses
   lier les accords   confier une nouvelle   conclure un marché

4. éteindre la lampe   battre le tapis   aider ses parents
   rendre la monnaie   éclater en sanglots   défendre son camp

525. Mettez les verbes au futur simple et justifiez la terminaison en écrivant l'infinitif entre parenthèses.

Tu empli...	Nous ni...	Je bâti...	On grossi...	Nous abatt...
Tu pli...	Nous uni...	Je châti...	On remerci...	Nous gratt...
Il applaudi...	Ils nourri...	Vous jou...	Tu ri...	Tu grond...
Il expédi...	Ils vari...	Vous coud...	Tu adouci...	Tu répond...

526. Mettez à la 3ᵉ personne du singulier et à la 3ᵉ personne du pluriel du futur simple :

crier	rougir	rectifier	partir	tremper	rencontrer
dormir	balbutier	supplier	sentir	interrompre	agiter
apprécier	grossir	varier	hâter	gronder	garder
noircir	amincir	servir	combattre	tondre	prendre

527. Mettez à la 2ᵉ personne du singulier et à la 3ᵉ personne du pluriel du futur simple :

trouer	lire	apprendre	remercier	défendre	fonder
coudre	lier	connaître	noircir	hasarder	fondre
situer	omettre	apparaître	guider	suspendre	demander
évaluer	disparaître	croître	descendre	commander	attendre

528. Mettez les verbes en italique au futur simple.

La rafale *secouer* le vieux marronnier. — Tu *coudre* le corsage déchiré. — Les oiseaux *bâtir* leurs nids. — Le chien *avertir* son maître. — Ce perchiste *battre* le record du monde. — Le marinier *rompre* la glace. — Vous *garantir* la qualité de la marchandise. — Nous *multiplier* nos efforts. — Tu *échouer* à l'examen, si tu n'es pas appliqué. — Cet hiver, les oiseaux *mendier* un peu de nourriture. — Nous *vérifier* un compte. — Tu *plier* ta serviette. — Tu *ponctuer* correctement ta rédaction. — Un rayon de lune *trouer* les nuages épais.

529. Même exercice que 528.

Le journaliste *châtier* son langage. — Le soleil couchant *incendier* la vitre. — Tu *copier* ton devoir avec application et tu le *réussir*. — Les fleurs *déplier* leurs pétales et *ouvrir* leurs corolles. — Les fruits *mûrir*. — La température *varier*. — Tu *vernir* le meuble. — Je *gravir* la pente escarpée. — Les vagues *engloutir* la petite barque. — Les coureurs *effectuer* ce long trajet en peu de temps. — Je vous *donner* des fleurs. — Vous me *montrer* mon chemin. — Nous lui *serrer* la main. — Ils nous *prêter* des livres. — Elles nous *raconter* des histoires.

530. Même exercice que 528.

Nous *prier* nos amis de rester à dîner. — Nous *applaudir* le chanteur. — Vous *étudier* le règlement du concours. — Je vous *expédier* un colis. — La gelée *durcir* la terre. — Vous *remercier* vos parents. — Le vent *rabattre* la fumée. — Le chien *gratter* à la porte. — Nous *unir* nos efforts. — L'escrimeur *manier* son épée habilement. — Nous n'*oublier* pas d'apprendre nos leçons. — Le vent *faiblir*. — Les poules *pondre* leurs œufs dans les haies. — Les légumes *abonder* sur le marché à la belle saison. — Vous *crier*. — Vous *écrire* à votre maître.

531. MOTS A ÉTUDIER.

I. le balbutiement, balbutier ; le tilleul ; courir ; le courrier.

II. un employé, une employée ; le remords ; accomplir ; ressusciter.

FUTUR SIMPLE

PARTICULARITÉS DE QUELQUES VERBES

	rappeler		jeter		acheter		marteler
je	rappellerai	je	jetterai	j'	achèterai	je	martèlerai
tu	rappelleras	tu	jetteras	tu	achèteras	tu	martèleras
il	rappellera	il	jettera	il	achètera	il	martèlera
ns	rappellerons	ns	jetterons	ns	achèterons	ns	martèlerons
vs	rappellerez	vs	jetterez	vs	achèterez	vs	martèlerez
ils	rappelleront	ils	jetteront	ils	achèteront	ils	martèleront

	employer		courir		mourir		acquérir
j'	emploierai	je	courrai	je	mourrai	j'	acquerrai
tu	emploieras	tu	courras	tu	mourras	tu	acquerras
il	emploiera	il	courra	il	mourra	il	acquerra
ns	emploierons	ns	courrons	ns	mourrons	ns	acquerrons
vs	emploierez	vs	courrez	vs	mourrez	vs	acquerrez
ils	emploieront	ils	courront	ils	mourront	ils	acquerront

REMARQUES

Au **futur simple** :

— Les verbes en **eler** et en **eter** prennent **deux l** ou **deux t** : **il rappellera, il jettera** ;

— Ceux qui font exception prennent un **accent grave** : **il achètera, il martèlera** ;

— Les verbes en **y.e.r** changent l'**y** en **i** : **il appuiera, il emploiera** ;

— Les verbes **mourir, courir, acquérir** et ceux de leur famille ont **deux r**, alors qu'ils n'en prennent qu'un à l'imparfait :

futur : il mourra, il courra, il acquerra
imparfait : il mourait, il courait, il acquérait.

tournoyer	essuyer	chanceler	peler	acheter	requérir
nettoyer	ennuyer	ruisseler	projeter	fureter	accourir
ployer	balayer	épeler	rejeter	étiqueter	concourir
broyer	essayer	ficeler	décacheter	conquérir	parcourir
larmoyer	payer	geler	empaqueter	reconquérir	secourir

EXERCICES

532. **Conjuguez au futur simple :**

1. essuyer la vaisselle   broyer du sucre   employer une scie
   conduire un camion   boire de la bière   croire son ami

2. ficeler un paquet   peler un fruit   projeter une promenade
   secouer l'amandier   acquérir un livre   secourir les malheureux

533. Mettez les verbes au futur simple et justifiez la terminaison en écrivant l'infinitif entre parenthèses.

Il boi...   Tu nettoi...   Ils reprodui...   Vous appui...   Tu plai...
Il aboi...   Ils essui...   Nous ennui...   Elle trai...   Tu pai...
Tu croi...   Ils condui...   Nous nui...   Elle essai...   Tu emploi...

534. Mettez à la 1ᵉ personne du singulier et à la 3ᵉ personne du pluriel du futur simple :

reproduire	introduire	boire	distancer	bercer	plaire
construire	essuyer	flamboyer	avancer	distraire	délayer
appuyer	coudoyer	remplacer	ensemencer	rayer	extraire

535. Mettez à la 2ᵉ personne du singulier du présent et de l'imparfait de l'indicatif et du futur simple :

1. amonceler déchiqueter mourir   2. harceler acquérir tutoyer
   atteler   rejeter   parcourir   acheter   secourir commencer
   ressemeler décacheter   accourir   étiqueter ployer   lancer

536. Mettez les verbes en italique au futur simple.

Tu *atteler* la caravane. — La neige *étinceler* sous le soleil. — Le brouillard *noyer* la campagne. — Tu *boire* de l'orangeade. — Nous *grincer* des dents. — Les pigeons *accourir* de toutes parts quand on leur *lancer* des graines. — Le maçon *construire* la grange. — Le randonneur *essuyer* la sueur de son front. — La mer *rejeter* des épaves. — J'*acheter* une balle. — Les chiens *aboyer* à la lune. — Les fleurs *mourir* aux premiers froids. — Les pompiers *secourir* les blessés. — La tempête *secouer* la vieille bâtisse. — Le mineur *extraire* du charbon. — On *balayer* la cuisine.

537. Même exercice que 536.

Les travailleurs économes *acquérir* une automobile. — Tu *s'instruire*. — Tu *s'ennuyer*. — Le soleil *luire* après la pluie. — Nous *décongeler* la viande. — Le conducteur *appuyer* sur l'accélérateur. — Tu *feuilleter* ton livre. — Jean-Michel ne *rudoyer* pas son cheval, il le *conduire* avec douceur. — Tu *croire* les personnes d'expérience et tu *apprécier* leurs conseils. — Le froid *harceler* les oiseaux du jardin. — Les enfants *essayer* leurs premiers pas. — Cette usine *produire* des meubles de cuisine. — Tu *payer* la note. — Tu *plaire* à tes amis par ta gentillesse.

538. MOTS A ÉTUDIER.

 I. la hutte ; le clown ; ailleurs ; malgré ; naître.
 II. la glycine ; un nouveau-né, des nouveau-nés ; certes ; infatigable.

FUTUR SIMPLE

DES VERBES ÊTRE ET AVOIR ET DE QUELQUES VERBES IRRÉGULIERS.

aller	être	avoir	faire
j' irai	je serai	j' aurai	je ferai
nous irons	nous serons	nous aurons	nous ferons

cueillir	recevoir	asseoir	
je cueillerai	je recevrai	j' assiérai	j' assoirai
nous cueillerons	nous recevrons	nous assiérons	nous assoirons

envoyer	voir	pouvoir	savoir
j' enverrai	je verrai	je pourrai	je saurai
nous enverrons	nous verrons	nous pourrons	nous saurons

tenir	venir	devoir	vouloir
je tiendrai	je viendrai	je devrai	je voudrai
nous tiendrons	nous viendrons	nous devrons	nous voudrons

EXERCICES

539. Conjuguez au futur simple :

aller au marché	cueillir des œillets	savoir une fable
faire un exercice	retenir son souffle	être gentil
recevoir un colis	devoir une facture	prévenir ses parents
voir au loin	envoyer une lettre	vouloir réussir

540. Mettez (3ᵉ pers. du sing. et 3ᵉ pers. du plur.) au futur simple :

contenir	appartenir	subvenir	pouvoir	accueillir	envoyer
obtenir	entretenir	être	avoir	recueillir	soutenir
maintenir	parvenir	aller	voir	cueillir	prévenir

541. Mettez les verbes du nᵒ 540 à la 2ᵉ personne du singulier du présent, de l'imparfait de l'indicatif et du futur simple.

542. Mettez à la 1ʳᵉ personne du singulier et à la 3ᵉ personne du pluriel du futur simple :

valoir	mourir	devoir	revoir	défaire	savoir
pouvoir	secourir	entrevoir	faire	refaire	recevoir
vouloir	asseoir	voir	satisfaire	accourir	apercevoir

543. Mettez les verbes en italique au futur simple.

Je *faire* mon travail avec goût. — Tu *savoir* ta leçon. — Tu *envoyer* une carte à un camarade. — Nous *parvenir* au sommet de la colline. — Les écoliers *retenir* les paroles de cette chanson. — Tu *cueillir* la rose et tu l'*offrir* à ta mère. — Les enfants *aller* au théâtre ; ils *regarder* les acteurs qui *jouer* une pièce de Molière. — Les enfants *devoir* couvrir leurs livres. — Tu *pouvoir* venir à la maison. — Les auto-stoppeurs *s'asseoir* au bord de la route.

544. Même exercice que 543.

Elles *se souvenir* des bonnes journées passées à la campagne. — Tu *se maintenir* dans les premiers du peloton. — La rivière *charrier* des glaçons. — Tu *rire* de bon cœur. — L'arbre *plier* sous la tempête. — Le vigneron *remplir* les tonneaux. — Il *expédier* un colis. — Le soleil *resplendir*. — Tu n'*envier* pas la richesse. — Tu *mettre* ton anorak. — Tu *planter* des rosiers. — La gelée *durcir* la terre. — Le bûcheron *scier* la grosse bûche. — Tu *essuyer* la vaisselle. — Tu *abattre* le bouleau. — Tu *gratter* une tache.

545. Même exercice que 543.

Le soleil *flamboyer* et *boire* la rosée du matin. — Tu *recevoir* des nouvelles de ta famille. — Les poules *couver*. — Nous *devoir* arriver à l'heure. — Vous *venir* nous voir. — Ils nous *aider* à faire la vaisselle. — Le chien *courir* après le lièvre. — L'herbe *verdoyer* au printemps. — Ils *lire* un livre pour se délasser l'esprit. — Les machines *lier* les gerbes. — Les gouttes de pluie *étinceler* au soleil. — Tu *jeter* la balle. — Tu *mettre* un tricot de laine. — Nous *parcourir* le journal.

546. Mettez les verbes en italique à l'imparfait de l'indicatif et au futur simple.

Tu *mener* ton chien chez le vétérinaire. — Il *semer* des haricots. — Maman *aérer* sa chambre. — Les horloges *égrener* les heures. — Le maître-nageur *secourir* le noyé. — Je *parcourir* une longue distance. — Les fleurs *mourir* dans le vase. — Tu *s'appuyer* sur ta canne. — Je *bercer* ma petite sœur. — Le prestidigitateur *distraire* l'assistance. — Ils *distancer* leurs camarades. — Je *ficeler* le paquet. — Nous *dételer* la remorque. — Les enfants *feuilleter* un album d'images.

547. Mettez les verbes en italique au futur simple.

Nous leur *prêter* un parapluie. — Il nous *voir* de temps en temps. — Nous leur *retenir* des places au cinéma. — Les enfants nous *faire* plaisir. — Nos cousins nous *envoyer* des cartes postales. — Nous leur *chanter* une chanson. — Les hirondelles nous *ramener* les beaux jours. — Ton père te *payer* des disques. — Tu lui *cueillir* des roses. — Ils nous *recevoir* avec cordialité. — Nous leur *savoir* gré de leur franchise. — Les promeneurs *s'asseoir* au bord de la rivière. — S'il fait beau, nous *aller* à la pêche. — Les cyclistes *continuer* leur route.

548. MOTS A ÉTUDIER.

 I. le banc ; le tilleul ; le pollen ; l'abdomen ; cueillir.
 II. le heurt, heurter ; quelquefois, autrefois, toutefois, parfois.
III. le frimas ; le hurlement, hurler ; malgré ; l'intérieur.
IV. quotidien, quotidiennement ; le quotient ; le quolibet ; ailleurs.

LES TEMPS COMPOSÉS DU MODE INDICATIF

I. Verbes se conjuguant avec l'auxiliaire **avoir**.

auxiliaire avoir

Présent	Imparfait	Passé simple	Futur simple
j' ai	j' avais	j' eus	j' aurai
nous avons	nous avions	nous eûmes	nous aurons
ils ont	ils avaient	ils eurent	ils auront

couper

Passé composé	Plus-que-parfait	Passé antérieur	Futur antérieur
j' ai coupé	j' avais coupé	j' eus coupé	j' aurai coupé
ns avons coupé	ns avions coupé	ns eûmes coupé	ns aurons coupé
ils ont coupé	ils avaient coupé	ils eurent coupé	ils auront coupé

avoir

j' ai eu	j' avais eu	j' eus eu	j' aurai eu
ns avons eu	ns avions eu	ns eûmes eu	ns aurons eu
ils ont eu	ils avaient eu	ils eurent eu	ils auront eu

être

j' ai été	j' avais été	j' eus été	j' aurai été
ns avons été	ns avions été	ns eûmes été	ns aurons été
ils ont été	ils avaient été	ils eurent été	ils auront été

II. Verbes se conjuguant avec l'auxiliaire **être**.

auxiliaire être

Présent	Imparfait	Passé simple	Futur simple
je suis	j' étais	je fus	je serai
nous sommes	nous étions	nous fûmes	nous serons
ils sont	ils étaient	ils furent	ils seront

tomber

Passé composé	Plus-que-parfait	Passé antérieur	Futur antérieur
je suis tombé	j' étais tombé	je fus tombé	je serai tombé
ns sommes tombés	ns étions tombés	ns fûmes tombés	ns serons tombés
ils sont tombés	ils étaient tombés	ils furent tombés	ils seront tombés

RÈGLE

Un **temps composé** est formé de l'**auxiliaire avoir** ou **être** et du **participe passé** du verbe conjugué.

passé composé	plus-que-parfait	passé antérieur	futur antérieur
présent de l'indicatif de l'auxiliaire + participe passé du verbe conjugué	imparfait de l'indicatif de l'auxiliaire + participe passé du verbe conjugué	passé simple de l'auxiliaire + participe passé du verbe conjugué	futur simple de l'auxiliaire + participe passé du verbe conjugué

— Le **participe passé** employé avec **avoir** sans complément reste invariable :

- J'ai coup**é**, nous avons coup**é**.
  Ils ont coup**é**, elles ont coup**é**.

— Le **participe passé** employé avec **être** s'accorde en genre et en **nombre** avec le **sujet** du verbe :

- Je suis tomb**é**, nous sommes tomb**és**.
  Ils sont tomb**és**, elles sont tomb**ées**.

quelques verbes se conjuguant avec avoir				verbes se conjuguant avec être	
sauter	embellir	rompre	plaindre	tomber	intervenir
chanter	saisir	recevoir	ouvrir	partir	mourir
étudier	sourire	attendre	offrir	repartir	aller
frapper	dormir	éteindre	souffrir	venir	naître
écouter	mettre	teindre	écrire	revenir	arriver
grandir	disparaître	craindre	conduire	parvenir	entrer

EXERCICES

549. Conjuguez au passé composé :

1. nettoyer le fossé   rendre la monnaie   rompre la glace
   remplir son panier   partir en voyage   aller à la campagne
2. offrir des œillets   mettre le couvert   tomber de l'arbre
   prendre froid   conduire la moto   arriver à l'heure
3. éteindre la lampe   écrire une lettre   apprendre la leçon
   recevoir un colis   mourir de peur   entrer brusquement

550. Conjuguez les verbes du n° 549 : 1° au passé antérieur ; 2° au plus-que-parfait ; 3° au futur antérieur.

551. Écrivez à la 1ʳᵉ personne du pluriel des temps composés du mode indicatif :

1. grelotter   rêver   réussir   2. teindre   offrir   rompre
   guetter   bondir   venir   aller   mettre   boire
   hésiter   entrer   partir   mourir   craindre   naître

552. Construisez une phrase avec chacun des verbes suivants. Le sujet sera féminin et le verbe au plus-que-parfait de l'indicatif :

revenir   chanter   tomber   coudre   aller

553. Mettez les verbes en italique aux temps demandés.

Tu *courir* (pass. comp.) après les papillons. — La foudre *démolir* (pass. comp.) le clocheton de l'église. — Émilie *mettre* (pl.-q.-parf.) une nappe blanche. — Quand nous *battre* (fut. ant.) les cartes, nous les *distribuer* (fut. s.). — Les feuilles *tomber* (pl.-q.-parf.) à l'approche de l'hiver et les hirondelles *partir* (pl.-q.-parf.). — Quand nous *éteindre* (pass. ant.) la lampe, nous nous *coucher* (pass. s.). — Tu *tendre* (pass. comp.) l'oreille pour essayer de comprendre. — Les enfants *écrire* (pl.-q.-parf.) à leur grand-mère. — Quand les chauffeurs *conduire* (pass. ant.) les autobus au garage, ils *revenir* (pass. s.) à leur domicile.

554. Même exercice que 553.

Quand les bûcherons *abattre* (pass. ant.) le vieux chêne, ils l'*ébrancher* (pass. s.) et l'*équarrir* (pass. s.). — Les beaux jours *revenir* (pl.-q.-parf.), les premières violettes allaient s'ouvrir. — Tu *teindre* (pass. comp.) un pantalon usagé. — Quand les feuilles *naître* (fut. ant.), les nids *se bâtir* (fut. s.). — Les eaux mugissantes *rompre* (pass. comp.) les digues. — L'enfant *comprendre* (pl.-q.-parf.) son devoir. — Les petites filles *aller* (pass. comp.) se promener. — Les voyageurs *attendre* (pl.-q.-parf.) le train. — Le cavalier *saisir* (pass. comp.) les rênes et *enlever* (pass. comp.) sa monture d'une légère pression des talons.

555. Même exercice que 553.

Vous *répondre* (pl.-q.-parf.) avec sincérité. — Le ministre *promettre* (pl.-q.-parf.) la construction d'une piscine. — J'*détruire* (pass. comp.) un nid de frelons. — Nous *arriver* (pl.-q.-parf.) à l'aube et nous *repartir* (pass. comp.) à la nuit. — Quand nous *gravir* (pass. ant.) la côte, nous nous *reposer* (pass. s.). — Nous *travailler* (pass. comp.) avec application et persévérance et nous *réussir* (pass. comp.). — Quand ils *brosser* (fut. ant.) leurs vêtements, ils les *plier* (fut. s.). — Les musiciens *entrer* (pass. comp.) en scène sous les applaudissements du public. — Nous *souffrir* (pass. comp.) du froid. — L'enfant *sourire* (pl.-q.-parf.) à sa mère, et il *balbutier* (pl.-q.-parf.) quelques mots.

556. MOTS A ÉTUDIER.

I. le hasard, hasardeux, hasarder ; dorénavant, avant.
II. l'ampleur, l'amplitude, ample ; le taon, le paon.

LA VOIX PRONOMINALE

Présent de l'indicatif			Passé composé			
je me coupe	nous nous coupons		je	me suis coupé	nous nous sommes coupés	
tu te coupes	vous vous coupez		tu	t' es coupé	vous vous êtes coupés	
il se coupe	ils se coupent		il	s' est coupé	ils se sont coupés	
			(elle s'	est coupée)	(elles se sont coupées)	

REMARQUES

1. Un verbe pronominal est un verbe qui se conjugue avec **deux pronoms de la même personne, dont un réfléchi.**

— Ex. : **Je me coupe. Nous nous sommes coupés.**

2. Les temps composés d'un verbe pronominal se conjuguent toujours avec l'auxiliaire **être.**

— Ex. : **Elle s'était coupée. Nous nous sommes coupés.**

quelques verbes à la voix pronominale			quelques verbes essentiellement pronominaux		
se frapper	s'atteler	se poursuivre	se vautrer	s'agenouiller	s'enfuir
s'apitoyer	s'enrichir	se construire	s'évertuer	s'accouder	s'immiscer
se quereller	s'assagir	s'instruire	se fier	s'élancer	s'envoler
se heurter	se salir	s'entendre	s'ingénier	s'extasier	s'ébattre
se risquer	s'assoupir	s'éteindre	se démener	s'insurger	se repentir
se briser	s'apercevoir	se plaindre	se soucier	se lamenter	s'évanouir
se pencher	s'asseoir	se perdre	s'emparer	se cabrer	se tapir
se fatiguer	se battre	se taire	s'écrouler	se moquer	se blottir

EXERCICES

557. Conjuguez au présent et à l'imparfait de l'indicatif :
s'approcher du précipice   s'étendre sur le sable   se mettre à l'abri
s'apercevoir de son erreur   se protéger du froid   se blottir dans l'ombre

558. Conjuguez au passé simple et au futur simple :
s'asseoir dans l'herbe   se perdre dans le bois   se tenir debout
se fier à ses amis   se salir en jouant   se couvrir de gloire

559. Conjuguez : 1° au passé composé et au passé antérieur ; 2° au plus-que-parfait et au futur antérieur :
s'accouder au balcon   se rendre au marché   se plier au règlement
se fatiguer vite   s'évanouir de peur   se divertir gentiment

560. Construisez une phrase avec chacun des verbes suivants. Le sujet sera féminin et le verbe au passé composé.
s'asseoir   s'arrêter   s'affoler   s'endormir   se servir

561. Écrivez les verbes suivants à la 3ᵉ personne du singulier et aux 1ʳᵉ et 3ᵉ personnes du pluriel des temps demandés :
1° passé composé et passé antérieur

se pencher	s'avancer	se risquer
s'instruire	s'atteler	s'enorgueillir
s'ébattre	se lamenter	s'évertuer

2° plus-que-parfait et futur antérieur

s'extasier	se ranger	se moquer
se distraire	s'agenouiller	s'asseoir
se fatiguer	se confier	se blottir

562. Écrivez les verbes suivants à la 1ʳᵉ personne du singulier et aux 1ʳᵉ et 3ᵉ personnes du pluriel du passé composé :

attacher	heurter	nourrir	attendre	promettre	plaindre
s'attacher	se heurter	se nourrir	s'attendre	se promettre	se plaindre

563. Écrivez les verbes aux temps demandés.

Nos amis *s'appuyer* (imp. de l'ind.) au rebord du balcon pour nous dire au revoir. — Les moineaux *se blottir* (pl.-q.-parf.) sous la gouttière. — L'alpiniste *s'avancer* (pass. comp.) au bord du gouffre. — Quand les fleurs *se faner* (fut. ant.), les oiseaux quitteront nos climats. — Les buées du matin *s'évaporer* (pass. comp.) sous l'ardeur du soleil. — Nous *se promener* (pl.-q.-parf.) dans la forêt. — Vous *se couper* (pass. comp.). — Quand les étoiles *s'allumer* (pass. ant.), les rossignols chantèrent. — La jument *se cabrer* (pass. comp.) de frayeur. — Les violettes *s'ouvrir* (pl.-q.-parf.) sous les feuilles. — Tu *s'évertuer* (pass. comp.) à bien faire. — Ils *s'apitoyer* (pass. comp.) sur le sort des bébés-phoques.

564. Même exercice que 563.

Quand les dernières lueurs du couchant *s'éteindre* (pass. ant.), la lune brilla. — Les oiseaux *se quereller* (prés. de l'ind.) dans les branches feuillues. — L'athlète *se couvrir* (pass. s.) de gloire. — Les maisons *s'écrouler* (pass. s.) avec fracas. — Des flots de fumée *s'échapper* (imp. de l'ind.) de la cheminée. — Des voix lointaines *se répondre* (imp. de l'ind.) dans la forêt. — Jeannot Lapin *se risquer* (pl.-q.-parf.) dehors. — Elle *se féliciter* (fut. ant.) du résultat. — Les passants *se réfugier* (pass. comp.) sous le porche. — Tu *se soucier* (pass. comp.) de l'avenir. — Ils *se heurter* (pass. comp.) à un refus formel. — Dès le coucher du soleil, les oiseaux *se taire* (pass. comp.).

565. MOTS A ÉTUDIER.
 I. le géranium, l'harmonium ; la paroi ; quelquefois, toutefois.
 II. l'immensité, immense, immensément ; quelque chose.
 III. l'essaim, essaimer ; pêle-mêle ; un gazouillis, gazouiller.

FORME NÉGATIVE

- **Je coupe la tarte** (forme **affirmative**).
- **Je ne coupe pas la tarte** (forme **négative**).

Présent de l'indic.	Futur simple	Passé composé
je ne coupe pas	je ne couperai pas	je n'ai pas coupé
il ne coupe pas	il ne coupera pas	il n'a pas coupé
ns ne coupons pas	ns ne couperons pas	ns n'avons pas coupé
ils ne coupent pas	ils ne couperont pas	ils n'ont pas coupé

REMARQUE

Pour mettre un verbe à la **forme négative,** on ajoute une des négations suivantes : **ne... pas — ne... plus — ne... jamais — ne... point — ne... guère — ne... rien** à la forme affirmative.

EXERCICES

566. **Conjuguez sous la forme négative** (ne... jamais) **au présent et à l'imparfait de l'indicatif :**

détruire les nids   répondre effrontément   déchirer ses livres

567. **Conjuguez sous la forme négative** (ne... pas) **au passé simple et au futur simple :**

salir ses habits   désobéir à ses parents   taquiner le chien

568. **Conjuguez à la forme négative les verbes du n° 567 : 1° au passé composé ; 2° au plus-que-parfait ; 3° au futur antérieur.**

569. **Mettez les verbes en italique aux temps indiqués.**

Je *ne pas bavarder* (pass. comp.). — Je *ne pas boire* (fut. s.) glacé. — Tu *ne pas éternuer* (fut. s.) bruyamment. — Le violoniste *ne jamais brutaliser* (imp.) son instrument, il en prenait grand soin. — Tu *ne pas étendre* (pass. comp.) ton linge. — Nous *ne pas savoir* (imp.) nos leçons, nous avons été punis. — Je *ne jamais sortir* (prés. de l'ind.) sans mes parents. — Je *ne plus nier* (fut. s.) l'évidence. — Vous *ne pas relire* (pl.-q.-parf.) votre dictée et vous aviez laissé des fautes. — Nous *ne pas ménager* (imp. de l'ind.) nos compliments aux élèves. — Le village *ne pas s'endormir* (pl.-q.-parf.) encore.

570. **Donnez aux phrases suivantes la forme négative :**

Je sortirai à la tombée de la nuit. — On écoutait les mauvais conseilleurs. — On lança des pierres. — Tu déranges tes camarades. — Nous arrivons en retard. — La feuille tremble au bout de la branche. — Les chiens aboyèrent quand leur maître parut. — Vous voyez clair.

571. MOTS A ÉTUDIER.

I. l'ours, l'ourson ; l'accès, accessible, inaccessible.

II. le clos, la clôture ; l'embonpoint, le bonbon, la bonbonnière.

FORME INTERROGATIVE

- **Coupes-tu la tarte ?**
- **Le pâtissier coupe-t-il la tarte ?**

Présent de l'indicatif	Futur simple	Passé composé
Coupé-je[1] ?	Couperai-je ?	Ai-je coupé ?
Coupes-tu ?	Couperas-tu ?	As-tu coupé ?
Coupe-t-il ?	Coupera-t-il ?	A-t-il coupé ?
Coupe-t-elle ?	Coupera-t-elle ?	A-t-elle coupé ?
Coupe-t-on ?	Coupera-t-on ?	A-t-on coupé ?
Coupons-nous ?	Couperons-nous ?	Avons-nous coupé ?
Coupez-vous ?	Couperez-vous ?	Avez-vous coupé ?
Coupent-ils ?	Couperont-ils ?	Ont-ils coupé ?
Coupent-elles ?	Couperont-elles ?	Ont-elles coupé ?

1. En souvenir d'une prononciation ancienne, on écrit **coupé-je** bien que l'**é** se prononce [ɛ].

REMARQUES

1. A la **forme interrogative,** on place le **pronom sujet** après le verbe (ou après l'auxiliaire, dans les temps composés).

On lie le pronom sujet au verbe par un **trait d'union :**
Coupes-tu ? As-tu coupé ?

On peut aussi faire précéder le verbe à la forme affirmative de l'expression **est-ce que... :**
Est-ce que je coupe ? Est-ce que je couperai ?

Par euphonie, on préférera : **Est-ce que je sors ?** à **Sors-je ? — Est-ce que j'éteins ?** à **Éteins-je ?**...

2. **Pour éviter la rencontre de deux syllabes muettes,** on met un **accent aigu** sur l'**e** muet terminal de la 1ʳᵉ personne du singulier du présent de l'indicatif des verbes en **e.r : Coupé-je ?**

Pour éviter la rencontre de deux voyelles, on place un **t** euphonique après un **e** ou un **a** à la 3ᵉ personne du singulier : **Coupe-t-il ? Coupera-t-il ? A-t-il coupé ?**

3. Lorsque le sujet du verbe est un nom, on répète le pronom équivalent du nom : **Les bûcherons coupent-ils la bûche ?**

4. Il ne faut pas oublier **le point d'interrogation** à la fin de la phrase interrogative.

EXERCICES

572. Conjuguez sous la forme interrogative les verbes suivants au présent et à l'imparfait de l'indicatif :

chanter un refrain   pétrir la pâte   jouer aux billes

573. Conjuguez sous la forme interrogative les verbes suivants au passé simple et au futur simple :

s'atteler à la besogne   balayer la cuisine   venir à l'école

574. Conjuguez sous la forme interrogative les verbes suivants :
1° au passé composé ; 2° au passé antérieur ; 3° au plus-que-parfait ;
4° au futur antérieur.

partir en voyage   réussir son travail   se corriger de ses défauts

575. Conjuguez sous la forme interrogative, aux 2ᵉ et 3ᵉ personnes du singulier et à la 3ᵉ personne du pluriel :

Présent de l'ind.	Imparfait de l'ind.	Passé simple	Futur simple
employer	s'allonger	songer	acheter
courir	se déplacer	choisir	venir
cueillir	s'accroupir	recevoir	craindre

576. Conjuguez sous la forme interrogative, aux 1ʳᵉ et 3ᵉ personnes du singulier et à la 3ᵉ personne du pluriel :

Passé composé	Passé antérieur	Plus-que-parfait	Futur antérieur
s'ennuyer	croire	entendre	remuer
crier	s'avancer	tenir	se conduire
avouer	faiblir	répondre	se taire

577. Donnez aux phrases suivantes la forme interrogative :

Tu prendras ce fruit pour ton goûter. — Il rejoindra ses amis avant la fin de la partie. — Nous écoutions le frémissement du feuillage. — Elles coururent pour nous rattraper. — Il rabote une planche. — Il força l'allure et arriva fatigué. — J'ai bien pelé les coings. — Il avait été récompensé de son effort. — Nous avons eu des moments difficiles. — C'est le gazouillement de la source que nous entendons. — C'était un écureuil qu'on voyait.

578. Même exercice que 577.

Le malade a pris ses comprimés. — Les hirondelles sont parties. — Le touriste gravissait la pente abrupte. — L'enfant écoute les conseils de son maître. — La tempête a soufflé toute la nuit. — L'écolier récita sa leçon sans hésitation. — Le courant électrique avait été coupé avant l'orage. — Le soleil dissipe les nuages. — Les maçons bâtiront une belle maison. — Les enfants chanteront pendant la promenade.

579. MOTS A ÉTUDIER.

I. la paroi, la loi ; coquelicot, hublot.

II. diamant, diamantaire ; un réfectoire, un ivoire, un territoire.

FORME INTERRO-NÉGATIVE

● **Ne coupes-tu pas la tarte ? Ne coupe-t-il pas la tarte ?**

Présent de l'indicatif	Futur simple	Passé composé
Ne coupé-je pas ?	Ne couperai-je pas ?	N'ai-je pas coupé ?
Ne coupe-t-il pas ?	Ne coupera-t-il pas ?	N'a-t-il pas coupé ?
Ne coupons-ns pas ?	Ne couperons-ns pas ?	N'avons-ns pas coupé ?
Ne coupent-ils pas ?	Ne couperont-ils pas ?	N'ont-ils pas coupé ?

REMARQUE

La **forme interro-négative** est la combinaison de la **forme interrogative** et de la **forme négative**.

Ex. : **Coupes-tu ?**
      Tu ne coupes pas. } **Ne coupes-tu pas ?**

EXERCICES

580. Conjuguez sous la forme interro-négative aux temps simples de l'indicatif :
1. scier la bûche   2. répondre poliment   3. choisir un livre

581. Même exercice aux temps composés de l'indicatif :
1. brosser son pantalon   2. sortir l'après-midi   3. se rendre au cinéma

582. Conjuguez sous la forme interro-négative à la 3ᵉ personne du singulier et à la 3ᵉ personne du pluriel :

Prés. de l'ind.	Imp. de l'ind.	Pass. simp.	Futur simp.
Pass. comp.	**Plus-que-parf.**	**Pass. ant.**	**Fut. ant.**
mordre	crier	tomber	écrire
négliger	maigrir	frapper	craindre
jouer	mentir	gémir	se blesser

583. Donnez aux phrases suivantes la forme interro-négative :
Tu as apporté ton livre de grammaire. — Ils collectionnaient les images. — Le soleil mettra la joie dans les cœurs. — Le chien rapporte la perdrix. — C'était le début du printemps. — Le renard vient rôder autour du poulailler. — Ce sera amusant de se déguiser. — Le boulanger a pétri la pâte. — Je m'avançais doucement. — L'eau ruisselle de partout.

584. Même exercice que 583.
Tu apprends la musique. — Le rossignol a chanté dans le bois. — C'est toi qui as fait ce dessin. — J'ai compris les explications du maître. — Le train arriva en retard. — Les livres auront été étalés sur la table. — Ce serait curieux que nous nous rencontrions. — Le routier rentre son camion. — Le mécanicien avoue son impuissance à réparer ce moteur.

585. MOTS A ÉTUDIER.
I. la paix, paisible, pacifier, pacifique, la pacification.
II. travers, envers, vers ; la voie (chemin), la voix (organe).

RÉVISION

586. **Mettez les verbes en italique à l'imparfait et au passé simple.**

Je *marcher* d'un pas rapide. — Je *rougir* de plaisir. — Tu *réussir* à te libérer. — Tu *entendre* la sirène du bateau. — Tu *courir* à perdre haleine. — Le boulanger *pétrir* la pâte. — Nous *venir* à l'improviste. — Nous *conserver* notre sang-froid. — Vous *résister* à la tentation. — Vous *perdre* des points. — Vous *retenir* votre souffle. — Les merles *siffler*. — Les lions *rugir*. — Les écoliers *apprendre* leurs leçons. — Les enfants *lire* aisément.

587. **Mettez les verbes en italique au présent et à l'imparfait de l'indicatif.**

Nous *oublier* notre cahier. — Nous *plier* des journaux. — Nous *cueillir* quelques roses. — Nous *fouiller* dans notre cartable. — Nous *essuyer* les meubles. — Nous *accompagner* des amis à la gare. — Vous *nettoyer* votre bicyclette. — Vous *travailler* avec méthode. — Vous *cogner* sur le clou. — Vous *trier* des images. — Vous *envoyer* un mandat.

588. **Mettez les verbes en italique au présent, à l'imparfait de l'indicatif et au passé simple.**

Je *commencer* mon travail. — Je *manger* avec appétit. — Je m'*appliquer*. — Tu *nager* la brasse. — Tu *écorcer* une orange. — Tu *croquer* une tablette de chocolat. — Le froid *gercer* le sol. — Le papillon *voltiger* de fleur en fleur. — Nous *lancer* la balle. — Vous *changer* de chemise. — Les jardiniers *élaguer* les tilleuls. — Les cascadeurs *risquer* leur vie.

589. **Mettez les verbes en italique au futur simple.**

Nous *lier* conversation avec nos voisins de camping. — L'enfant *lire* sa fable. — Nous *rire* de vos grimaces. — La rivière *charrier* des glaçons. — Le malade *guérir*. — Le bel automne *emplir* nos paniers de fruits mûrs. — Les branches *plier*. — Vous *écrire* à votre oncle. — Vous *chanter*, vous ne *crier* pas. — Vous n'*oublier* pas votre sac. — Ils *établir* la facture.

590. **Même exercice que 589.**

Les enfants *agiter* les bras. — Nous *mettre* de l'ordre dans nos affaires. — Nous *châtier* nos propos. — Les vagues *engloutir* la petite barque. — Nous *ralentir* le pas. — Les ouvriers *déblayer* la route. — Nous *balayer* la cour. — Les enfants *choyer* leurs parents. — Nous *essayer* un costume neuf. — Nous *employer* bien notre temps. — Les musiciens *saluer* le public. — Nous *jouer* avec entrain.

SI... **LE PRÉSENT DU CONDITIONNEL**

● **Si j'étais plus adroit, je couperais la tarte.**

couper	étudier	bondir	tendre
je couperais	j' étudierais	je bondirais	je tendrais
tu couperais	tu étudierais	tu bondirais	tu tendrais
il couperait	il étudierait	il bondirait	il tendrait
ns couperions	ns étudierions	ns bondirions	ns tendrions
vs couperiez	vs étudieriez	vs bondiriez	vs tendriez
ils couperaient	ils étudieraient	ils bondiraient	ils tendraient

RÈGLES

1. Au présent du conditionnel, tous les verbes prennent les mêmes terminaisons : a.i.s — a.i.s — a.i.t — i.o.n.s — i.e.z — a.i.e.n.t, toujours précédées de la lettre r.

2. Au présent du conditionnel comme au futur simple, les verbes du 1ᵉʳ et du 2ᵉ groupe conservent généralement l'infinitif en entier.
Ex. : Je couper-ais, j'étudier-ais, je bondir-ais.

> Pour bien écrire un verbe au présent du conditionnel, il faut penser à l'infinitif, puis à la personne.

se déshabiller	certifier	renouer	éblouir	lire	se plaindre
se baigner	parier	trouer	rétablir	écrire	abattre
pincer	prier	échouer	se réjouir	rompre	admettre
précipiter	atténuer	blanchir	sortir	attendre	disparaître

EXERCICES

591. Conjuguez au présent du conditionnel :
1. remercier son maître   bâtir un hangar   expédier un colis
   noircir ses chaussures   châtier ses paroles   applaudir le chanteur
2. avouer sa faiblesse   distribuer les cahiers   interrompre son travail
   découdre un ourlet   conclure une affaire   tondre le gazon
3. teindre son vêtement   connaître l'adresse   remettre une lettre

592. Mettez la terminaison convenable du présent du conditionnel. Écrivez l'infinitif entre parenthèses.

Je me tapi...	Nous mani...	Il s'estropi...	Tu abatt...
Je copi...	Nous aplati...	Il déguerpi...	Tu gratt...
Tu vieilli...	Vous faibli...	Ils pli...	Nous émiett...
Tu tri...	Vous oubli...	Ils assoupli...	Nous permett...

593. Conjuguez à l'imparfait de l'indicatif et au présent du conditionnel :
conduire   établir   sourire   attendre   vider   multiplier

ORTHOGRAPHE

FUTUR OU CONDITIONNEL ?

Pour ne pas confondre la 1re **personne du singulier du futur simple** avec la même personne du **conditionnel présent**, il faut **penser à la personne correspondante** du pluriel :

- **Je couperai, nous couperons** (futur **a.i**).
- **Je couperais, nous couperions** (conditionnel **a.i.s**).

REMARQUE

Avec la conjonction **si**, le **présent** appelle le **futur**, l'**imparfait** appelle le **présent** du **conditionnel** :

- **Si tu le veux, je lirai, nous lirons** (futur **a.i**).
- **Si tu le voulais, je lirais, nous lirions** (conditionnel **a.i.s**).

594. Écrivez le premier verbe de chaque phrase au présent de l'indicatif et les autres au temps convenable.

Si je *travailler*, je *réussir*. — Si le voyageur *allonger* le pas, il *arriver* tôt à la ville. — Si nous *étudier* la carte avec soin, nous *retrouver* certainement notre route. — Si vous *partir* à temps, vous *rejoindre* vos amis. — Si les muguets *s'ouvrir*, ils *embaumer* la forêt. — J'*espérer* que vous *profiter* de la leçon. — Il *paraître* que les vendanges *commencer* bientôt. On *estimer* qu'elles *durer* une semaine.

595. Écrivez le premier verbe de chaque phrase à l'imparfait de l'indicatif et les autres au temps convenable.

Si je *répondre* bien, je *tirer* une nouvelle question. — Si tu *ouvrir* la fenêtre, tu *respirer* à ton aise. — Si Pierre *arriver* en retard, il *perdre* sa place. — Si nous *manier* la scie maladroitement, nous *se blesser*. — Si vous *suivre* les conseils du docteur, vous *guérir*. — Si les orages *continuer*, ils *gâter* les récoltes. — On *croire* que les pluies *cesser* et que le soleil *favoriser* les cultures.

596. Écrivez les verbes en italique au temps convenable, puis écrivez entre parenthèses ces mêmes verbes à la personne correspondante du pluriel.

Si le temps se mettait au beau, je *partir* en vacances. — Je *ranger* les outils dans le hangar, s'il y a de la place. — Je *se lever* dès que le coq chantera. — Je *désirer connaître* une jolie campagne, d'où je *rapporter* des brassées de fleurs. — J'*entrer* dans le jardin, si le chien n'est pas méchant. — J'*allumer* bien le feu, mais il n'y a plus de bois. — Je *chanter* volontiers, mais je n'ai pas de voix.

597. Sur les modèles précédents, construisez : 1° trois phrases avec un verbe au futur simple ; 2° trois phrases avec un verbe au conditionnel présent.

598. MOTS A ÉTUDIER.

I. maintenant, tant, un tantinet, tans pis, tant mieux.

II. volontiers ; ailleurs ; quelquefois, toutefois, certes.

PRÉSENT DU CONDITIONNEL

Particularités de quelques verbes

rappeler	jeter	acheter	marteler
je rappellerais	je jetterais	j' achèterais	je martèlerais
ns rappellerions	ns jetterions	ns achèterions	ns martèlerions

employer	courir	mourir	acquérir
j' emploierais	je courrais	je mourrais	j' acquerrais
ns emploierions	ns courrions	ns mourrions	ns acquerrions

Verbes être et avoir et quelques verbes irréguliers

aller	être	avoir	faire
j' irais	je serais	j' aurais	je ferais
ns irions	ns serions	ns aurions	ns ferions

cueillir	recevoir	asseoir	
je cueillerais	je recevrais	j' assiérais	j' assoirais
ns cueillerions	ns recevrions	ns assiérions	ns assoirions

envoyer	voir	pouvoir	savoir
j' enverrais	je verrais	je pourrais	je saurais
ns enverrions	ns verrions	ns pourrions	ns saurions

tenir	venir	devoir	vouloir
je tiendrais	je viendrais	je devrais	je voudrais
ns tiendrions	ns viendrions	ns devrions	ns voudrions

REMARQUE

Les **particularités** et les **irrégularités** constatées au **futur** simple **se retrouvent,** compte tenu des terminaisons, **au présent** du conditionnel. (Voir leçons nᵒ 24 et nᵒ 25.)

EXERCICES

599. Conjuguez au présent du conditionnel :

1. essuyer l'assiette / reproduire un dessin — mourir de peur / courir vite — côtoyer le ruisseau / accueillir un ami

2. empaqueter du riz / acheter du beurre — recevoir un colis / savoir sa leçon — aller à la fontaine / morceler un champ

3. faire la soupe / envoyer un bouquet — revenir du marché / retenir son souffle — être obéissant / cueillir des dahlias

133

600. Mettez les terminaisons du présent du conditionnel :

Je croi...	Vous condui...	Nous acquer...	Ils proj...
Je nettoi...	Vous essui...	Vous conquer...	Elles achèt...
Tu construi...	Il avanc...	Vous attel...	Je cueill...
Tu appui...	Elle plac...	Vous nivel...	Je cour...

601. Écrivez sous la forme interrogative à la 2ᵉ personne du singulier et aux 2ᵉ et 3ᵉ personnes du pluriel du présent du conditionnel :

s'apitoyer   croire   essuyer   vouloir   s'asseoir   défaire
envoyer   traduire   se souvenir   pouvoir   devoir   recueillir

602. Écrivez aux 1ʳᵉˢ personnes du singulier du pluriel de l'imparfait de l'indicatif et du présent du conditionnel :

courir   secourir   concourir   acquérir   discourir   soutenir
parcourir   secouer   nourrir   conquérir   obtenir   parvenir

603. Écrivez à la 1ʳᵉ personne du singulier du présent et de l'imparfait de l'indicatif, du passé simple et du présent du conditionnel :

employer   enduire   essuyer   atteler   acheter   envoyer
nettoyer   traduire   appuyer   peler   projeter   voir

604. Écrivez les verbes en italique à l'imparfait de l'indicatif et au présent du conditionnel.

Je *se nourrir* de fruits que je *cueillir* moi-même. — Tu *essuyer* le meuble. — Le chien perdu *apitoyer* les passants. — On *obtenir* une bonne note. — Le magasinier *ficeler* les colis, il les *étiqueter* et les *envoyer* au dépôt. — Nous *avancer* avec prudence. — Vous *venir* nous voir. — Les voyageurs *monter* dans le T.G.V., ils *chercher* leurs places et *s'asseoir*. — Les biches *entendre* du bruit et *fuir*. — Nous *enduire* les murs de chaux.

605. Mettez les verbes en italique au présent du conditionnel.

Si j'avais le temps, je *réviser* mes leçons, je *cirer* mes souliers, je *brosser* mes vêtements et je *venir* à l'école. — J'*acheter* volontiers ce livre, mais il est trop cher. — Je *s'ennuyer* par ce temps maussade, si je n'avais pas de jouets. — Si je relisais mon travail, je ne *laisser* pas de fautes. — Je pensais que j'*aller* vous voir.

606. Transcrivez les phrases de l'exercice précédent en mettant les verbes à la 1ʳᵉ personne du pluriel.

607. Écrivez les verbes en italique au temps convenable.

Ma mère disait qu'elle *lire* quand elle aurait fini son travail. — Je pensais que vous *accepter* mon offre. — Si l'on me demande mon avis, je le *donner*. — Nous *cueillir* les fruits, s'ils étaient mûrs. — Je *pouvoir* réussir, si je suis attentif et travailleur. — Nous *s'asseoir* au bord de la rivière, s'il fait beau.

608. MOTS A ÉTUDIER.

l'impatience, patient, patienter, patiemment, impatiemment.

LES TEMPS COMPOSÉS
DU MODE CONDITIONNEL

● **Si j'avais été plus adroit, j'aurais coupé la tarte.**

Conditionnel passé 1ʳᵉ forme		Conditionnel passé 2ᵉ forme	
couper	**tomber**	**couper**	**tomber**
j' aurais coupé	je serais tombé	j' eusse coupé	je fusse tombé
tu aurais coupé	tu serais tombé	tu eusses coupé	tu fusses tombé
il aurait coupé	il serait tombé	il eût coupé	il fût tombé
ns aurions coupé	ns serions tombés	ns eussions coupé	ns fussions tombés
vs auriez coupé	vs seriez tombés	vs eussiez coupé	vs fussiez tombés
ils auraient coupé	ils seraient tombés	ils eussent coupé	ils fussent tombés
avoir	**être**	**avoir**	**être**
j' aurais eu	j' aurais été	j' eusse eu	j' eusse été
ns aurions eu	ns aurions été	ns eussions eu	ns eussions été

RÈGLE

Le **conditionnel passé 1ʳᵉ forme** est formé du **présent du conditionnel** de l'auxiliaire **avoir** ou **être** et du **participe passé du verbe** conjugué :
J'aurais coupé. Je serais tombé.

Le **conditionnel passé 2ᵉ forme** est en **eusse** avec l'auxiliaire **avoir**, en **fusse** avec l'auxiliaire **être** :
J'eusse coupé. Je fusse tombé.

Verbes se conjuguant avec

avoir			être		
redouter	salir	plaindre	venir	s'entendre	s'emparer
balbutier	recevoir	mettre	partir	se plaindre	se repentir
employer	entendre	ouvrir	arriver	se battre	s'apercevoir

EXERCICES

609. Conjuguez : 1° au conditionnel passé 1ʳᵉ forme ; 2° au conditionnel passé 2ᵉ forme :

enfoncer un clou	apercevoir la fusée	offrir des fleurs
se blesser au doigt	devenir pâle	arriver à l'heure

610. Mettez le 1ᵉʳ verbe de chaque phrase au plus-que-parfait de l'indicatif et les autres au temps convenable.

Si j'*écouter*, j'*réussir*. — Si tu *arriver* à l'heure, tu *voir* ton frère. — S'il *prendre* l'ascenseur, il *arriver* avant nous. — Si le couvreur *venir*, il *réparer* la toiture. — Si nous *partir* à temps, nous *avoir* le train. — Si vous *programmer* correctement, vous *avoir* des renseignements exacts.

EUT — EÛT   FUT — FÛT

Pour ne pas confondre la 3ᵉ personne du singulier du passé anté-rieur, qui ne prend pas d'accent, avec la même personne du passé 2ᵉ forme du conditionnel, qui prend un accent circonflexe, il faut penser à la personne correspondante du pluriel.

- **Il eut coupé,   ils eurent coupé** } Passé antérieur :
  Il fut tombé,   ils furent tombés } pas d'accent.

- **Il eût coupé,   ils eussent coupé** } Condit. passé 2ᵉ forme :
  Il fût tombé,   ils fussent tombés } **eût** et **fût** accentués.

EXERCICES

611. Écrivez à la 3ᵉ personne du singulier et à la 3ᵉ personne du pluriel du passé antérieur et du conditionnel passé 2ᵉ forme :
étudier   éternuer   attendre   partir   aller   se blesser
bondir   grossir   ouvrir   venir   avoir   se défaire

612. Remplacez les points par eut ou eût, fut ou fût, puis mettez chaque phrase au pluriel.
Quand il ... fini son travail, l'ouvrier rangea ses outils. — La locomotive du petit train crachait des flots de fumée comme si elle ... voulu s'égaler aux puissantes machines. — Il se ... couvert de gloire s'il avait gagné. — Quand le malade ... guéri, il ... le droit de sortir.

613. Remplacez les points par eut ou eût, fut ou fût.
L'enfant ... bien de la peine à finir son devoir. — La neige tombait si légère, qu'on ... dit un duvet d'oiseau. — Le représentant se ... contenté d'un menu à cinquante francs. — Mon père ... préféré que mon frère apprît l'anglais plutôt que l'allemand. — Quand l'éleveur ... vendu ses bêtes, il porta immédiatement l'argent à la banque. — Quand la feuille ... détachée de l'arbre, elle courut dans le sentier. — Il se ... bien conduit, s'il avait été bien conseillé. — Le pêcheur ... rapporté du poisson, s'il avait amorcé. — Il l'... attrapé, s'il l'... voulu. — S'il se ... trouvé devant le chas-seur, le chevreuil ... détalé.

614. Sur les modèles précédents, construisez : 1° trois phrases avec un verbe au passé antérieur ; 2° trois phrases avec un verbe au conditionnel passé 2ᵉ forme.

615. MOTS A ÉTUDIER.
  I. le pignon ; au-dessus, au-dessous, par-dessus, par-dessous.
 II. le vent, l'éventaire, l'éventail, le contrevent, l'auvent.
III. le geai ; l'honneur, le déshonneur, honorable, honorer.

PRÉSENT DE L'IMPÉRATIF

- **Coupe cette tarte avec ton couteau.**
- **Étudie ta leçon. Finis ton devoir. Coupe-toi du pain.**

couper	étudier	cueillir	savoir	se couper
coupe	étudie	cueille	sache	coupe-toi
coupons	étudions	cueillons	sachons	coupons-nous
coupez	étudiez	cueillez	sachez	coupez-vous

finir	courir	venir	répondre	se rendre
finis	cours	viens	réponds	rends-toi
finissons	courons	venons	répondons	rendons-nous
finissez	courez	venez	répondez	rendez-vous

avoir : aie — ayons — ayez. **Impératif passé du verbe** couper :
aie coupé — ayons coupé — ayez coupé.

être : sois — soyons — soyez. **Impératif passé du verbe** venir :
sois venu — soyons venus — soyez venus.

RÈGLES

L'impératif sert à exprimer un ordre, une prière, un conseil.
Il ne se conjugue qu'à trois personnes, sans sujets exprimés.
Le singulier du présent de l'impératif est en e ou en s.

1. Il est en e pour les verbes du 1ᵉʳ groupe et pour les autres verbes dont la terminaison est muette à l'impératif singulier (verbes de la catégorie de cueillir et savoir) :

coupe (couper, 1ᵉʳ groupe)   cueille, ouvre, sache :
étudie (étudier, 1ᵉʳ groupe)   terminaison muette.

2. Il est en s pour les autres verbes :
finis, cours, viens, réponds.
Exceptions : aller : va, avoir : aie.

REMARQUE

Par euphonie, on écrit : coupes-en, vas-y ; retournes-y ; etc.

ranger	essuyer	courir	prendre	recueillir	se blottir
rincer	avouer	servir	dire	offrir	s'excuser
épeler	guérir	tenir	faire	souffrir	se plaindre

EXERCICES

616. Conjuguez au présent de l'impératif :

1. dételer le poney   accueillir son ami   aller à l'école
2. savoir sa leçon   avoir confiance   fendre du bois
3. s'habiller avec goût   saisir l'occasion   éteindre la lampe

617. **Conjuguez à la forme négative au présent de l'impératif :**

embarrasser la table   salir son mouchoir   tuer le papillon
manquer de classe   oublier son livre   jouer brutalement

618. **Conjuguez sous la forme négative au présent de l'impératif :**

se salir   se précipiter   se balancer   se moquer   s'inquiéter   se piquer

619. **Mettez les verbes en italique à la personne du singulier du présent de l'impératif — le 1er sous la forme négative.**

hésiter, acheter ce livre
flâner, finir son travail
boire, attendre un peu
se découvrir, garder son manteau
punir, pardonner à ce petit.

bondir, rester calme
se troubler, répondre posément
écrire, réfléchir quelques minutes
nier, dire la vérité
remuer, rester tranquille

620. **Sur le modèle ci-dessous (quatre verbes), adressez-vous :**

au jardinier — à l'écolier — au cuisinier — au maçon — au facteur.
Ex. : ***Isabelle, prends ton vélo, pars en promenade et ne reviens pas trop tard.***

621. **Mettez les verbes en italique au présent de l'impératif.**

Allonger le pas, si tu veux arriver à la maison avant la nuit. — Ne *se décourager* pas, *poursuivre* tes efforts, tu réussiras. — Ne *cueillir* pas ces fleurs, *laisser*-les embellir ton jardin. — Maintenant que ton travail est terminé, *jouer* à ta guise. — *Apprendre* tes leçons. — *Écouter* les conseils des vieilles personnes, ils vous profiteront. — *Être* propres, si vous voulez être estimés. — *Savoir* t'excuser quand tu fais une sottise. — *S'appliquer*, si tu veux faire des progrès.

622. **Mettez les verbes à la personne du singulier.** Ex. : ***Ne fume pas dans les lieux publics.***

Ne fumez pas dans les lieux publics. — Ne vous penchez pas au-dehors. — Ne souffrez aucun désordre sur vous, sur vos vêtements, ni dans votre chambre. — Ne portez plus de vêtements aux couleurs aussi criardes. — Prenez la résolution d'exécuter ce que vous devez faire et exécutez ce que vous avez résolu. — Ne faites que des dépenses utiles pour vous ou pour les autres, c'est-à-dire ne prodiguez rien. — Ne prenez pas ce train tardif, choisissez plutôt l'avion. — Ne courez pas. — Ne faites rien qui ne soit nécessaire. — N'employez pas ce marteau, utilisez plutôt cette clé à molette.

623. **MOTS A ÉTUDIER.**

I. la bibliothèque, le bibliothécaire ; l'emprunt, emprunter ; excellent.
II. rôder ; la paroi ; l'œuvre, la manœuvre, manœuvrer.

PRÉSENT DE L'IMPÉRATIF ET PRÉSENT DE L'INDICATIF INTERROGATIF

- **Coupe-toi un morceau de pain.**
- **Coupe un morceau de pain.**
- **Coupes-tu un morceau de pain ?**
- **Te coupes-tu un morceau de pain ?**

Dans les verbes en e, il ne faut pas confondre le présent de l'impératif, qui n'a pas de sujet exprimé, avec le présent de l'indicatif interrogatif qui a un sujet.
Dans coupe-toi, toi est un pronom complément.

EXERCICES

624. Écrivez au singulier du présent de l'impératif et à la 2ᵉ personne du singulier du présent de l'indicatif interrogatif :

ranger	frapper	avouer	offrir	aller	accueillir
se cacher	se tourner	se laver	se blesser	appeler	se jeter

625. Écrivez, à la forme négative, au singulier de l'impératif présent et à la 2ᵉ personne du singulier de l'indicatif présent interrogatif :
s'arrêter   s'allonger   s'éloigner   se baigner   se tromper   se baisser

626. Mettez la terminaison convenable du présent de l'impératif ou du présent de l'indicatif interrogatif.
Va... à la gare chercher tes parents, dépêch...-toi, le train arrive dans quelques minutes. Y va...-tu ? — Amus...-toi, mon enfant ; profit... du beau soleil. — Prêt...-moi ton livre de lecture. — Aiguis...-tu ta scie ? — Te moqu...-tu ? — Ne te moqu... pas. — Envoi... un baiser à ta maman. — Cueil...-tu ce beau dahlia ? — Rappell...-toi nos jolies promenades. — Te rappell...-tu ce doux souvenir d'enfance ?

627. Accordez les verbes en italique.
Arroser-tu tes salades ? — Ne *s'arrêter* pas au milieu du carrefour. — *Aider*-toi, le ciel t'aidera. — Pourquoi *se tourmenter*-tu ? — Ne *se tourmenter* plus. — *Abriter*-toi sous le parapluie. — Ne *s'obstiner* plus, *obéir*. — *Cultiver* ton jardin. — *Caresser*-tu ton chien ? — *Mâcher*-tu les aliments avant de les avaler ? — *Mâcher*-les bien. — *Exercer*-toi au maniement du rabot. — *Pencher*-toi sur ce problème avec attention.

628. Construisez : 1° trois phrases avec un verbe au présent de l'impératif ; 2° trois phrases avec un verbe au présent de l'indicatif interrogatif.

629. MOTS A ÉTUDIER.
  I. la grappe ; le rhume ; la vertu ; la glu ; aujourd'hui.
 II. un taillis, un gazouillis, un cliquetis, un gribouillis, un clapotis.
III. le bercail ; la pelote, le peloton, pelotonner ; certes.
IV. transi ; le rein, éreinter ; une fourmi ; la brebis.

IL FAUT, JE SOUHAITE, JE DOUTE :
PRÉSENT DU SUBJONCTIF

● **Il faut que nous coupions la tarte.**

couper		étudier		finir		entendre	
que je	coupe	que j'	étudie	que je	finisse	que j'	entende
que tu	coupes	que tu	étudies	que tu	finisses	que tu	entendes
qu'il	coupe	qu'il	étudie	qu'il	finisse	qu'il	entende
que nous	coupions	que nous	étudiions	que nous	finissions	que nous	entendions
que vous	coupiez	que vous	étudiiez	que vous	finissiez	que vous	entendiez
qu'ils	coupent	qu'ils	étudient	qu'ils	finissent	qu'ils	entendent

aller		cueillir		courir		s'asseoir	
que j'	aille	que je	cueille	que je	coure	que je m'	asseye
que nous	allions	que nous	cueillions	que nous	courions	que n. n.	asseyions

avoir				être			
que j'	aie	que nous	ayons	que je	sois	que nous	soyons
que tu	aies	que vous	ayez	que tu	sois	que vous	soyez
qu'il	ait	qu'ils	aient	qu'il	soit	qu'ils	soient

RÈGLE

Le subjonctif exprime une action voulue, désirée, souhaitée ou douteuse.

Il faut	**que nous coupions la tarte.**
Proposition principale : présent de l'indicatif.	Proposition subordonnée : présent du subjonctif.

Les personnes du subjonctif sont toujours précédées de la conjonction de subordination **que**.

Au présent du subjonctif, **tous les verbes** prennent les mêmes terminaisons : **e — e.s — e — i.o.n.s — i.e.z — e.n.t** : que je coup**e**, que je finiss**e**, que je cour**e**. **Exceptions : avoir** et **être**.

placer	jeter	trier	travailler	obéir	joindre
gagner	acheter	payer	accueillir	perdre	coudre

EXERCICES

630. Conjuguez au présent du subjontif :

éteindre la lampe — faire son travail — avoir l'espoir
nettoyer sa moto — aller à l'école — prendre le thé

631. Mettez les verbes en italique au présent du subjonctif :

Je désire que tu *écrire* à ta mère. — Il est tard, il faut que nous *étudier*. — Il est temps que nous *cueillir* les pommes. — Afin que vous *pouvoir* nous voir, venez tôt. — Notre maître veut que nous *être* ponctuels. — Nous souhaitons qu'il *réussir*. — L'infirmière reste près du malade jusqu'à ce qu'il *prendre* ses cachets.

PRÉSENT DE L'INDICATIF OU PRÉSENT DU SUBJONCTIF ?

Pour ne pas confondre le **présent de l'indicatif** avec le **présent du subjonctif**, il faut **penser à la 1ʳᵉ personne** du pluriel ou **remplacer le verbe** employé par un autre verbe comme **prendre, venir, aller.**

- Il faut **que je   coure.**
  —   **que nous courions.**   Subjonctif présent :
  —   **que j'   aille.**   **je coure**

- Reste ici pendant **que je   cours   à la gare.**   Indicatif
  —   **que nous courons   —**   présent :
  —   **que je   vais   —**   **je cours.**

EXERCICES

632. Conjuguez aux 2ᵉ et 3ᵉ personnes du singulier et à la 1ʳᵉ personne du pluriel du présent de l'indicatif et du présent du subjonctif :

1. lire   mettre   conduire   2. teindre   croire   mentir
   suivre   battre   prendre   avoir   voir   plier
   salir   joindre   fuir   rire   boire   naître

633. Mettez les verbes en italique au temps convenable :
Le livre que je *parcourir* me paraît intéressant. — Il faut que je *parcourir* une longue distance pour aller à la ville. — Les heures que nous *gaspiller* sont perdues. — Il ne faut pas que nous *gaspiller* le pain. — Le chalutier que nous *voir* sortir du port breton part pour Terre-Neuve. — Je tiens à ce que vous *revoir* votre travail. — Laissez la fenêtre ouverte pendant que vous *essuyer* les meubles. — Je désire que vous *essuyer* ces bibelots avec le plus grand soin.

634. Même exercice que 633.
·Quoiqu'il y *avoir* de la neige, il ne fait pas froid. — Je fais sonner les pièces que j'*avoir* dans ma poche. — Il faut que j'*avoir* de bonnes notes aux compositions. — J'espère que vous *être* toujours bien sage. — Je tiens à ce que vous *avoir* une récompense. — La nuit tombe, je crois qu'il *être* temps de rentrer. — Il importe que l'enfant *avoir* de la persévérance. — Pour que les vacanciers *être* bronzés, il faut que l'été *être* beau. — Pour que les arbres *avoir* de beaux fruits, il faut qu'ils *être* taillés.

635. Construisez : 1° trois phrases avec un verbe au présent de l'indicatif ; 2° trois phrases avec un verbe au présent du subjonctif.

636. MOTS A ÉTUDIER.
  I. la prétention, prétentieux, prétentieusement ; bruyant, bruyamment.
  II. essentiel, essentiellement ; intelligent, intelligemment ; impatient, impatiemment.

IL FALLAIT, JE SOUHAITAIS, JE DOUTAIS.

IMPARFAIT DU SUBJONCTIF

● **Il fallait que je coupasse cette tarte.**

couper	finir	lire	tenir
		Passé simple	
je coupai	je finis	je lus	je tins
il coupa	il finit	il lut	il tint
		Imparfait du subjonctif	
q. je coupasse	q. je finisse	q. je lusse	q. je tinsse
q. tu coupasses	q. tu finisses	q. tu lusses	q. tu tinsses
qu'il coupât	qu'il finît	qu'il lût	qu'il tînt
q. ns coupassions	q. ns finissions	q. ns lussions	q. ns tinssions
q. vs coupassiez	q. vs finissiez	q. vs lussiez	q. vs tinssiez
qu'ils coupassent	qu'ils finissent	qu'ils lussent	qu'ils tinssent

RÈGLES

L'imparfait du subjonctif dérive du passé simple. Si le verbe de la principale est à l'imparfait, à un passé ou au conditionnel, le verbe de la subor-
donnée se met à l'imparfait du subjonctif : Il fallait, il faudrait — que je
coupasse.

jeter	grossir	rompre	courir	vouloir	retenir
gercer	salir	conduire	mourir	croire	venir
songer	mordre	craindre	paraître	boire	revenir

EXERCICES

637. Conjuguez au passé simple et à l'imparfait du subjonctif :
1. hésiter à partir   éteindre la lanterne   nager sur le dos
2. polir la pierre   boire modérément   connaître la route
3. revenir de voyage   retenir son souffle   recevoir un colis

638. Mettez les verbes en italique à l'imparfait du subjonctif.
Je souhaiterais que vous *tenir* vos promesses. — Les ouvriers voulaient
que le patron leur *accorder* une augmentation. — Les spectateurs regret-
taient que le chanteur *ne pas continuer* son spectacle. — Il était nécessaire
que le train *partir* à l'heure. — Nous insistions pour qu'il *venir* à la fête.
— J'aurais désiré qu'il *savoir* sa leçon.

639. Même exercice que 638.
Le supporter encourageait le coureur pour qu'il *gravir* la côte. — Je lui
donnai un mot pour qu'il *prévenir* son père. — Il aurait fallu qu'il *reconnaître* ses fautes. — Le client attendait qu'on *ouvrir* la porte de la banque.
— Monsieur Devaux voulait qu'on le *servir* plus rapidement. — Je dési-
rais que vous *chanter*. — Il était temps que ces enfants *apprendre* à lire. —
Je voulais que vous *rapporter* ce livre.

PASSÉ SIMPLE OU IMPARFAIT DU SUBJONCTIF ?

Pour ne pas confondre la **3ᵉ personne du singulier** du **passé simple** avec la même personne de l'**imparfait du subjonctif** qui prend un **accent circonflexe, il faut penser** à la personne **correspondante** du pluriel.

- Il fallait qu'il étudi**ât** sa leçon.
  Il fallait qu'ils étudi**assent** leur leçon. } Subjonctif imparfait : **étudiât**

- La leçon qu'il étudi**a** était facile.
  La leçon qu'ils étudi**èrent** était facile. } Passé simple : **étudia**

EXERCICES

640. Mettez aux 2ᵉ et 3ᵉ personnes du singulier et à la 3ᵉ personne du pluriel du passé simple et de l'imparfait du subjonctif :

1. devancer	désherber	s'allonger	sortir	peindre	valoir
2. soutenir	vieillir	attendre	percer	tendre	croire
3. recevoir	paraître	prévenir	offrir	ranger	agir

641. Mettez les verbes en italique au temps convenable (passé simple ou imparfait du subjonctif).

Bien qu'il *paraître* fatigué, le promeneur continuait sa route. — L'apprenti maniait si mal son outil qu'il *se blesser*. — L'instituteur jouait du tambourin pour que les enfants *danser*. — Dès qu'il *avoir* un peu de temps, il *être* content de bêcher son jardin. — L'élève reçut un livre qu'il *couvrir* avec soin. — Ses parents voulaient qu'il *avoir* une bonne éducation et qu'il *être* bien élevé. — Le maître s'arrêta de parler pour que le bavard *s'interrompre*. — Le lièvre se lança à la poursuite de la tortue qu'il ne *parvenir* pas à rattraper.

642. Même exercice que 641.

J'aurais désiré que mon ami *venir* me voir. — Il acheta des bonbons qu'il *distribuer* à ses amis. — Bien que sa voiture *être* la plus rapide, le pilote eut de la peine à gagner le Grand Prix. — Le vieillard resta dans le jardin jusqu'à ce qu'il *sentir* la fraîcheur. — Il tira si fort sur la corde qu'elle *casser*. — Il *cueillir* des fleurs qu'il *offrir* à sa mère. — Bien que le soleil *briller*, le vent resta froid. — Il fallut qu'il *s'arrêter* pour reprendre haleine.

643. Construisez : 1° trois phrases avec un verbe au passé simple ; 2° trois phrases avec un verbe à l'imparfait du subjonctif.

644. MOTS A ÉTUDIER.

I. la matinée ; l'attrait ; l'éléphant ; le remords ; le talus.

II. l'auditoire, le réfectoire, l'ivoire, l'accessoire ; l'alphabet.

III. la honte, éhonté ; la sympathie, sympathique, sympathiquement.

LES TEMPS COMPOSÉS
DU MODE SUBJONCTIF

- Il **faut** que j'**aie** coupé...
- Il **fallait** que j'**eusse** coupé...

- Il **faut** que je **sois** tombé...
- Il **fallait** que je **fusse** tombé...

auxiliaire avoir

	Présent		Imparfait
que j'	aie	que j'	eusse
que nous	ayons	que nous	eussions

couper

	Passé		Plus-que-parfait
que j'	aie coupé	que j'	eusse coupé
que nous	ayons coupé	que nous	eussions coupé

auxiliaire être

	Présent		Imparfait
que je	sois	que je	fusse
que nous	soyons	que nous	fussions

tomber

	Passé		Plus-que-parfait
que je	sois tombé	que je	fusse tombé
que nous	soyons tombés	que nous	fussions tombés

RÈGLES

Le **passé du subjonctif** est formé du **présent du subjonctif** de l'auxiliaire **avoir** ou **être** et du **participe passé** du verbe conjugué : que j'**aie coupé**, que je **sois tombé**.

Le **plus-que-parfait du subjonctif** est formé de l'**imparfait du subjonctif** de l'auxiliaire **avoir** ou **être** et du **participe passé** du verbe conjugué : que j'**eusse coupé**, que je **fusse tombé**.

hésiter	perdre	mettre	partir	naître	arriver
gravir	voir	écrire	venir	aller	entrer

EXERCICES

645. Conjuguez au passé du subjonctif :

peser des fruits	rendre la monnaie	partir à l'heure
laver le linge	se lever tôt	arriver à temps
rincer des verres	se mettre à table	rentrer sa voiture

646. Conjuguez les verbes de l'exercice précédent au plus-que-parfait du subjonctif.

647. Mettez à la 1ʳᵉ et à la 3ᵉ personne du singulier du passé du subjonctif :

oser	sculpter	se plaindre	hésiter	battre	lire
chérir	revenir	se couvrir	réussir	prendre	rire

648. Mettez à la 3ᵉ personne du singulier et à la 3ᵉ personne du pluriel du plus-que-parfait du subjonctif :

humecter	arriver	se perdre	sortir	peindre	naître
observer	faiblir	se cacher	venir	vouloir	mettre

649. Mettez les verbes en italique au passé du subjonctif.

Il faut qu'ils *courir* bien fort pour être ainsi essoufflés. — Je désire qu'il *terminer* son travail avant la nuit. — Il faut que j'*bêcher* ces plates-bandes au plus tôt. — Je crains qu'il n'*recevoir* pas ma lettre. — Nous souhaitons qu'ils *réussir*. — Il vaut mieux que tu *partir*. — Bien que tu *prendre* un cachet d'aspirine, tu as toujours mal à la tête. — L'épicier attend que j'*finir* mes achats pour fermer son magasin. — Pensez-vous qu'ils *arrêter* par ces difficultés ?

650. Mettez les verbes en italique au plus-que-parfait du subjonctif.

Il fallait que tu *flâner* pour arriver si tard. — Il fallait que j'*faire* une imprudence pour m'être enrhumé. — Tu craignais qu'il ne *tomber* sur le pavé glissant. — J'attendais que tu *ranger* tes outils. — Il fallait que les meubles *livrer* avant la fin de la semaine. — Il travailla jusqu'à ce qu'il *atteindre* son but. — Avant qu'il *ouvrir* la bouche on le pria de se taire. — Puisqu'ils sont fâchés, il eût été préférable qu'ils ne *se rencontrer* pas.

651. Mettez les verbes en italique au temps convenable (passé ou plus-que-parfait du subjonctif).

Pourquoi voulez-vous qu'il lui *arriver* un accident ? — Avant qu'on *couper* la moisson, il survint un orage qui saccagea tout. — Maman veut que tu *finir* ton travail avant le dîner. — Il valait mieux qu'il *revenir* sur ses pas. — Je doute qu'il *réussir* à se libérer. — Bien qu'ils *hâter* le pas, ils arrivent en retard. — Avant qu'il *recevoir* la réponse, il fit sa valise et partit.

MODE INDICATIF OU SUBJONCTIF

Pour ne pas confondre :

1. la 1ʳᵉ personne du singulier du passé composé avec **la 1ʳᵉ personne du singulier du passé du subjonctif ;**

2. la 3ᵉ personne du singulier du passé antérieur avec **la 3ᵉ personne du singulier du plus-que-parfait** du subjonctif qui prend un accent circonflexe, il **faut penser** à la personne **correspondante** du pluriel.

- **Le fruit que j'**ai **cueilli est mûr...**
  Le fruit que nous avons **cueilli est mûr...**   } Passé composé : **j'ai cueilli.**

- **Il faut que j'**aie **cueilli ce fruit...**
  Il faut que nous ayons **cueilli ce fruit...**   } Passé du subjonctif : **que j'aie cueilli.**

- **Quand il** eut **taillé la vigne...**
  Quand ils eurent **taillé la vigne...**   } Passé antérieur : **il eut cueilli.**

- **Bien qu'il** eût **taillé la vigne...**
  Bien qu'ils eussent **taillé la vigne...**   } Pl.-que-parf. du subj. : **qu'il eût cueilli.**

EXERCICES

652. Écrivez à la 1ʳᵉ personne du singulier et à la 1ʳᵉ personne du pluriel du passé composé et du passé du subjonctif :
oublier   salir   prendre   partir   tomber   faiblir

653. Écrivez à la 3ᵉ personne du singulier et à la 3ᵉ personne du pluriel du passé antérieur et du plus-que-parfait du subjonctif :
1. perdre   bâtir   atteindre   arriver   retenir   retomber
2. cacher   chérir   attendre   naître   revenir   repartir

654. Mettez les verbes en italique au temps convenable (passé composé ou passé du subjonctif).
Le livre que j'*lire* m'a beaucoup plu. — Si je veux sortir il faut que j'*apprendre* ma leçon. — Le dahlia que j'*cueillir* est d'un beau rouge sang. — Mes parents sont heureux que j'*gagner* cette partie. — Le voyageur que j'*rencontrer* m'a demandé son chemin. — Tu crains que je n'*fermer* pas la porte à clé. — Le maître attend que j'*donner* mon devoir. — Le train que j'*prendre* est arrivé en retard. — Bien que j'*tailler* les arbres, ils donnent peu de fruits.

655. Mettez les verbes en italique au temps convenable (passé antérieur ou plus-que-parfait du subjonctif).
Bien qu'il *écouter* la leçon, il fit de nombreuses fautes. — J'attendais qu'il *choisir* pour choisir à mon tour. — Aussitôt qu'il *décharger* son camion, le

routier prit la direction de Paris. — Dès qu'il *paraître*, le soleil embrasa le ciel. — Je redoutais qu'il *aller* au bord de la rivière. — Soit qu'il *partir* en retard, soit qu'il *musarder*, il manqua l'autobus. — Sitôt qu'il *arriver*, on se mit à table. — Il eût été souhaitable qu'il *se présenter* avec ses parents pour obtenir cet emploi.

656. Même exercice que 655.
Dès qu'il *boire*, le hérisson s'éloigna. — Aussitôt qu'il *se remettre* sur ses pattes, l'ours grogna. — Dès qu'il *chanter*, les applaudissemens retentirent. — Bien qu'il *chanter* avec expression, il n'eut pas de succès. — Le chien dressa les oreilles dès qu'il *entendre* la détonation. — Quoiqu'il *entendre* l'appel de son maître, le chien ne bougea pas. — Je craignais qu'il ne *se perdre* en chemin. — Lorsqu'il *se perdre* dans la brume, l'alpiniste corna.

657. Révision. Mettez les verbes en italique au temps convenable (passé simple ou imparfait du subjonctif).
Je doutais qu'il *se mettre* en route et qu'il *venir* par un temps pareil. — Malgré le mauvais temps, il *se mettre* en route et *venir* à l'heure convenue. — Il fallait que le tailleur *rectifier* le pantalon et *déplacer* les boutons de la veste. — Le paysan se versa une bolée de cidre qu'il *boire* d'un trait. — Il fallait le forcer pour qu'il *boire* ce sirop. — Les feuilles tombaient sans qu'aucun souffle *agiter* les arbres.

658. Même exercice que 657.
Bien qu'il *avoir* de bonnes dents, il ne put manger cette viande. — L'imprudent se balança jusqu'à ce qu'il *tomber*. — Il aurait fallu qu'il *pleuvoir* avant la vendange. — A trente ans, il fallut qu'il *étudier* l'anglais et qu'il *apprendre* la gestion. — Il parut dans l'encadrement de la porte et *s'avancer* en souriant. — Malgré son âge, mon oncle *faire* comme nous, il *se mêler* à la ronde. — On trouva plaisant que mon oncle *faire* comme tout le monde et *se mêler* à la ronde. — On sentait à peine le froid, quoiqu'il *être* plus intense.

659. Sur les modèles précédents, construisez :
1. trois phrases avec un verbe au passé composé.
   trois phrases avec un verbe au passé du subjonctif.
2. trois phrases avec un verbe au passé antérieur.
   trois phrases avec un verbe au plus-que-parfait du subjonctif.

660. MOTS A ÉTUDIER.
 I. panser un cheval, le pansement, le pansage ; le fantôme ; le passage.
 II. le langage, le tangage ; la bienveillance, bienveillant, veiller.
 III. le mors, la morsure ; le remords ; évident, évidemment.
 IV. le geai ; une spore ; le taillis ; le talus ; du velours.

LA VOIX PASSIVE

● **La biche est blessée par le chasseur.**

Présent		Imparfait		Passé simple		Futur simple	
je suis	blessé	j' étais	blessé	je fus	blessé	je serai	blessé
ns sommes	blessés	ns étions	blessés	ns fûmes	blessés	ns serons	blessés

Passé composé			Plus-que-parfait		
j' ai	été	blessé	j' avais	été	blessé
nous avons	été	blessés	nous avions	été	blessés

Passé antérieur			Futur antérieur		
j' eus	été	blessé	j' aurai	été	blessé
nous eûmes	été	blessés	nous aurons	été	blessés

RÈGLE

Pour conjuguer un verbe à la voix passive, il faut conjuguer l'auxiliaire être au temps demandé puis écrire à la suite le participe passé du verbe conjugué.

	être	être blessé
Imparfait :	J'étais	J'étais blessé
Futur antérieur :	J'aurai été	J'aurai été blessé

EXERCICES

661. Conjuguez au présent de l'indicatif, puis au passé composé :
être soigné avec dévouement   être averti du danger

662. Mettez aux trois personnes du pluriel de l'imparfait de l'indicatif :
blesser   se blesser   être blessé   servir   se servir   être servi
ouvrir   s'ouvrir   être ouvert   voir   se voir   être vu

663. Mettez les phrases suivantes à la voix passive.
L'électricien avait changé le fusible. — On fait le vin avec le raisin. — La fusée emportera le satellite artificiel. — Christophe Colomb a découvert l'Amérique. — Autrefois, les rois gouvernaient la France. — La tempête arrachait les tuiles des toitures. — Les fourmis avaient transporté de lourdes pailles. — Le plombier pose la tuyauterie du gaz. — L'enfant aura usé ses souliers.

664. Mettez les phrases suivantes à la voix active.
Le vase est renversé par ce maladroit. — Tous les témoignages avaient été recueillis par les gendarmes. — Les peupliers étaient élagués par le jardinier. — Des roses avaient été offertes à la maman par son fils. — De jolies villas avaient été bâties au bord de l'eau. — La vallée était noyée dans la brume. — La récolte fut saccagée par l'ouragan.

665. MOTS A ÉTUDIER.
le client, la clientèle ; explicable, inexplicable ; inaccessible.

LE VERBE IMPERSONNEL

- **Il neige, il fait froid.**

Présent : **il neige.** — Imparfait : **il neigeait.** — Passé simple : **il neigea.** — Futur simple : **il neigera.**

RÈGLE

Un verbe impersonnel est un verbe dont le sujet ne représente ni une personne, ni un animal, ni une chose définie.

Les verbes impersonnels ne se conjuguent qu'à la 3ᵉ personne du singulier, avec le sujet il, du genre neutre.

Il y a des verbes essentiellement impersonnels comme pleuvoir, neiger, grêler, falloir.

Certains verbes peuvent avoir un emploi impersonnel. Il fait froid. Il paraît que vous sortirez ce soir.

EXERCICES

666. Conjuguez aux temps simples du mode indicatif :
neiger en abondance   pleuvoir sans arrêt   geler à pierre fendre

667. Conjuguez aux temps composés du mode indicatif :
tonner fort   falloir rattraper le retard   faire un temps superbe

668. Dans les phrases suivantes, mettez à la voix active les verbes impersonnels :
Il vient du four ouvert des bouffées de chaleur. — Il arrivait du large des vagues énormes qui se brisaient sur les jetées. — Il ne faut pas croire tout ce qu'on raconte. — Il ne faut pas jeter de papiers à terre. — Il circulait des rumeurs stupides. — Il passait par la porte mal jointe un vent qui faisait frissonner. — Il sortait de partout des fourmis qui portaient de lourdes charges. — Il se dégage de la marmite un bon fumet.

669. Indiquez la forme à laquelle les verbes sont employés :
Le jockey détache son cheval, puis il ajuste les harnais. — Il monte des lilas coupés une odeur enivrante. — Le vent s'éleva soudain, secouant les portes, enlevant les cheminées; il souffla avec rage toute la nuit. — Il soufflait un vent impétueux qui brisait tout. — Il va vous arriver quelque chose de fâcheux. — Le ruisseau s'attarde dans la campagne, puis il va se perdre dans la rivière. — Il paraît que vous ne devez pas sortir. — Le coureur s'arrête quelques instants, il paraît fatigué.

670. MOTS A ÉTUDIER.
la teinte, la teinture, la teinturière, teindre, teinter.

AVOIR

Indicatif

Présent	Passé composé	Imparfait	Plus-que-parfait
j' ai	j' ai eu	j' avais	j' avais eu
tu as	tu as eu	tu avais	tu avais eu
il a	il a eu	il avait	il avait eu
ns avons	ns avons eu	ns avions	ns avions eu
vs avez	vs avez eu	vs aviez	vs aviez eu
ils ont	ils ont eu	ils avaient	ils avaient eu

Futur	Futur antérieur	Passé simple	Passé antérieur
j' aurai	j' aurai eu	j' eus	j' eus eu
tu auras	tu auras eu	tu eus	tu eus eu
il aura	il aura eu	il eut	il eut eu
ns aurons	ns aurons eu	ns eûmes	ns eûmes eu
vs aurez	vs aurez eu	vs eûtes	vs eûtes eu
ils auront	ils auront eu	ils eurent	ils eurent eu

Conditionnel

Présent

j' aurais
tu aurais
il aurait
ns aurions
vs auriez
ils auraient

Subjonctif

Présent	Imparfait
que j' aie	que j' eusse
que tu aies	que tu eusses
qu' il ait	qu' il eût
que ns ayons	que ns eussions
que vs ayez	que vs eussiez
qu' ils aient	qu' ils eussent

Passé 1re forme	Passé 2e forme	Passé	Plus-que-parfait
j' aurais eu	j' eusse eu	que j' aie eu	que j' eusse eu
tu aurais eu	tu eusses eu	que tu aies eu	que tu eusses eu
il aurait eu	il eût eu	qu' il ait eu	qu' il eût eu
ns aurions eu	ns eussions eu	que ns ayons eu	que ns eussions eu
vs auriez eu	vs eussiez eu	que vs ayez eu	que vs eussiez eu
ils auraient eu	ils eussent eu	qu' ils aient eu	qu' ils eussent eu

Impératif

Présent
aie, ayons, ayez

Passé
aie (ayons, ayez) eu

Participe

Présent	Passé
ayant	ayant eu

ÊTRE

Indicatif

Présent	Passé composé	Imparfait	Plus-que-parfait
je suis	j' ai été	j' étais	j' avais été
tu es	tu as été	tu étais	tu avais été
il est	il a été	il était	il avait été
ns sommes	ns avons été	ns étions	ns avions été
vs êtes	vs avez été	vs étiez	vs aviez été
ils sont	ils ont été	ils étaient	ils avaient été

Futur	Futur antérieur	Passé simple	Passé antérieur
je serai	j' aurai été	je fus	j' eus été
tu seras	tu auras été	tu fus	tu eus été
il sera	il aura été	il fut	il eut été
ns serons	ns aurons été	ns fûmes	ns eûmes été
vs serez	vs aurez été	vs fûtes	vs eûtes été
ils seront	ils auront été	ils furent	ils eurent été

Conditionnel

Présent

je serais
tu serais
il serait
ns serions
vs seriez
ils seraient

Subjonctif

Présent	Imparfait
que je sois	que je fusse
que tu sois	que tu fusses
qu' il soit	qu' il fût
que ns soyons	que ns fussions
que vs soyez	que vs fussiez
qu' ils soient	qu' ils fussent

Passé 1re forme	Passé 2e forme	Passé	Plus-que-parfait
j' aurais été	j' eusse été	que j' aie été	que j' eusse été
tu aurais été	tu eusses été	que tu aies été	que tu eusses été
il aurait été	il eût été	qu' il ait été	qu' il eût été
ns aurions été	ns eussions été	que ns ayons été	que ns eussions été
vs auriez été	vs eussiez été	que vs ayez été	que vs eussiez été
ils auraient été	ils eussent été	qu' ils aient été	qu' ils eussent été

Impératif

Présent
sois, soyons, soyez

Passé
aie été, ayons été, ayez été

Participe

Présent	Passé
étant	ayant été

RÉVISION

671. Mettez les verbes en italique au futur simple ou au conditionnel présent.

Je *sortir* dès que la pluie aura cessé. — Si je continuais à négliger mon travail, j'*échouer* à mon examen. — J'*étudier* ma leçon, si tu me prêtes ton livre. — Si tu t'attardais en route, ta mère *s'inquiéter*. — Le jardinier *repiquer* des salades où il avait semé des radis. — Les hirondelles *réparer* leurs nids, lorsqu'elles auront reconnu leurs anciens gîtes. — Si le temps était favorable, j'*aller* à la pêche.

672. Même exercice que 671.

Je *fixer* le jour de mon départ quand j'aurai reçu votre réponse. — Si j'avais assez d'argent, j'*acheter* ce livre ; j'*attendre*. — Si je pars en voyage, je vous *prévenir*. — Si j'avais de la farine et du beurre, je vous *faire* une tarte délicieuse. — Quand le couvreur aura reçu des ardoises, il *terminer* la toiture. — Si le maçon recevait des moellons, il *achever* la maison.

673. Mettez les verbes en italique à la 2ᵉ personne du singulier du présent de l'impératif ou au présent de l'indicatif interrogatif.

Fendre cette grosse bûche. — *Fendre*-tu ce bois ? — *Manger* ces cerises. — Les *manger*-tu ? — *Croquer* les noisettes. — *Croquer*-tu ce nougat ? — *Écrire* une lettre à tes parents. — Leur *écrire*-tu ? — *Courber* la tête, la porte est basse. — *Accorder*-tu ton violon ? — *Chanter*-nous ce refrain. — *Cacher*-toi derrière ce rideau. — *Arrêter*-toi de bavarder, *écouter*. — *Piocher*-tu ta vigne ?

674. Mettez les verbes en italique au présent de l'indicatif ou au présent du subjonctif.

La bête que j'*avoir* dans la main est une grenouille. — Je désire que tu *avoir* le temps de venir me voir. — Il faut que j'*avoir* ce renseignement. — Il est regrettable qu'il *avoir* une mauvaise vue. — Les billes que j'*avoir* dans ma poche, je les ai gagnées. — Je crois que j'*avoir* ce livre dans ma bibliothèque. — Il est important que tu *avoir* une bonne santé.

675. Mettez les verbes en italique au passé simple ou à l'imparfait du subjonctif.

Je surveillais le feu pour qu'il ne *s'éteindre* pas. — Il n'entretint pas le feu, qui *s'éteindre*. — Il cueillit une cerise, qu'il *manger*. — Il lui tendait une cerise pour qu'il la *manger*. — Bien que le vent *souffler,* il faisait bon au soleil. — Bien qu'il *courir* de toutes ses forces, il n'arriva pas le premier.

TROISIÈME PARTIE

ORTHOGRAPHE D'USAGE

Les mots usuels restant en dehors de toute règle et contenant une difficulté doivent être appris par cœur.

MOTS INVARIABLES
DONT LA CONNAISSANCE EST INDISPENSABLE.

alors, lors, lorsque, dès lors, hors, dehors,

tôt, sitôt, aussitôt, bientôt, tantôt,

pendant, cependant, durant, maintenant, avant,

dorénavant, devant, davantage, auparavant,

tant (un tantinet), pourtant, autant,

mieux, tant mieux, tant pis,

longtemps (temps, printemps),

moins, néanmoins — plus (plusieurs),

ailleurs, puis, depuis,

près, après, auprès, très, exprès, dès que, ainsi, aussi,

parmi,

assez, chez,

mais, désormais, jamais,

beaucoup, trop, guère, naguère,

gré, malgré,

fois, autrefois, toutefois, parfois, quelquefois, toujours,

aujourd'hui, hier, demain, d'abord, quand,

vers, envers, travers,

volontiers, certes,

sus, dessus, au-dessus, par-dessus,

sous, dessous, au-dessous,

sans, dans, dedans,

selon, loin.

Les listes de mots qui accompagnent les règles des leçons d'orthographe d'usage ne sont pas limitatives.

M DEVANT M, B, P

● **La jambe ; l'ampoule ; emmagasiner.**

Devant m, b, p, il faut écrire m au lieu de n.

Exceptions : bonbon, bonbonne, bonbonnière, embonpoint, néanmoins.

mm	mb		mp		
emmancher	ambulant	flambeau	ample	exempt	printemps
emmêler	bambin	framboise	camp	hampe	simple
emménager	bombe	gambade	compas	lampe	sympathie
emmener	emballer	tomber	compter	lampée	symphonie
emmurer	embardée	membre	dompter	pampre	symptôme
immangeable...	embarras	plomb...	empiler	pompon	triomphe...

EXERCICES

676. **Donnez le contraire des mots suivants :**

patient	battable	manquable	mangeable	mortel
parfait	pitoyable	déménager	pénétrable	modéré

677. **Donnez le verbe qui correspond aux expressions :**

Ex. : *Mettre dans un sac → ensacher.*

mettre en maillot, dans sa poche, en broche, en grange, en paquet, en barque, en balle — orner d'un ruban — couvrir de pierres — rendre laid — rendre beau — poudrer de farine

678. **Complétez et donnez un mot de la même famille :**

co.bat	e.pire	do.pter	o.brage	e.co.brer
i.mobile	co.pagnon	co.pter	fra.boise	e.foncer
e.ploi	plo.b	co.te.pler	e.ménager	e.ja.ber

679. **Remplacez le point par la lettre convenable.**

Le co.ptable vérifie une opération. — Le pont de pierre e.ja.be la rivière. — Les e.ployés e.magasinent des caisses. — La terre s'i.bibe de rosée. — L'écolier i.telligent est pro.pt à co.prendre. — Les gouttes de pluie ta.bourinent sur les vitres. — Le co.fiseur dispose des bo.bons fins dans la bo.bonnière. — Le do.pteur dresse une pa.thère.

680. **Même exercice que 679.**

Les la.pes, les la.ternes, les la.pions étaient allumés. — Le jardinier e.manche son râteau. — Les chats e.fermés dans la maison sont i.patients de sortir. — Ces longues cheminées e.panachées de fumée e.laidissent le paysage. — Mon ami s'alourdit d'un fort e.bo.point ; néa.moins, il est actif. — Un co.co.bre est un gros cornichon.

681. MOTS A ÉTUDIER.

I. la faïence ; clinquant ; le compteur ; l'enclos ; le printemps.

II. le lampadaire ; le hussard ; impatienter ; les cymbales ; le tambour.

NOMS EN EUR

- ● **Le jongleur, la fleur, la fraîcheur.**

Les noms terminés par eur [œr], s'écrivent **e.u.r.**
Exceptions : le **beurre**, la **demeure**, l'**heure**, un **leurre**, un **heurt** (heurter).

REMARQUE

Les adjectifs en **eur** prennent un **e** au féminin : Un vin **supérieur,** une qualité **supérieure.**

noms féminins				noms masculins	noms terminés par œur
frayeur	splendeur	humeur	minceur	bonheur	la sœur
raideur	odeur	ampleur	noirceur	malheur	le cœur
douleur	tiédeur	liqueur	pesanteur	honneur	la rancœur
ardeur	vigueur	stupeur	senteur	ascenseur	le chœur
candeur	rigueur	horreur	ferveur	dompteur	les mœurs

EXERCICES

682. **Donnez les noms en** eur **exprimant la même qualité que :**

blanc	laid	grand	ardent	rigoureux	doux
froid	splendide	profond	pâle	vigoureux	furieux
ample	roux	épais	lourd	long	frais

683. **Complétez les mots inachevés.**
Les joueurs sont tout en sueu... — L'odeu... des fleurs coupées parfume l'air. — Sa pâleu... trahit son émotion. — L'escargot traverse avec lenteu... l'allée du jardin. — Le laboureu... regagne sa demeu... à l'heu... où le soleil descend dans toute sa splendeu... — Le serveur pose le beu... sur la table. — Claire travaille avec ardeu...

684. **Même exercice que 683.**
La Bretagne envoie des prim... aux Parisiens. — Les m... de certains insectes sont intéressantes à étudier. — La fraîch... de la nuit ravive les fl... — La brise apporte des sent... agréables. — Le frère et la s... vont à l'école. — Des souvenirs se pressent dans mon c... — Les enfants chantent en ch... — La biche tremble de fray...

685. **Accordez les adjectifs en italique.**
Même dans sa partie *inférieur* le Rhône est rapide. — Ces faits sont *antérieur* à mon arrivée dans cette ville. — Le match est remis à une date *ultérieur.* — Votre camarade m'a fait des réponses *meilleur* que les vôtres. — L'ornementation *extérieur* de ce monument est très belle. — La *majeur* partie des récoltes a été gâtée.

686. **MOTS A ÉTUDIER.**
I. la splendeur, resplendir ; le mystère, mystérieux ; le trait.
II. mince, la minceur ; l'ampleur ; l'amandier ; le crapaud.

NOMS EN EAU, AU, AUT, AUD, AUX

● **Le drapeau, l'étau, le défaut, le crapaud, la faux.**

La plupart des noms terminés par le son [o] s'écrivent **e.a.u.**
Quelques-uns se terminent par **a.u — a.u.t — a.u.d — a.u.x.**
Lorsque le son final [o] s'écrit **a.u** et est suivi d'une **consonne**, il ne prend **jamais de e** : crapaud.

escabeau	anneau	faisceau	arbrisseau	fabliau	tuyau
lambeau	panneau	jouvenceau	trousseau	landau	levraut
tombeau	pipeau	souriceau	biseau	esquimau	artichaut
flambeau	oripeau	pinceau	ciseau	étau	héraut
bandeau	blaireau	arceau	naseau	fléau	assaut
hameau	tombereau	cerceau	tréteau	gruau	badaud
ormeau	sureau	lionceau	manteau	noyau	réchaud
rouleau	taureau	monceau	caniveau	joyau	taux
traîneau	lapereau	vermisseau	écheveau	boyau	chaux

EXERCICES

687. Complétez.

Le ham... est blotti dans le vallon. — Le nouveau-né repose dans son berc... — Le perdr... touché par le chasseur s'abat dans un fourré. — Les merles mangent les baies du sur... — Le déménageur porte un lourd fard... — Je monte sur un escab... pour poser le rid... — L'... court dans le caniv... — Le marchand installe ses trét...

688. Même exercice que 687.

La lionne veille sur ses lionc... — Les explorateurs polaires entassent leurs provisions sur des traîn... — Les arbres forment de beaux arc... de verdure. — Le pépiniériste plante des arbriss... — La pêche est un fruit à noy... — Le blair... est un animal carnassier. — Les bad... s'arrêtent devant les boutiques. — Le laper... trottine dans le sentier.

689. Même exercice que 687.

Autrefois, les blés étaient coupés à la f... — Marc visse les tuy... d'arrosage. — Les bijoutiers terminent de splendides joy... — Le levr... fait des s... dans les artich... — Les vieillards se reposent sous les orm... de la place. — Il faut savoir se corriger de ses déf... — Le pâtissier fait un gât... avec de la farine de gru... — Les enfants jouent avec des cerc... — Les phares percent la nuit de leur faisc... lumineux.

690. Justifiez, par un mot de la même famille, la dernière lettre des mots :

saut   échafaud   badaud   crapaud   taux   défaut   réchaud

691. MOTS A ÉTUDIER.

I. l'étau ; le rempart ; le velours ; le museau ; le pinceau.
II. le landau, les landaus ; le maquereau ; le crapaud ; l'agneau.

NOMS EN OT, OC, OP, OS, O

● **Le sabot, le croc, le galop, le héros, l'écho.**

Certains noms terminés par le son [o] s'écrivent o.t — o.c — o.p — o.s.
Il est **souvent** facile de trouver la **terminaison** convenable à l'aide d'un mot de la **même famille** : sabot — sabotier.
D'autres noms terminés par le son [o] s'écrivent o.

chariot	manchot	pavot	cacao	halo	vélo
jabot	ergot	îlot	trio	piano	lasso
paquebot	escargot	goulot	lavabo	domino	verso
calicot	javelot	robot	écho	casino	recto
haricot	mulot	escroc	sirocco	numéro	loto
coquelicot	hublot	clos	studio	zéro	mémento
magot	tricot	héros	kimono	brasero	bravo

EXERCICES

692. Par un mot de la même famille, justifiez la dernière lettre de :

cahot	cachot	grelot	canot	galop	propos
maillot	tricot	flot	complot	sirop	camelot
rabot	gigot	calot	rôt	croc	pivot
abricot	ballot	sanglot	lot	accroc	linot
sabot	bibelot	trot	pot	dos	repos

693. Complétez les noms inachevés.

Les coquelic... sont des fleurs des champs. — Les chev... au gal... font tinter les grel... de leurs colliers. — L'enfant a fait un grand accr... à son tric... — Le paqueb... entre dans le port, perçant la nuit de ses hubl... éclairés. — L'éch... prolonge la voix du chanteur. — L'artiste joue au pian... des morc... difficiles. — Ce monument s'élève à la mémoire des hér... de la Résistance. — L'Indien attrape le cheval sauvage au lass... — Au Japon, les femmes portent des kimon... de soie. — Je porte un br... d'eau.

694. Même exercice que 693.

Le pav... est une plante médicinale. — Le plombier vient réparer le lavab... — Le menuisier pousse son rab... d'une main sûre. — La cheminée lance des fl... de fumée. — Les acteurs de cinéma fréquentent beaucoup les studi... — La poule a le jab... plein de grains. — Mercredi soir, c'est le tirage du lot... — Les chari... rentrent chargés de foin. — Les chev... frappent le sol de leurs sab... impatients. — Les camel... vendent des bibel... sans valeur. — Le comédien recueille les brav... des spectateurs.

695. MOTS A ÉTUDIER.

I. le gigot ; le coquelicot ; le cahot ; le paquebot ; le piano.
II. le lingot ; l'ergot ; le galop ; le chariot ; la voix.

NOMS EN AIL, EIL, EUIL, ET EN AILLE, EILLE, EUILLE

- **La ferraille ; la corbeille ; la feuille.**

Les noms **masculins** terminés par **ail, eil, euil**, ne prennent qu'un **l** et les noms féminins **lle**.

REMARQUES

Les noms masculins **chèvrefeuille, portefeuille, millefeuille,** formés sur **feuille,** s'écrivent **lle**, mais il faut écrire **cerfeuil**.
Dans les mots où le son **[œj] euil,** est précédé d'un **g** ou d'un **c,** on écrit **ueil** pour **euil**.

noms masculins				noms féminins	
émail	bétail	éveil	écureuil	écaille	abeille
soupirail	détail	réveil	cerfeuil	volaille	corbeille
portail	soleil	deuil	œil	marmaille	corneille
gouvernail	sommeil	seuil	accueil	trouvaille	oreille
attirail	appareil	fauteuil	écueil	broussaille	groseille
bercail	conseil	treuil	recueil	paille	oseille
éventail	vermeil	chevreuil	cercueil	sonnaille	treille
épouvantail	orteil	bouvreuil	orgueil	futaille	feuille

EXERCICES

696. **Donnez des mots de la famille de :** cueillir, œil, orgueil.

697. Complétez les noms inachevés.
Le paysan prépare les sem... d'automne. — Nous avons placé dans le cerisier un épouvant... pour chasser les oiseaux. — Les ab... rentrent à la ruche. — Le sol... allume le vitr... de la vieille église. — Le chevr... tremble à l'approche des chiens. — L'enfant fatigué tombe de somm... — Le chèvref... embaume le sentier. — L'ouvrier coupe une plaque de tôle avec ses cis... — En montagne, on entend les sonn... du troupeau.

698. Même exercice que 697.
Le mineur arrache le charbon des entr... de la terre. — Le maçon actionne le tr... vigoureusement. — Le timonier tient le gouvern... et écarte le navire de l'éc... — Voici le printemps, tout fleurit, tout chante, c'est l'év... de la nature. — Bientôt nous ferons la c...llette des gros... — Le cuisinier emploie le persil et le cerf... — J'ai un joli portef... — L'élève org...lleux n'est pas aimé de ses camarades.

699. MOTS A ÉTUDIER.
I. le dahlia ; le chrysanthème ; l'épouvantail ; le chasselas ; antique.
II. le tintement ; le faon, le paon ; le vent, l'éventail ; l'orgueil, le recueil.

ILL

• **railler ; le caillou.**

Y

• **rayer ; le crayon.**

Quand le son [j] s'écrit **ill**, la lettre **i** est **inséparable** des **deux l** et **ne se lie pas** avec le son de la voyelle qui précède : ra-iller - ra-ille-rie.
Au contraire, l'**y** a généralement la valeur de **deux i** dont l'un se lie avec la voyelle qui précède et l'autre avec la voyelle qui suit : rayer : rai-ier, ray-ure : rai-iure.

REMARQUES

1. Il ne faut pas confondre les verbes terminés par **eiller** ou **ailler** avec les verbes en **ayer.** On évite la confusion soit en **les conjuguant au présent de l'indicatif,** soit en recherchant **un mot de la même famille :**
somm**eiller,** je somm**eille,** le somm**eil ;**
bala**yer,** je bal**aie,** le bal**ai.**

2. Dans les **noms** le son **[j],** écrit **ill,** est **rarement** suivi d'un **i.**
Exceptions :
Il **mouillé :** quincaillier, groseillier, marguillier, joaillier ;
Il **non mouillé :** millier, million, milliard.

bataillon	caillou	paillette	boyau	écuyer	noyer
bâillon	tirailleur	poulailler	noyau	plaidoyer	loyer
haillon	défaillance	crémaillère	tuyau	mitoyen	noyade
maillon	vaillance	brailler	crayon	citoyen	voyage
médaillon	saillant	détailler	rayon	moyen	voyelle
bouillon	gaillard	écailler	rayure	moyeu	frayeur
caillot	paillasse	piailler	balayure	layette	gruyère
maillot	paillasson	ravitailler	paysage	foyer	bruyère

EXERCICES

700. Donnez les verbes en yer **de la famille des noms suivants, puis écrivez-les aux trois personnes du pluriel du présent de l'indicatif.**

fête	remblai	balai	raie	verdure
foudre	octroi	essai	paie	ennui
côte	poudre	monnaie	étai	appui

701. Donnez les adjectifs qualificatifs renfermant un y **et dérivant des noms suivants. Employez-les avec un nom.**

joie	craie	roi	pitié
soie	effroi	loi	gibier

159

702. **Donnez les adjectifs verbaux dérivés des verbes suivants, puis employez-les avec un nom pluriel.**

effrayer   bruire   verdoyer   foudroyer   larmoyer
fuir   flamboyer   rougeoyer   seoir   voir

703. **Donnez : 1°** des mots renfermant un **y, de la famille de** croire, voir, prévoir, loi ;
2° des mots de la famille de veiller.

704. **Écrivez les verbes suivants à la 2ᵉ personne du singulier du présent de l'indicatif, puis le nom homonyme au singulier :**

détailler   batailler   mitrailler   éveiller   appareiller
travailler   tailler   conseiller   rouiller   tenailler
sommeiller   émailler   veiller   fouiller   dépouiller

705. Remplacez les points par y **ou par** ill.

Le soleil éclaire la terre de ses chauds ra...ons. — L'écu...ère se tient en équilibre sur son cheval. — A la foire à la brocante, on trouve parfois des bou...oires en cuivre. — La forêt est fleurie de bru...ères roses. — Aujourd'hui, un poula...er peut compter des milliers de poules. — Le zèbre a un pelage aux ra...ures noires. — Nos voisins ont terminé leur maison, ils pendent la créma...ère. — La maman prépare la la...ette de son petit enfant. — Le méta...er rentre ses récoltes. — Cette région est très gibo...euse. — Le maître suit les efforts de l'enfant d'un regard bienve...ant. — L'épouvantail à moineaux est couvert de ha...ons. — Le cuisinier éca...ait des poissons. — Tu essa...ais un manteau.

706. Même exercice que 705.

Les mots sont formés de vo...elles et de consonnes. — Le mo...eu de la roue grince. — Le bou...on fume dans les assiettes. — La fumée sort du tu...au de la cheminée. — Des m...iers d'étoiles brillent dans le ciel. — Le joa...ier fait des bijoux. — Le sol de la Champagne est cra...eux. — Il ne faut pas casser les no...aux avec ses dents. — On entendait dans le fourré des gazou...is d'oiseaux. — Le soleil se couche dans le ciel rougeo...ant. — En 1792, lorsque la Patrie fut en danger, tous les cito...ens durent la défendre.

707. Écrivez les verbes suivants à la 1ʳᵉ personne du singulier et à la 1ʳᵉ personne du pluriel du présent de l'indicatif :

balayer   prier   sommeiller   surveiller   babiller
essayer   crier   appareiller   rayer   fouiller
déblayer   trier   embouteiller   étriller   vaciller
payer   briller   conseiller   sautiller   contrarier

708. MOTS A ÉTUDIER.

I. la cuillère ; l'obscurité ; la crémaillère ; le haillon ; les balayures.
II. la bienveillance, la malveillance, la clairvoyance ; la peau mate.

NOMS EN ET, AI, AIE

● **L'archet, le balai, la monnaie.**

Les noms **masculins** terminés par è [ɛ], s'écrivent généralement **e.t** et les noms **féminins a.i.e.**
Exceptions : la **paix** ; la **forêt.**

REMARQUES

1. Les noms masculins terminés par le son [ɛ] appartenant à la famille d'un verbe en **a.y.e.r** s'écrivent **a.i** : **balai** (balayer), **étai** (étayer).

2. Des noms féminins en **a.i.e** désignent un lieu planté d'arbres d'une même espèce : une **châtaigneraie.**

masculins e.t			féminins a.i.e	autres terminaisons	
maillet	budget	sansonnet	baie	mets	laquais
œillet	bourrelet	basset	haie	legs	marais
beignet	bracelet	bosquet	craie	après	engrais
alphabet	corselet	ticket	claie	cyprès	rabais
quolibet	gantelet	jarret	plaie	abcès	geai
guichet	mantelet	lacet	monnaie	aspect	quai
hochet	cabriolet	gousset	raie	souhait	jockey
guet	flageolet	verset	futaie	portrait	poney
muguet	pamphlet	corset	taie	palais	bey

EXERCICES

709. Donnez le nom d'un lieu planté de :
oliviers   chênes   cerisiers   pommiers   rosiers   osiers

710. Complétez les mots inachevés.
Le soleil entre par les b... ouvertes. — L'infirmière nettoie une pl... — Le chardonner... chante dans le bosq... — Un bienf... n'est jamais perdu. — Le canard sauvage vit dans les mar... — Les bouquinistes installent leurs boîtes sur les parap... des qu... — Chaque soir, la caissière recompte sa monn... — Le tonnelier se sert d'un maill...

711. Même exercice que 710.
En m... , la fut... s'embaume du parfum des mugu... — Le cabriol... est une petite voiture de sport. — L'écolier apprend l'alphab... — Un ge... voulait se parer des plumes d'un paon. — Le cavalier nettoie les harn... de son cheval. — Au premier de l'an, nous présentons nos souh... à nos parents. — Ce magasin accorde actuellement un fort rab... sur tous les canapés.

712. A l'aide d'un autre mot, justifiez l'orthographe des mots :
essai   étai   minerai   lait   biais   rabais
fait   trait   respect   accès   extrait   excès

713. MOTS A ÉTUDIER.
I. l'églantier ; le bracelet ; l'aspect ; le laquais ; quelquefois.
II. le rythme ; l'index ; l'abcès ; le harnais ; le guichet ; le balai.

NOMS FÉMININS EN ÉE

● **La rentrée, la cheminée, la renommée.**

Les noms **féminins** en é [e] qui ne se terminent pas par les syllabes **té** ou **tié** s'écrivent toujours **é.e**, sauf **clé** (qui peut s'écrire **clef**).

cognée	chevauchée	gorgée	maisonnée	chicorée	pincée
poignée	tranchée	rangée	durée	purée	pensée
saignée	jonchée	vallée	traînée	échauffourée	odyssée
huée	orchidée	assemblée	fournée	denrée	brassée
araignée	idée	giroflée	tournée	chambrée	chaussée
enjambée	embardée	renommée	équipée	orée	rosée
flambée	fée	destinée	mosquée	fricassée	croisée
tombée	bouffée	randonnée	lampée	poussée	traversée

EXERCICES

714. Donnez un nom de la famille des mots suivants, exprimant le contenu ; ajoutez un complément : Ex. : *une pincée de sel.*

panier	cuiller	bouche	four	chambre
poing	maison	nid	table	bras

715. Complétez les noms suivants et ajoutez un complément.

bouffé...	assemblé...	traîné...	cheminé...	pincé...
lampé...	gorgé...	matiné...	rentré...	couvé...
tombé...	rangé...	puré...	oré...	fricassé...

716. Complétez les mots inachevés.

Le bûcheron frappe le chêne de sa cogn... — L'araign... tisse sa toile. — Les all... du parc sont sablées. — L'ond... a ravivé les plantes. — Voici mars, mois des giboul... — Des fum... paisibles montent des toits. — Les chardonnerets apportent la becqu... à leurs petits. — L'entr... de ce cinéma est interdite aux enfants de moins de treize ans. — Sous la pouss... du vent les volets se sont disjoints. — La pluie a nettoyé la chauss...

717. Même exercice que 716.

Le naufragé s'accroche à la bou... de sauvetage. — Le long des all... s'ouvrent les pens... et les girofl... — Les terrassiers creusent une tranch... — Autrefois, les villageois se réunissaient à la veill... — Les oiseaux s'appellent sous la feuill... — Le parrain offre des drag... — Le navire rentre au port après une bonne travers... — La ros... emperle le gazon. — Les campeurs s'installent à l'or... du petit bois. — Les marcheurs rentrent fourbus de leur randonn...

718. MOTS A ÉTUDIER.

I. le velours ; invincible ; la becquée ; l'œuvre ; la chaussée.
II. l'orchidée ; la randonnée ; la denrée ; l'écho ; la manœuvre.

NOMS FÉMININS EN TÉ OU TIÉ

● La bonté, la propreté, la fidélité, la pitié.

Les noms féminins terminés par té [te] ou par tié [tje] s'écrivent générale-ment é sauf :

1. les noms exprimant le contenu d'une chose :
la brouettée → contenu d'une brouette.

2. les cinq noms usuels suivants :
la dictée, la jetée, la montée, la pâtée, la portée.

cruauté	saleté	mendicité	immensité	propriété	hérédité
intrépidité	indemnité	solennité	adversité	anfractuosité	hostilité
liberté	brièveté	antiquité	loyauté	gaieté	humanité
fausseté	société	dextérité	royauté	habileté	humilité
réalité	satiété	anxiété	beauté	familiarité	humidité
qualité	naïveté	sobriété	nouveauté	diversité	pitié
quantité	partialité	fierté	calamité	sonorité	amitié
cité	sensibilité	nécessité	aspérité	hospitalité	moitié

EXERCICES

719. Donnez un nom de la famille des mots suivants, exprimant le contenu (ou la quantité) et ajoutez un complément :

pelle	bol	assiette	charrette	brouette
plat	pot	fourchette	aiguille	cuve

720. Remplacez l'adjectif qualificatif par le nom de qualité correspon-dant. Ex. : *un mur solide — la solidité d'un mur.*

une histoire banale	un ami généreux	le voyageur intrépide
un pari absurde	l'heure grave	le torrent impétueux
un combat brutal	la belle fleur	une plume légère
une cloche sonore	le paon majestueux	un artisan habile

721. Même exercice que 720.

l'eau limpide	le verre fragile	un accueil cordial
la terre féconde	le devoir nul	un parfum subtil
le chien fidèle	le maître sévère	le tigre féroce
la vendeuse aimable	une explication claire	l'écureuil agile

722. Complétez les noms inachevés.

Les sociét... de musique vont bientôt défiler. — Les nids sont souvent bâtis aux extrémit... des branches. — Des vagues énormes se brisaient sur les jet... — L'alpiniste s'accroche aux aspérit... du rocher. — Le ruisseau entraîne des salet... à l'égout. — La devise de la République est : «Libert..., Égalit..., Fraternit...». — Les mouflons se cachent dans les anfractuosit... de la montagne. — Mon grand-père achète une petite propriét... à la campagne. — Dans le soir calme, la petite cit... s'endort.

723. Même exercice que 722.
Une infinit... d'éphémères voltigent dans les rayons du soleil à la tomb... du jour. — La mère attend le retour de son fils avec la plus grande anxiét... — Les fum... montaient paisibles dans la tranquillit... du soir. — Le voyageur marche à grandes enjamb... — Des milliers d'étoiles palpitaient dans l'immensit... du ciel. — La récolte de foin est bonne, cette ann..., en qualit... et en quantit... — L'enfant est en bonne sant... — La mousse aime l'humidit...

724. Même exercice que 722.
Une belle flamb... éclaire la chambre. — Les orchid... sont des fleurs aux riches couleurs. — Les feuilles roussies du chêne portent de petites pellet... de neige. — La port... de musique comprend cinq lignes. — Le peintre manie le pinceau avec dextérit... — La frugalit... est le contraire de la gourmandise. — Le charcutier vend du bon pât... — Le chien se jette sur sa pât... avec avidit... — Nous avons mangé une moit... de pomme. — Paul et moi, nous sommes liés d'une solide amit...

725. Même exercice que 722.
Les impuret... de l'air. — Les inégalit... du sol. — Les propriét... d'un corps. — La perplexit... du voyageur. — La vétust... de la machine. — La fiert... du lion. — Une randonn... amusante. — Les aspérit... de la pierre. — La solennit... d'une cérémonie. — Les calamit... de la guerre. — Des indemnit... de déplacement. — La loyaut... d'un accord. — La maturit... d'un fruit. — Une charret... de paille. — Une nuit... claire. — La sérénit... du ciel. — Une assiett... de légumes. — La port... du fusil. — Les sinuosit... de la route.

726. Mettez la terminaison convenable (é ou ée).

brouett...	charret...	probit...	bouff...	gorg...
naïvet...	piti...	pellet...	fourn...	perc...
beaut...	vanit...	assiett...	travers...	lamp...
pot...	mont...	sociét...	autorit...	ténacit...
nuit...	captivit...	docilit...	obscurit...	sûret...
gaiet...	utilit...	nudit...	casserol...	éternit...

727. MOTS A ÉTUDIER.
I. l'hostilité ; l'immensité ; la perplexité ; la dextérité ; l'anxiété.
II. le mystère ; la sphère, l'atmosphère ; la satiété ; persévérant.
III. l'anfractuosité ; l'éléphant ; l'indigence ; la nonchalance ; le dénuement.

NOMS MASCULINS EN É, ER

● **Le congé, l'employé, le chantier, le danger.**

Les noms **masculins** terminés par **é [e]**, s'écrivent le plus souvent **e.r.**

Parmi les noms en **é [e]**, un certain nombre dérivent de **participes passés** et s'écrivent é : un **employé.**

maraîcher	scaphandrier	framboisier	baudrier	bébé	curé
horloger	perruquier	cognassier	herbier	abbé	gré
romancier	luthier	églantier	sorcier	gradé	degré
créancier	joaillier	oranger	guêpier	cliché	pré
financier	quincaillier	bûcher	quartier	duché	liseré
brancardier	voilier	rucher	calendrier	marché	fossé
routier	groseillier	déjeuner	sentier	congé	thé
hôtelier	amandier	goûter	poulailler	clergé	pâté
geôlier	marronnier	dîner	sanglier	défilé	été
chancelier	châtaignier	lever	prunier	gué	comité
palefrenier	mûrier	coucher	balancier	canapé	pavé
cantonnier	osier	parler	danger	fourré	chimpanzé

EXERCICES

728. Écrivez au masculin, puis au féminin, les noms en é **correspondant aux verbes suivants :**

habituer   se réfugier   associer   initier   blesser   allier
déléguer   protéger   marier   inviter   accuser   fiancer

729. Écrivez au singulier, puis au pluriel, les noms en é **correspondant aux verbes suivants :**

trépasser   énoncer   pointiller   cuirasser   asphyxier   traiter
tracer   corriger   procéder   résumer   défiler   condamner

730. Complétez les mots inachevés.

Les paysans vont au march... — Le quincaill... vend des outils — Le scaphandr... fait une plongée. — Le chevreuil se cache dans le fourr... — Les châteaux forts étaient entourés de foss... — Le groseill... se pare de jolies grappes. — Les invit... sont assis dans les fauteuils et sur le canap... — Les abeilles regagnent le ruch... — Le vann... assouplit l'os... pour en faire des pan... — Au lev..., on prend du chocolat, du th... ou du caf... — Le trésor... de la coopérative a été élu pour toute l'année scolaire. — Le photographe a réussi ses clich... — Les enfants adorent jouer à l'éperv... dans la cour de l'école. — Le maraîch... arrose ses salades.

731. 1° Écrivez au masculin, puis au féminin, douze noms de métier en e.r : le boucher, la bouchère.

2° Écrivez douze noms d'arbres fruitiers en e.r : le prunier.

732. MOTS A ÉTUDIER.

I. le thé ; le chandelier ; le sanglier ; le quincaillier ; le groseillier.
II. le maraîcher ; le chimpanzé ; le canapé ; l'amandier ; le côté.

L'ACCENT

Premier cas où l'on ne double pas la consonne.

- **Bâtir, précision, pièce.**

On ne double pas la consonne qui suit une **voyelle accentuée**, sauf dans **châssis** et les mots de sa famille.

L'**accent circonflexe** tient souvent la place d'un **s**.

REMARQUE

Il faut **lever immédiatement le crayon** pour mettre l'accent sur la voyelle, avant d'écrire la consonne qui suit.

Ainsi, dans **bâtir**, si l'on met **immédiatement** l'accent circonflexe sur la lettre **â**, on sait qu'il ne faut qu'un **t**.

affût	pâte	dîner	jeûner	planète	éruption
brûler	appât	faîte	crête	espèce	intéressant
flûte	drôle	chaîne	guêpe	décision	précieux
mûrir	frôler	voûte	frêne	goélette	précipice
piqûre	gîte	croûte	rêne	hélice	récent
grâce	abîme	boîte	poêle	hérisson	récif

EXERCICES

733. Justifiez l'accent circonflexe, en donnant un mot de la même famille où l's a subsisté : Ex. : *la pâte, la pastille.*

arrêt	bâton	fête	vêtement	fraîcheur	ancêtre
forêt	hôpital	bête	goût	maraîcher	croûte

734. Donnez un verbe de la famille des mots suivants :

affût	voûte	boîte	intérêt	enquête	traîneau
appât	côte	rôle	décision	prêt	hérisson

735. Complétez les mots inachevés.

Le rémouleur affû...e les couteaux. — L'enfant aligne des bâ...onnets. — Le hé...isson et le crapaud sont fort utiles. — L'alpiniste franchit le pré...ipice. — La barque s'éloigne des ré...ifs. — La b...che dans la cheminée lançait des é...incelles. — Les é...oiles scintillent. — Nous avons lu des livres inté...essants. — La neige couvre la c...me des montagnes. — Le fond des océans est creusé d'ab...mes insondables.

736. Même exercice que 735.

Le lapin se hâ...e vers son gî...e. — La goé...ette rentre au port. — Le jardinier ouvre ses châ...is. — Les moineaux dé...iment les récoltes. — Ce grand savant se voit dé...erner le prix Nobel. — Le platine, l'or, l'argent sont des métaux pré...ieux. — Les fruits mûrs se dé...achent de l'arbre. — J'ai dé...idé de partir en voyage.

737. MOTS A ÉTUDIER.

I. la flûte ; le gîte ; l'abîme ; la cime.

II. le fût ; le talus ; héler ; la grêle ; le rôdeur.

166

L'ACCENT

Deuxième cas où l'on ne double pas la consonne.

● **Insecte, ronflement, torsade.**

Le premier cas nous a été donné par la règle de l'accent (p. 166).

bâtir - étendard - intéressant - pièce.

artifice	antipode	concours	versoir	plantoir
ronflement	antiquaire	discours	absence	immense
confluent	antenne	concorde	chanson	intention

Après une consonne on ne double pas la consonne qui suit, sauf à l'imparfait du subjonctif des verbes **tenir** et **venir** et de leurs composés (maintenir, revenir, etc.).

Que je tinsse, que tu tinsses, (qu'il tînt)...
Que je vinsse, que tu vinsses, (qu'il vînt)...

Par contre, **la consonne qui suit une voyelle** peut être simple ou double selon l'usage et la prononciation.

attention	chope	échoppe	chute	butte
acclamation	proclamation	aggraver	agrandir	souffler
apparaître	apercevoir	alléger	alourdir	souffrir

EXERCICES

738. **Conjuguez au passé simple et à l'imparfait du subjonctif.**
se souvenir d'une date   se tenir sur ses gardes

739. **Conjuguez au présent de l'indicatif.**
confronter des écritures   s'absenter un instant
affronter un danger   gonfler un pneu

740. **A la place des points, mettez :**
f ou *ff :* a...ection, in...ection, agra...e, ga...e, sou...le, pantou...le, cara...e, a...luent, con...luent, ra...ale.

t ou *tt :* ar...iste, an...ilope, a...elier, a...elage, pré...endre, en...endre, a...ente, en...ente, ba...ement, bâ...iment.

c ou *cc :* con...ourir, a...ourir, dis...ourir, dis...orde, a...ord, con...orde, a...roc, ré...lamer, a...lamer, re...ord.

741. **Écrivez les verbes en italique à l'imparfait du subjonctif.**
Pour que je me *maintenir* en forme, je devrais faire des exercices physiques. — Il conviendrait que nous *revenir* par le même chemin et que nous *retenir* les péripéties de cette randonnée. — Pour que tu te *souvenir* de ce cours tu aurais dû prendre des notes. — Que vous vous *abstenir* ou que vous ne vous *abstenir* pas, la fête ne pouvait avoir lieu.

167

NOMS EN OIR ET EN OIRE

- **Le trottoir, le soir, l'armoire, la baignoire.**

Les noms masculins terminés par oir [waʀ], s'écrivent généralement o.i.r.
Les noms féminins s'écrivent toujours o.i.r.e.

REMARQUE

Les adjectifs terminés par oir [waʀ], s'écrivent avec un **e** au masculin sauf **noir.**

noms masculins			noms féminins	
peignoir	manoir	pressoir	mâchoire	bassinoire
boudoir	laminoir	encensoir	foire	passoire
bougeoir	espoir	rasoir	nageoire	périssoire
loir	terroir	grattoir	mangeoire	rôtissoire
couloir	miroir	plantoir	bouilloire	balançoire
devoir	entonnoir	comptoir	écumoire	victoire
tiroir	déversoir	abreuvoir	poire	trajectoire
abattoir	reposoir	réservoir	mémoire	histoire

Exceptions, noms masculins en oire : accessoire, interrogatoire, laboratoire, auditoire, territoire, observatoire, réfectoire, ivoire.

EXERCICES

742. Écrivez le nom en oir ou oire correspondant à :

éteindre	mirer	compter	sauter	sécher	balancer
parler	tirer	manger	écumer	racler	égoutter
semer	raser	gratter	laminer	sarcler	dormir
fumer	rôtir	nager	mâcher	dévider	remonter

743. Complétez les mots inachevés.
La cuisinière, à l'aide d'un hach..., coupe la viande en menus morceaux. — Le poisson a des nag... — Le vigneron porte le raisin au press... — Le territ... de Belfort est peu étendu. — Les Chinois sculptent l'ivoi... avec talent. — L'eau chante dans la bouill... — Les clients s'installent au compt... du bar. — Le jardinier, muni de son plant... et de ses arros..., repique ses salades.

744. Même exercice que 743.
Il est midi, les collégiens vont au réfect... — Le perroquet sautille sur son perch... — Une bonne odeur s'exhale de la rôtiss... — Sur la cheminée s'alignent des boug... anciens. — La maman emplit la baign... de bébé. — Le juge a prolongé l'interrogat... de l'accusé. — Le savant fait de minutieuses recherches dans son laborat... — De son observat..., l'astronome suit les déplacements des satellites artificiels.

745. MOTS A ÉTUDIER.
I. l'ustensile ; la tanche ; la lavandière ; le répertoire ; la chaîne.
II. l'accessoire ; l'observatoire ; l'auditoire ; le réfectoire ; le laboratoire.

NOMS EN U

● **La rue, l'avenue, la laitue, la statue.**

Les noms féminins terminés par **u** [y], s'écrivent **u.e**, sauf **bru, glu, tribu** et **vertu.**

noms féminins				noms masculins		
cohue	bienvenue	crue	tortue	tissu	cru	flux
étendue	tenue	décrue	laitue	fichu	bossu	reflux
entrevue	étendue	recrue	statue	menu	contenu	bahut
mue	charrue	grue	battue	résidu	zébu	but
nue	verrue	massue	vue	individu	talus	chalut
venue	morue	issue	revue	écu	jus	fût
avenue	rue	sangsue	entrevue	inconnu	pus	affût

EXERCICES

746. Complétez les mots inachevés.
Les Bretons vont à Terre-Neuve pêcher la mor... — Le sculpteur termine une magnifique stat... — Une sangs... est un petit animal qui suce le sang. — L'avant-centre marque le premier b... de la partie. — Le chasseur s'est mis à l'aff... — Les boules blanches du gui renferment une sorte de gl... — Le jardinier repique les lait... — Ma mère a acheté un joli coupon de tiss... — C'est le j... de raisin fermenté qui donne le vin. — Les violettes et les coucous fleurissent le tal...

747. Même exercice que 746.
L'ébéniste répare un vieux bah... — Le tonnelier fabrique et répare les f... — L'ab... du tabac nuit à la santé. — Les concurrents du rallye ont rencontré une trib... de nomades en traversant le Sahara. — Le chiffonnier cherche de la ferraille parmi les objets jetés au reb... — Le beau temps est revenu, la rivière est en décr... — Les marins ont du mal à relever le chal... plein de poissons. — Les chasseurs ont organisé une batt... au sanglier.

748. A l'aide d'un mot de la même famille, justifiez la dernière lettre des noms suivants :

but	bahut	abus	salut	institut
début	obus	fût	flux	substitut
rebut	refus	affût	intrus	chalut

749. Construisez une phrase simple avec les mots suivants :
1° la rue, le ru ; la crue, le cru ; la tribu, le tribut ;
2° le salut, il salue ; la glu, il s'englue ; la vertu, il s'évertue.

750. MOTS A ÉTUDIER.
le flux ; la glu ; la tribu ; la bru ; la vertu.

169

NOMS EN URE ET EN ULE

● **La piqûre, le murmure, le vestibule, la majuscule.**

1. Les noms terminés par **ure [yr]**, s'écrivent **u.r.e** sauf **mur, fémur, azur, futur.**

2. Les noms terminés par **ule [yl]**, s'écrivent **u.l.e** sauf **calcul, recul, consul, bulle** et **tulle** s'écrivent avec **deux l.**

noms féminins					noms masculins
bordure	envergure	ramure	morsure	nourriture	pédicure
reliure	gageure	voiture	masure	tenture	pédicure
rayure	engelure	rainure	embrasure	aventure	mercure
piqûre	brûlure	enluminure	miniature	architecture	murmure
hachure	éraflure	échancrure	stature	sculpture	augure
embouchure	mûre	fissure	pâture	rupture	chlorure

noms féminins			noms masculins		
mandibule	majuscule	pilule	conciliabule	tentacule	tubercule
fécule	pendule	campanule	vestibule	véhicule	crépuscule
renoncule	libellule	péninsule	globule	monticule	opuscule
bascule	cellule	rotule	préambule	pécule	scrupule

EXERCICES

751. Trouvez les noms en ure **dérivés de chacun des verbes :**

relier	border	érafler	déchirer	meurtrir	teindre
rayer	brûler	enfler	blesser	peindre	rompre
piquer	doubler	ferrer	coudre	ceindre	égratigner

752. Complétez les noms inachevés.
Le mercu... est un métal très dense. — En cueillant des mû..., les enfants se sont fait des égratignu... — Au combat, Jeanne d'Arc portait toujours une lourde armu... — Les médicaments se présentent souvent sous la forme de petites pilu... — L'oiseau a bâti son nid dans une fissu... du mu... — Mes voisins ont passé leurs vacances sur la Côte d'Azu... — On entend dans le feuillage le murmu... de la brise. — Le portail de l'église est orné de sculptu... — Ce peintre fait des miniatu...

753. Même exercice que 752.
La pieuvre saisit sa proie avec ses tentacu... — Une goutte de sang renferme des millions de globu... — Le lourd véhicu... gravit la côte. — La renoncu... s'appelle aussi bouton-d'or. — La libellu... rase l'eau de l'étang. — La campanu... a des fleurs en forme de cloche. — Napoléon Bonaparte fut consu... avant d'être empereur. — Le tu... est un tissu mince et léger. — Conduire au crépuscu... est pénible et dangereux.

754. MOTS A ÉTUDIER.
 I. l'engelure ; l'échancrure ; l'encoignure ; le véhicule ; la piqûre.
 II. le mercure ; le conciliabule ; le sculpteur, sculpter.

NOMS EN I

● **La mairie, la mie, la pluie.**

es noms **féminins** terminés par **i** [i], s'écrivent **i.e** sauf **souris, brebis, per-**
rix, fourmi, nuit.

uie	astronomie	intempérie	infanterie	chimie	pharmacie
ie	bonhomie	soierie	sortie	prophétie	apoplexie
uillie	tyrannie	raillerie	plaisanterie	minutie	asphyxie
gédie	hégémonie	sorcellerie	féerie	facétie	autopsie
cyclopédie	parcimonie	hôtellerie	mairie	péripétie	fantaisie
atégie	insomnie	sensiblerie	prairie	suprématie	hypocrisie
gie	calomnie	espièglerie	métairie	calvitie	ortie
argie	harmonie	bizarrerie	théorie	ineptie	sympathie
ancolie	zizanie	orfèvrerie	scie	acrobatie	antipathie
sionomie	myopie	coquetterie	scierie	éclaircie	dynastie

ERCICES

A l'aide d'un mot de la même famille, justifiez la lettre t :
batie   ineptie   démocratie   prophétie   inertie   minutie

Complétez les mots inachevés.
oul... grince. — La calomn... est l'arme des méchants. — La librair...
rmée le lundi. — Je vais chercher une fiche d'état civil à la mair... —
laisanter... les plus courtes sont les meilleures. — Le maçon passe
ble au tam... — Les paroles s'envolent, les écr... restent. — Pendant
u... d'insomn..., je lis. — La cuisinière fait cuire une côtelette sur le
— Du ciel noir de su..., la plu... tombe.

Même exercice que 774.
amp est couvert d'ort... — Ébloui par le soleil, le skieur fronce les
. — La perdr... se cache dans le sillon. — Le chat guette la sour...
agneaux se blottissent contre la breb... — C'est une féer... qu'un
r de soleil. — Du fourn... monte l'odeur de pain chaud. — Ces
ls sont couverts de belles soier... — L'hôteller... résonne du bruit
eroles remuées. — La scier... se trouve à la sort... du village. — La
, porte un brin de paille.

un mot de la même famille, justifiez l'orthographe de :

grésil	bandit	tamis	outil	lambris
sourcil	dépit	persil	acquit	pays
baril	granit	érudit	vernis	marquis
avis	commis	permis	apprenti	esprit

TS A ÉTUDIER.
sionomie ; l'ortie ; l'intempérie ; la péripétie ; l'hypocrisie.
rématie ; l'interstice ; la fourmi ; l'insomnie ; la féerie.

NOMS EN OU

● **Le caillou, la roue.**

Les noms **féminins** terminés par **ou** [u], s'écrivent **o.u.e** sauf la **toux**. Les
noms **masculins** se terminent généralement par **o.u.**

noms féminins	noms masculins			terminaisons diverses	
houe	biniou	acajou	genou	houx	août
boue	caillou	sapajou	pou	époux	goût
joue	voyou	bijou	verrou	courroux	égout
moue	hibou	joujou	kangourou	saindoux	ragoût
roue	bambou	brou	écrou	remous	joug
proue	chou	trou	sou	caoutchouc	loup
gadoue	clou	mou	grisou	moût	pouls

EXERCICES

755. Complétez les mots inachevés.
Les musiciens bretons jouent du bini... — Le mécanicien resserre les
écr... — Le tigre se cache dans les bamb... — Le médecin tâte le pou... du
malade. — L'ébène et l'acaj... sont des bois précieux. — Le marteau
enfonce les cl... — Le serrurier pose des verr... — La pr... du navire fend
les vagues. — L'avion pris dans un rem... s'écrase au sol.

756. Même exercice que 755.
Les hib... se nourrissent de rongeurs. — Après l'orage, les eaux du ruisseau s'engouffrent dans l'ég... — Les supporters expriment leur courr...
parce que l'arbitre a refusé un essai. — Le grand air colore les j... des
enfants. — Le malade prend du sirop pour calmer sa t... — Le campeur
surveille son rag... — Les l... sont devenus très rares en France. — L'enfant prend soin de ses jouj...

757. A l'aide d'un mot de la même famille, justifiez l'orthographe de :
bout   coût   coup   dégoût   égout   pouls

758. Écrivez les noms suivants au pluriel :
bijou   matou   clou   pou   kangourou   écrou
joujou   caillou   hibou   coucou   verrou   trou

759. Écrivez les noms suivants au singulier :
les remous   les verrous   les pouls   les choux   les saindoux   les toux
les époux   les courroux   les poux   les jaloux   les houx   les bijoux

760. Faites entrer dans une phrase simple chacun des mots :
houe   houx   joug   joue   moût   moue   mou   cou   coup

761. MOTS A ÉTUDIER.
I. le saindoux ; le caoutchouc ; le houx ; le remous ; la catastrophe.
II. la toux ; le pouls ; le courroux ; le joug ; brandir.

1 L ou 2 L   1 T ou 2 T

- Des yeux étincelants, une étincelle.
- Le clocheton, la clochette.

EXERCICES

762. Donnez un nom renfermant un l ou un t de la famille des noms suivants :

chamelle   chapellerie   noisette   mamelle   agnelle   chancellerie
échelle   hôtellerie   clochette   gazette   bourrellerie   cervelle

763. Donnez deux noms de la famille des noms suivants, l'un contenant deux l ou deux t, l'autre un l ou un t :

charretier   batelier   coutelier   vaisselle   ruisseau   sorcier
chandelier   oiselier   tonneau   cerveau   dent   feuille

764. Écrivez les verbes suivants à la 2e personne du singulier du présent et de l'imparfait de l'indicatif, du passé simple et du futur simple — puis donnez un nom de la famille renfermant un l ou deux l, un t ou deux t.

amonceler   renouveler   ressemeler   ruisseler   morceler   empaqueter
appeler   haleter   atteler   étinceler   jeter   niveler

765. Complétez les mots inachevés.

La bûche pétille et lance des étince...es. — Le hibou a des yeux étince...ants. — Les parents de Laure sont des artisans bate...iers. — Sur la cheminée, il y a deux vieux chande...iers. — Les bougies ont remplacé les fumeuses chande...es. — La maman a mis sur la table un napperon en dente...e. — La dente...ière maniait prestement ses fuseaux. — La feuille de la violette a une dente...ure régulière. — Autrefois, les chape...iers vendaient des bérets, des chapeaux, des casquettes. — Un ruisse...et traverse la prairie. — On ne voit plus guère aujourd'hui des charre...es, des charre...ons, des carrioles.

766. Même exercice que 765.

Grand-père se taille une canne à l'aide d'un vieux coute...as. — Le coute...ier vend des couteaux de toutes tailles. — Ce cordonnier fait de bons resseme...ages. — Les écureuils grimpent aux noise...iers. — Le vaisse...ier est décoré d'assiettes anciennes. — Le plongeur lave la vaisse...e. — Le tonne...ier tape sans relâche sur ses futailles. — L'empaque...age de ce colis est défectueux. — De gentils agne...ets batifolent autour des brebis. — Les cloche...es du muguet embaument. — Le clocher est orné de cloche...ons ajourés.

767. MOTS A ÉTUDIER.

I. le jonc ; l'échelon ; l'agnelet ; le vaisselier ; familier.
II. le coutelas ; le halètement ; bizarre ; épandre ; répandre.

NOMS EN OI

- Le roi, la soie.

Les noms **masculins** terminés par **oi** [wa], s'écrivent souvent **o.i** et [...] noms **féminins** o.i.e.

noms masculins		noms féminins	terminaisons diverses		
aboi	désarroi	oie	l'anchois	le bois	la poix
emploi	effroi	joie	le pois	le mois	le foie
aloi	beffroi	soie	le poids	le patois	la fois (q...
émoi	renvoi	courroie	le putois	le doigt	la foi (cr...
tournoi	octroi	proie	le hautbois	le détroit	la loi
roi	envoi	lamproie	le choix	la croix	la paroi...
charroi	convoi	voie (chemin)	le chamois	la noix	la voix

EXERCICES

768. Faites entrer dans une phrase simple chacun des mots :

foi foie fois — voie voix — emploi emploie — env[...]

769. Complétez les mots inachevés.

Le ro... Henri II fut mortellement blessé dans un tourno... [...] vreur grimpe lestement sur le toi... — Henri IV protégea l'ind[...] so... — Dans la vie, il ne faut pas ne penser qu'à so... — La [...] rête à l'orée du bo... — La ménagère écosse des petits po... [...] ce jeune veau a pris du poi... — Dans le nord de la France, [...] ville sont souvent surmontés d'un beffro... — A la fin d[...] gagnants sautent de jo... — Le fro... engourdit les mains. — [...] d'effr... à la vue du chien méchant.

770. Même exercice que 769.

Tout citoyen doit se conformer à la lo... — L'o... est eng[...] chair et son fo... — Seules quelques personnes parlent enc[...] Les soldats qui partaient combattre les Infidèles portaie[...] leur tunique. — L'arbre agrippe ses racines à la paro... — [...] no... est un fruit nourrissant. — Ce chanteur a une très [...] vo... ferrée longe la mer. — Le navire franchit le dé[...] dévore sa pro...

771. Par un mot de la même famille, justifiez l'orthogra[...]

bois	froid	doigt	pavoi[...]
villageois	toit	exploit	détro[...]
bourgeois	chamois	mois	haut[...]
droit	patois	maladroit	surc[...]

772. MOTS A ÉTUDIER.

I. le choix ; la loi ; un argent de bon aloi ; un anchoi[...]
II. le putoi... la paroi ; la croix ; le foie de veau ; la fo[...]

Ç   ● Un Français, une balançoire, un reçu.

Il faut mettre une **cédille** pour **conserver** le son **[s]** devant **a — o — u.**

commerçant	forçat	tronçon	glaçon	pinçon	suçoir
curaçao	laçage	perçage	hameçon	poinçon	soupçon
façade	caleçon	façon	leçon	rançon	aperçu
fiançailles	traçage	garçon	maçon	remplaçant	gerçure

EXERCICES

778. Écrivez à l'imparfait (1ʳᵉ personne du singulier et du pluriel) :
balancer   rincer   amorcer   pincer   remplacer   tracer

779. Trouvez un nom renfermant un ç de la famille de :
gercer   glace   apercevoir   limace   pince   poncer
face   tronc   commercer   forcer   recevoir   lacer

780. Trouvez un adjectif renfermant un ç, dérivé des mots :
effacer   soupçonner   remplacer   grimacer   percer   Provence
prononcer   apercevoir   glacer   menacer   influencer   France

781. Trouvez le verbe dérivé de chacun des noms :
rançon   façon   maçon   soupçon   poinçon   amorçage

782. Complétez en remplaçant les points par c ou ç.
le re...u   les fian...ailles   effa...able   dé...u
la re...ette   le fian...é   l'effa...ement   la dé...eption
la fa...ette   le rempla...ant   l'amor...e   le gla...on
la fa...ade   le rempla...ement   l'amor...age   la gla...ière.

783. Complétez les mots inachevés.
Les commer...ants ont décoré leurs boutiques à l'occasion de Noël. — Le
soleil baigne la fa...ade de la maison. — Le pêcheur met un hame...on
pour pêcher le brochet. — Un joueur est blessé ; son rempla...ant entre
immédiatement sur le terrain. — Les ma...ons bâtissent une maison. —
Le maladroit se fait un pin...on avec un marteau. — Les Proven...aux
dansent la farandole. — L'accusé a dissipé les soup...ons qui pesaient sur
lui.

784. Même exercice que 783.
Autrefois, les chevaliers prisonniers se rachetaient en payant une ran...on.
— Le graveur manie le poin...on. — Le froid cause des ger...ures. — Les
ouvriers achèvent de goudronner le dernier tron...on de l'autoroute. —
Vincent voulait se baigner, mais il a oublié son cale...on de bain. — Les
lima...es et les lima...ons mangent les salades. — Les vins fran...ais sont
renommés.

785. MOTS A ÉTUDIER.
I. la rançon, rançonner ; l'hameçon ; la limace ; le commerçant.
II. le soupçon, soupçonner ; l'arçon, désarçonner ; flotter.

GEA, GEO
● **Un geai, un pigeon.**

Pour **conserver** le son [ʒ] ; **je** après le **g**, il faut mettre un **e** devant **a** et **o**.

démangeaison	bourgeois	vengeance	esturgeon	jugeote	plongeon
intransigeance	geai	badigeon	flageolet	mangeoire	plongeoir
mangeaille	obligeance	bougeoir	geôlier	nageoire	rougeole
orangeade	orgeat	bourgeon	Georges	pigeon	sauvageon

EXERCICES

786. Écrivez les verbes suivants à la 3ᵉ personne du singulier et à la 1ʳᵉ personne du pluriel de l'imparfait de l'indicatif :
diriger   nager   démanger   plonger   jauger   venger

787. Trouvez l'adjectif renfermant gea **ou** geo **dérivé de :**
arranger   échanger   assiéger   Tours   obliger
diriger   changer   affliger   encourager   engager
partager   loger   Strasbourg   exiger   outrager

788. Donnez un ou deux mots renfermant gea **ou** geo **de la famille de :**
orange   village   plonger   bourg   rouge   manger

789. Complétez les mots suivants, s'il y a lieu.
le villag...ois   bourg...onner   boug...onner   la prolong...ation
roug...oyer   l'orang...ade   la vig...eur   la rig...eur
la bourg...ade   le plong...oir   la g...orgée   la g...imbarde

790. Complétez les mots inachevés.
Sandrine monte au plong...oir de cinq mètres. — Les premiers bourg...ons pointent au bout des branches. — De vieux boug...oirs s'alignent sur la cheminée. — Nous avons bu une orang...ade bien fraîche. — Le poisson agite ses nag...oires. — Les piqûres d'orties provoquent des démang...aisons. — La roug...ole est une maladie contagieuse. — Le jardinier greffe des sauvag...ons.

791. Même exercice que 790.
Le soleil se couche dans un ciel roug...âtre. — Le lad verse de l'avoine dans la mang...oire du cheval. — L'esturg...on est un grand poisson. — Un g...ai, dit la fable, s'était paré des plumes d'un paon. — Le pêcheur badig...onne sa barque avec du goudron. — Les peuples de l'Antiquité faisaient des sacrifices pour écarter la veng...ance des dieux. — Ce bifteck n'est pas mang...able. — Habituellement on sert le gigot de mouton avec des flag...olets. — Ces danses villag...oises sont pleines de charme.

792. MOTS A ÉTUDIER.
I. le geai ; l'obligeance ; le geôlier ; la tanche ; le goujon ; le donjon.
II. l'intransigeance, intransigeant ; la gageure ; quelquefois, toutefois.

C ou QU   G ou GU

● **Le fabricant, la fabrique — la vigueur, vigoureux.**

Les verbes terminés par **guer** ou **quer** conservent l'**u** dans toute leur conjugaison :

nous naviguons, il navigua, nous fabriquons, il fabriqua.

Dans les autres mots, devant **a** et **o**, on écrit dans la plupart des cas **g** ou **c** au lieu de **gu** ou **qu** :

navigation, vigoureux — fabrication, escouade.

			quelques exceptions	
débarçadère	suffocation	infatigable		
convocation	embuscade	flocon		
dislocation	démarcation	pacotille	qualité	attaquable
indication	langage	picoter	quantité	remarquable
praticable	cargaison	dragon	quartier	critiquable
éducation	divagation	gondole	piquant	quotidien
embarcation	prodigalité	ligoter	trafiquant	liquoreux

EXERCICES

793. Employez avec un nom les adjectifs dérivés des noms :

Amérique	Mexique	musique	république	vigueur
Armorique	Afrique	tropique	rigueur	langueur

794. Trouvez un nom contenant ga ou ca de la famille de :

suffoquer	éduquer	naviguer	prodiguer	tanguer
carguer	revendiquer	indiquer	démarquer	débarquer

795. Complétez les mots suivants, s'il y a lieu :

le lang...age	l'élag...eur	fatig...ant	li...oreux
rug...eux	l'élag...age	le zing...eur	l'embar...ement
la rug...osité	infatig...able	expli...able	le débar...adère
lig...oter	l'é...erre	la lig...ature	inatta...able

796. Complétez les mots inachevés.

La Seine est navi...able. — La navi...ation est difficile par gros temps pour les petites embar...ations. — Le navire accoste au débar...adère. — Nous subissons un froid ri...oureux. — Les gendarmes sont en embus...ade. — L'expli...ation est claire. — Il fait une chaleur suffo...ante. — Ces terres sont fertilisées par l'irri...ation.

797. Même exercice que 796.

La prodi...alité est le contraire de l'avarice. — Le bateau rapporte une car...aison de café. — L'or est inatta...able aux acides. — Le hérisson dresse ses pi...ants. — L'acacia a une écorce ru...euse. — Ce coureur de marathon est infati...able. — Le jardinier procède à l'éla...age des tilleuls. — Le cheval est vi...oureux.

798. MOTS A ÉTUDIER.

I. le tangage ; le nœud ; la guimbarde ; infatigable ; quelquefois.

II. le chèvrefeuille ; la besogne ; fatigante ; insouciant ; piquant.

LES LETTRES MUETTES INTERCALÉES

LA LETTRE H

abhorrer	exhalaison	absinthe	éther
adhérer	inhalation	orthographe	jacinthe
adhésion	exhiber	améthyste	labyrinthe
appréhender	prohiber	anthracite	léthargie
préhension	exhorter	sympathie	aérolithe
répréhensible	méhariste	antipathie	luthier
compréhensible	menhir	apothéose	méthode
bonheur	rhabiller	apothicaire	panthéon
malheur	rhétorique	théâtre	panthère
bohémien	rhinocéros	amphithéâtre	pathétique
bonhomme	rhododendron	athlète	plinthe
bonhomie	rhubarbe	authentique	posthume
cahot	rhum	hypothèse	rythme
cohérence	rhume	thèse	térébinthe
incohérence	rhumatisme	philanthrope	théière
cohésion	silhouette	anthologie	thème
dahlia	souhait	bibliothèque	théorème
ébahir	trahir	cathédrale	théorie
envahir	véhémence	enthousiasme	thon
exhaler	véhicule	esthétique	thorax
			thym

EXERCICES

799. Employez avec un nom les adjectifs dérivés des noms :
athlète   méthode   lithographe   rythme   apathie   léthargie
enthousiasme   orthographe   esthète   théorie sympathie   thorax

800. Donnez le sens des mots suivants et faites-les entrer dans une courte phrase :
1. authentique labyrinthe luth   pathétique véhémence   abhorrer
2. adhérer   inhalation exhiber   prohiber   exhorter   thorax
3. hypothèse   théière   plinthe   exhaler   chlore   menhir

801. Complétez les mots inachevés.
Le lourd vé...icule s'embourbe dans le chemin détrempé. — Le lapin mange un brin de t...ym sauvage. — Les da...lias parent nos jardins en automne. — L'opéra se termine en apot...éose. — Les arbres dépouillés dressent leur sil...ouette dans le ciel gris. — Les at...lètes vainqueurs reçoivent un accueil ent...ousiaste. — Le soleil couchant incendie les vitraux de la cat...édrale. — Les herbes enva...issent le potager. — La base des murs est protégée par une plint...e. — Le pharmacien s'appelait autrefois l'apot...icaire.

802. MOTS A ÉTUDIER.
I. exhiber ; exhorter ; le puits ; l'enthousiasme ; le brouhaha.
II. l'améthyste ; l'authenticité ; le labyrinthe ; une cathédrale gothique.

LES LETTRES MUETTES INTERCALÉES

LA LETTRE E

● **L'aboiement du chien. Le dénuement du Sahel.**

REMARQUE

Certains **noms** dérivant des verbes en **ier, ouer, uer**, et **yer** ont un **e muet intercalé.**

On écrit aussi **aboîment, dénûment, payement.**

balbutiement	remerciement	dénuement	flamboiement	zézaiement
maniement	dénouement	éternuement	nettoiement	gaieté
pépiement	dévouement	aboiement	bégaiement	tuerie
ralliement	enjouement	chatoiement	déblaiement	
rapatriement	enrouement	déploiement	paiement	**châtiment**

EXERCICES

803. Donnez après le verbe le nom dérivé contenant un e muet.

apitoyer	engouer	éternuer	remuer	rudoyer	tuer
bégayer	enjouer	flamboyer	renier	scier	tutoyer
vouvoyer	enrouer	chatoyer	rougeoyer	tournoyer	zézayer

804. Trouvez le nom dérivé de chacun des verbes suivants, renfermant un e muet **et donnez un complément à ce nom :**

licencier	rapatrier	dévouer	égayer	pépier	enrouer
manier	balbutier	rallier	payer	remercier	chatoyer
nettoyer	déployer	aboyer	déblayer	dénouer	dénuer

805. Écrivez ces verbes au futur, puis le nom dérivé contenant un e muet : larmoyer   manier   remercier   payer   zézayer   balbutier

806. Complétez les mots inachevés, s'il y a lieu.
L'infirmière soigne ses malades avec dévou...ment. — L'apprenti s'exerce au mani...ment des outils. — On entend des pépi...ment plaintifs. — Les oignons qu'on épluche provoquent un larmoi...ment. — C'est une fé...rie que la campagne couverte de neige. — Les merles se répondent gai...ment. — Les chasseurs prirent le grand chêne comme point de ralli...ment. — Je m'ass...ois dans le jardin.

807. Même exercice que 806.
Dans la nuit surgissent les aboi...ments d'un chien. — La maman écoute, avec tendresse, le balbuti...ment de son enfant. — Le flamboi...ment du soleil couchant donne au ciel des teintes somptueuses. — Ces vieilles personnes vivent dans le plus profond dénu...ment. — Cette ténébreuse affaire a eu un dénou...ment inattendu.

808. MOTS A ÉTUDIER.
 I. la gaieté ; la tuerie ; la scierie ; le zézaiement ; s'asseoir.
 II. l'univers ; gaiement ; l'orchestre ; l'ébrouement ; le maniement.

LES LETTRES MUETTES INTERCALÉES

LA LETTRE P

sculpteur	dompteur	compte	comptoir	exempter	baptême
sculpture	indompté	mécompte	comptable	prompt	baptiser
sculpter	indomptable	acompte	escompte	promptement	septième
dompter	compter	décompte	exempt	promptitude	sept

EXERCICES

809. Conjuguez au présent, à l'imparfait de l'indicatif les verbes suivants :

dompter les fauves   compter des billets   sculpter un panneau

810. Donnez quelques mots de la famille des mots suivants :

sculpter   compter   dompter   prompt   exempt   baptiser

811. Complétez les mots inachevés.

Les vendeurs attendent les clients derrière le com...toir. — La cliente verse un acom...te sur son achat. — Le dom...teur entre dans la cage des fauves. — Le candidat vif d'esprit répond prom...tement à la question posée. — L'élève malade est exem...t de piscine. — L'enfant réagit avec prom...titude. — Le scul...teur a terminé une statue. — Le futur aviateur reçoit le ba...tême de l'air. — Le savant ne se laisse pas détourner de son but par les mécom...tes. — La gamme comprend se...t notes différentes. — *Si* est la se...tième note de la gamme.

812. Révision. Complétez les mots inachevés.

Lyon est un grand centre de fabrication de soi...ries. — Le marchand réclame le pai...ment de sa facture. — La jacint...e est une fleur à clochettes. — La pant...ère bondit sur sa proie. — Autrefois, les bo...émiens étaient chassés des villages. — Le soleil met la gai...té dans les cœurs. — Le t...on est un poisson de mer. — Le torrent indom...té dévale de la montagne. — Le com...table recom...te une opération. — Le lut... est un instrument de musique à cordes. — Le Pant...éon a été construit sous Louis XV. — L'ant...racite est un charbon très dur.

813. Révision. Mettez la lettre convenable.

rougeoi.ment	da.lia	enva.ir	r.ume	fé.rie
flamboi.ment	sou.ait	dom.teur	t.orax	t.é
balbuti.ment	soi.rie	tu.rie	ass.oir	ca.ot
remerci.ment	vé.icule	scul.ter	b.auté	sci.rie
prom.tement	ryt.me	mét.ode	co.ue	ca.ute
enrou.ment	at.lète	gai.té	se.t	t.ym

814. MOTS A ÉTUDIER.

invincible ; florissant ; convaincre ; sculpter ; baptiser ; dompter.

PRÉFIXES IN, DÉS, EN

● **Inaccessible, innombrable, déshabiller, emmener.**

Pour bien écrire un **mot** dans lequel entre un **préfixe** comme **in, dés, en**, il faut penser au **radical**.

— **Inaccessible,** formé du mot **accessible** et du préfixe **in** s'écrit avec **un n.**

— **Innombrable,** formé du mot **nombrable** et du préfixe **in** s'écrit avec **deux n.**

— **Déshabiller,** formé du mot **habiller** et du préfixe **dés** s'écrit avec **un h.**

inacceptable	inexcusable	inhabité	immérité	déshabituer	dessaisir
inassouvi	inoccupé	inhabituel	désaccord	désherber	desservir
inavouable	inondé	inhumer	désamorcer	déshériter	enhardir
inattendu	inhospitalier	insatiable	désarçonner	déshonorer	emménager
inexact	inhabile	imbattable	désenfler	désorienter	empailler

EXERCICES

815. A l'aide du préfixe in ou im, **formez le contraire de :**

avouable	épuisable	habile	modeste	accessible	interrompu
praticable	admissible	buvable	flexible	humain	patient

816. Même exercice que 815.

achevé	appliqué	espéré	habituel	intelligent	attendu
hospitalier	actif	apte	effaçable	exploré	oubliable

817. A l'aide du préfixe dés, **formez le contraire de :**

accorder	articuler	ennuyer	honorer	obéissance	serrer
altérer	avantage	habituer	infecter	ordonner	servir
approuver	enchanter	hériter	intéresser	saler	unir

818. Trouvez six verbes dans lesquels entre le préfixe trans **et faites une phrase avec chacun d'eux.**

819. Complétez les mots inachevés.
Cette maison est i...abitée. — Nous avons reçu une visite i...attendue. — L'alpiniste atteint le sommet i...accessible. — Le navire s'éloigne de la côte i...ospitalière. — Il est i...umain de faire souffrir les animaux. — Le moineau s'en...ardit et vient picorer sur la table. — Cet homme se dés...abitue de fumer. — Le jardinier dés...erbe les allées. — Les i...onda-tions ont causé de grands dégâts.

820. MOTS A ÉTUDIER.
 I. inexact ; inhospitalier ; inépuisable ; inaccessible ; déshériter.
 II. le tilleul ; transparent ; translucide ; inné ; enivrer ; rhabiller.

LA LETTRE FINALE D'UN NOM

● **Tronc (tronçon), rang (ranger), plomb (plombier).**

Pour trouver la lettre finale d'un nom, il faut en général **former le féminin ou chercher un de ses dérivés.**
Quelques difficultés : **abri, brin, favori, chaos, étain, dépôt.**

EXERCICES

821. **Formez le féminin des noms suivants :**

époux	apprenti	lauréat	candidat	montagnard	badaud
marchand	érudit	villageois	boucher	commerçant	vagabond

822. **A l'aide d'un dérivé, justifiez la dernière lettre de :**

1.					
gant	retard	champ	bât	estomac	mât
brigand	cigare	trépas	accord	mandat	appât
poignard	fracas	embarras	dos	débat	éclat

2.					
rabais	tricot	toux	bourg	commis	permis
accès	faim	nom	fusil	drap	crin
excès	pouls	coût	profit	riz	affront

823. **Même exercice que 822.**

1.					
cahot	galop	coing	toit	hasard	sourcil
échafaud	sirop	poing	pavois	bavard	lard
sursaut	accroc	pied	plomb	plant	écart

2.					
camp	confort	parfum	chalut	univers	débarras
arrêt	porc	salut	cours	concert	cadenas
ruban	sang	affût	sport	essaim	biais

824. **Complétez les mots inachevés.**
Le marchan... a consenti un rabai... — Le placa... est fermé avec un cadena... — Le maçon passe le sable au tami... — Lucien fait cuire la côtelette sur le gr... — Le couvreur répare le toi... — La tortue arriva au bu... la première. — L'abu... du tabac ruine la santé. — Anne a un joli ruba... — Les lapereaux prennent leurs éba... dans la clairière.

825. **Même exercice que 824.**
Charlot jouait souvent le rôle d'un vagabon... — L'artisa... fabrique un meuble. — Les moineaux trouvent un abr... sous les gouttières. — Les oiseaux construisent leurs nids avec des bri... de paille. — Le transpor... de l'alpiniste blessé s'effectue en hélicoptère. — Le crapau... avale les limaces. — Les badau... s'attardent aux devantures. — Le chalan... fend l'eau.

826. MOTS A ÉTUDIER.
 I. le badaud ; le revers ; le corps ; l'apprenti ; le brin.
 II. le favori ; le pouls ; l'abri ; l'étang ; le plomb.

NOMS TERMINÉS PAR UN S OU UN X AU SINGULIER

● **Un taillis, l'engrais, du velours, une perdrix.**

rubis	maquis	coutelas	canevas	cyprès	putois
brebis	croquis	chasselas	tas	décès	remous
radis	panaris	cervelas	paix	legs	talus
taudis	châssis	lilas	jais	faux	jus
paradis	pilotis	verglas	palais	croix	velours
crucifix	chènevis	glas	relais	puits	cours
salsifis	parvis	frimas	harnais	héros	parcours
torticolis	surplis	fatras	laquais	chaos	concours
treillis	cambouis	plâtras	marais	remords	discours
torchis	perdrix	taffetas	mets	pois	recours
anis	cabas	ananas	entremets	poids	tiers

EXERCICES

827. Trouvez le nom en is **dérivé de chacun des verbes :**

briser	hacher	rouler	glacer	clapoter	gribouiller
tailler	gâcher	semer	surseoir	cliqueter	pailler
fouiller	loger	colorer	lambrisser	laver	caillouter
gazouiller	ébouler	lacer	ramasser	abattre	apprendre

828. Faites entrer chacun des mots suivants dans une phrase :

cabas   engrais   treillis   relais   clapotis   torchis

829. Complétez les mots inachevés.

Les grenouilles chantent dans le marai... — Faire un petit croqui... permet parfois de résoudre un problème de mathématiques. — Le vagabond se sert d'un vieux coutela... pour couper son pain. — Un laquai... en livrée introduit les visiteurs. — La rose a des pétales doux comme du velour... — Le lila... est une fleur printanière. — Le rubi... est une pierre précieuse de couleur rouge. — Un abat-jour en taffeta... rose tamise la lumière. — Le discour... du Premier ministre est télévisé.

830. Même exercice que 829.

Ce jardin fleuri est un vrai paradi... — On entend le clapoti... de la pluie. — Les violettes fleurissent le talu... du chemin de fer. — Le remord... tenaille le coupable. — La voiture a dérapé sur une plaque de vergla... — La maman prépare un met... délicieux. — La perdri... s'envole au moindre bruit. — Laurence n'oublie jamais l'heure de son cour... de piano. — Le mécanicien a les mains tachées de camboui... — La maison est enfouie dans un fouilli... de verdure. — La petite barque disparaît dans un remou...

831. MOTS A ÉTUDIER.

I. le velours ; le remous ; le jus ; le chaos ; le parcours.
II. le héros ; le frimas ; le mets ; le talus ; le remords.

NOMS MASCULINS TERMINÉS PAR ÉE ou IE

● **Un lycée, un incendie, un foie.**

camée	trophée	musée	scarabée	amphibie
pygmée	caducée	mausolée	sosie	parapluie
hyménée	empyrée	athée	génie	foie

EXERCICES

832. Complétez les mots inachevés.

Le phoque et l'otarie sont des animaux amphibi... — Le coureur gagne l'épreuve et remporte le trophé... — Certains cimetières contiennent de splendides mausolé... — Le camé... est une pierre précieuse dont on enrichit les bagues et les broches. — Le musé... du Louvre renferme de magnifiques œuvres d'art. — L'incendi... a fait d'importants dégâts. — Victor Hugo et Pasteur sont deux grands géni... — Les pygmé... sont des hommes de très petite taille qui vivent en Afrique.

833. Révision. Complétez les mots inachevés.

Quelques minutes après l'accident, les infirmiers accourent avec un brancar... pour transporter le blessé. — L'abu... du tabac peut causer des malaises. — Un putoi... est un petit animal carnassier qui ressemble à une fouine. — La guêpe se défend avec son dar... — La vitre s'est brisée avec fraca... — Étamer un objet, c'est le couvrir d'une couche d'étai... — L'eau de ce puit... est fraîche et pure. — Dès l'aube, le pêcheur s'installe au bor... de la rivière. — Le ri... est très nourrissant. — Le vergla... rend la rue glissante. — Je repique un plan... de choux. — Le foi... sécrète la bile.

834. Révision. Complétez les mots inachevés.

Le scarabé... est un gros insecte. — Mon frère entrera au lycé... — Sur le pare-brise des voitures de médecins, on voit souvent un caducé... — Ces papiers peints sont d'un agréable colori... — Au petit matin, on entend le gazouilli... des oiseaux. — Le siro... calme la tou... — Le coin... est le fruit du cognassier. — On appelle parvi... la place située devant une église. — Pendant la guerre de 1939-1945, certains Français ont pris le maqui... pour combattre les armées ennemies. — Le ju... fermenté du raisin donne le vin. — Le médecin tâte le poul... du malade. — Le passant s'abrite sous son paraplui...

835. Révision. Mettez la terminaison convenable.

badau...	remord...	talu...	salu...	puit...
crapau...	tailli...	géni...	ran...	camé...
velour...	semi...	espri...	accro...	hasar...
poid...	avi...	musé...	galo...	radi...
taudi...	lila...	outi...	lycé...	jai...

836. MOTS A ÉTUDIER.

un scarabée, un lycée, un musée, un trophée, un génie.

MOTS COMMENÇANT PAR UN H MUET

● **Une hélice, un héliotrope, un hortensia.**

REMARQUES

L'**h muet** veut l'apostrophe au singulier et la liaison au pluriel :
l'hélice, les hélices.
L'**h aspiré** exige **le** ou **la** au singulier et empêche la liaison au pluriel :
le hangar, les / hangars ; la hache, les / haches.

habileté	hameçon	héritage	homme	horloge	humanité
habiller	harmonie	héréditaire	hommage	horoscope	humble
habituer	héberger	hermine	homonyme	horreur	humecter
habitation	hectare	hermétique	honnête	horripiler	humeur
haleine	hécatombe	héroïne	honneur	horticulteur	humidité
hallucination	hégémonie	hésiter	hôtel	hospice	humus
haltère	hémicycle	hiéroglyphe	hôpital	hostilité	humilier
hebdomadaire	hémisphère	hippopotame	horizon	huître	hymne

EXERCICES

837. Employez avec un nom les adjectifs dérivés de :
harmonie   héroïne   hostilité   hiver   habitude   humilité
herbe   horizon   huile   habitation   homme   horreur

838. Donnez quelques mots de la famille des mots suivants :
habiter   habituer   habiller   herbe   hippique   hôpital   honneur

839. Complétez les mots inachevés.
La vieille ...orloge fait entendre son tic-tac régulier. — Le poisson a
mordu à l'...ameçon. — L'...orticulteur soigne ses ...ortensias et ses ...élio-
tropes. — L'...ippopotame est un mammifère qui vit dans les fleuves
d'Afrique. — L'...ermine donne une fourrure précieuse. — La tempête a
endommagé l'...élice du paquebot. — Les ...irondelles nous quittent à
l'automne. — Pour se maintenir en forme, monsieur Verchère soulève
tous les jours des ...altères. — Les hiboux font une véritable ...écatombe
de rongeurs. — La terre est partagée en deux ...émisphères. — Le menuisier est ...abile.

840. Même exercice que 839.
Les montagnards ont ...ébergé des alpinistes qui avaient été surpris par le
mauvais temps. — L'île Saint-Louis, à Paris, est riche de vieux ...ôtels
...istoriques. — Le soleil incendie l'...orizon. — La rosée ...umecte le
gazon. — L'alouette chante son ...ymne et monte droit dans le ciel. —
Cette vieille maison n'est plus ...abitée depuis longtemps. — Nous reve-
nons par le chemin ...abituel. — L'...umble demeure est entourée d'un
jardin bien entretenu.

841. MOTS A ÉTUDIER.
 I. l'anguille ; l'héroïne ; l'hortensia ; l'hélice ; héler.
 II. l'haltère ; l'haleine ; l'hermine ; héréditaire ; héliotrope.

LE SON [f] F ÉCRIT PH

● **Un phare, un phoque, du graphite.**

amphithéâtre	euphonie	phénix	scaphandrier	typographe
asphyxie	nénuphar	phénomène	sphinx	emphase
atrophie	œsophage	philanthrope	sémaphore	aphone
bibliophile	orphelin	philatéliste	amphore	téléphone
blasphème	métamorphose	phrase	symphonie	microphone
camphre	pamphlet	phonétique	triomphe	sphère
dauphin	périphérie	phosphore	typhon	atmosphère
diaphane	phalange	physionomie	autographe	hémisphère
diaphragme	physique	porphyre	épitaphe	strophe
diphtérie	pharaon	prophète	phonographe	catastrophe
éléphant	pharmacie	raphia	sténographe	apostrophe
éphémère	pharynx	saphir	télégraphe	philosophe

EXERCICES

842. Employez avec un nom les adjectifs dérivés des noms :

catastrophe	phénomène	photographe	triomphe
prophète	orthographe	radiophonie	téléphone
sphère	symphonie	télégraphe	euphonie

843. Donnez les verbes dérivés des noms suivants :

asphyxie	atrophie	prophète	orthographe
télégraphe	téléphone	blasphème	métamorphose
triomphe	photographie	photocopie	apostrophe

844. Complétez les mots inachevés.

Pour Noël, on a offert à Cathy un magnéto...one à cassette. — Le pouce n'est formé que de deux ...alanges. — Le ...ilatéliste collectionne les timbres et le biblio...ile les beaux livres. — Ce célèbre footballeur signe des autogra...es à la fin du match. — Le sca...andrier plonge pour vérifier la coque du navire. — L'œso...age réunit la bouche à l'estomac. — Le plombier est venu changer le si...on du lavabo. — Le sa...ir est une pierre précieuse d'un beau bleu. — Le jardinier attache les pieds de tomates à des tuteurs avec du ra...ia. — Le ...oque est un animal am...ibie.

845. Même exercice que 844.

Les rois de l'ancienne Égypte portaient le nom de ...araons. — Le por...yre est une sorte de marbre. — Des é...émères voltigent au soleil couchant. — Le ...are guide les navigateurs la nuit. — Le globe terrestre est partagé en deux hémis...ères par l'équateur. — Les nénu...ars fleurissent l'étang. — Le ...os...ore et le soufre entrent dans la fabrication des allumettes. — Les insectes subissent des métamor...oses.

846. MOTS A ÉTUDIER.

I. le typhon ; la physionomie ; l'alphabet ; l'atmosphère ; la catastrophe.
II. l'essaim ; l'amphore ; le saphir ; la symphonie ; le nénuphar.

LES FAMILLES DE MOTS

● **flamber (flamme), immense (mesure), écorce (écorcher).**

Pour trouver l'orthographe d'un mot, il suffit souvent de rechercher un autre mot de la même famille :

flamber :   de la famille de **flamme,** s'écrit avec un **a** ;
immense : de la famille de **mesure,** s'écrit avec un **e** et un **s** ;
écorce :   de la famille de **écorcher,** s'écrit avec un **c.**

EXERCICES

847. A l'aide d'un mot de la même famille, justifiez la lettre en italique dans les mots suivants :

1. rab*a*is   ma*j*esté   *m*ain   acroba*t*ie   l*a*it   litt*é*raire
   *a*imable   ser*ein*   *p*ain   diploma*t*ie   g*a*in   solid*a*ire
   ch*ai*r   engr*ais*   par*t*iel   iner*t*ie   br*ai*se   scol*ai*re
2. baign*oi*re   fr*ein*   hum*ain*   chandelier   cl*ai*r   vulg*ai*re
   chambre   partia*l*   gr*ain*   not*ai*re   rub*an*   *o*deur
   r*ein*   f*aim*   v*ain*   commiss*ai*re   mais*on*   h*ai*ne

848. Justifiez la partie en italique dans les mots suivants :

éven*taire*   bien*fait*   *m*ancheron   in*cess*ant   re*présen*tation
é*pan*cher   *sang*sue   in*sen*sible   *cerc*eau   a*ffran*chir
*den*tellière   malfa*i*teur   *cyc*lone   a*scen*sion   lam*pée*

849. Donnez un verbe de la famille des mots suivants :

extension   expansion   empreinte   éteignoir   entente   dépendance
suspension   contrainte   atteinte   plainte   étreinte   détente

850. Donnez trois mots de la famille des verbes suivants :

plaindre   teindre   ceindre   attendre   fendre   tendre
craindre   peindre   défendre   prétendre   pendre   épandre

851. Donnez un mot de la famille des mots suivants :

manger   mélanger   déranger   changer   venger   orange
démanger   ranger   engranger   rechanger   ange   losange
vendanger   arranger   échanger   louanger   fange   étrange

852. Donnez les noms en ence ou en ance dérivés de :

prévoyant   bienveillant   opulent   obligeant   turbulent   évident
tolérant   véhément   éloquent   vaillant   abondant   indulgent
violent   convalescent   endurant   absent   vigilant   présent

853. Donnez quelques mots de la famille des mots suivants :

immense   flamber   clarté   demander   plaire   grain

854. MOTS A ÉTUDIER.

   I. la ceinture, le ceinturon ; l'empreinte ; invincible ; suggérer.
   II. la majuscule ; majestueux ; imbu ; le cycle, le cyclope ; l'éventail.
   III. la dimension ; la bonté ; immense, l'immensité.

LES HOMONYMES

- Un **seau** d'eau — un **saut** de carpe — un enfant **sot** — le **sceau** de l'État — la ville de **Sceaux**.

RÈGLE

Les **homonymes** sont des mots qui ont **la même prononciation**, mais le plus souvent une **orthographe différente**. Il faut donc **chercher le sens** de la phrase pour écrire le mot correctement.

EXERCICES

855. Donnez le sens des mots suivants et faites-les entrer dans une courte phrase.
1. air, aire, ère, (il) erre, hère.
2. cerf, serf, serre (du jardinier, de l'aigle), (il) serre, (il) sert, (ils) serrent.
3. cœur, chœur.
4. encre, ancre.

856. Remplacez les points par l'un des mots suivants : faîte, fête, hêtre, être, signe, cygne, amande, amende, thym, teint.
Je fais ... au conducteur de la voiture. — Le ... évolue sur l'eau du lac. — Nous atteignons le ... de la colline. — De nombreux manèges sont déjà installés, la ... sera belle. — La cuisine provençale utilise beaucoup de ... et de laurier pour aromatiser les plats. — Carine est malade ; elle a le ... pâle. — L'... est le fruit de l'amandier. — L'automobiliste en défaut paie une ... — Autrefois, les sabots étaient le plus souvent taillés dans du ... — De tous les ... vivants, la baleine et l'éléphant sont les plus imposants.

857. Remplacez les points par l'un des mots suivants : taon, tant, temps, renne, reine, rêne, tante, tente, dessein, dessin.
Dans ce camping, les ... sont installées les unes sur les autres. — Je vais passer quelques jours à la campagne chez ma ... — Les Lapons élèvent des troupeaux de ... — Le cavalier tient les ... avec beaucoup de sûreté. — Chaque ruche a sa ... — Cet artiste exécute d'admirables ... — Le douanier déjoue les ... des contrebandiers. — Les ... voraces agacent les chevaux. — Le soleil brille, l'oiseau chante. C'est le beau ... — Il a ... plu que les récoltes sont perdues.

858. Remplacez les points par l'un des mots : héros, héraut, saut, sceau, seau, sot, site, cite, cahot, chaos, sellier, cellier.
Les ... de la voiture rendent le voyage pénible. — Les roches entassées les unes sur les autres formaient un véritable ... — Le ... a la poitrine constellée de décorations. — Le ... d'armes lisait à la foule le dernier édit royal. — Le ... fabrique et répare les harnais et les selles. — Le vigneron range les barriques dans son ... — Le ministre appose le ... de l'État au bas du

traité. — Le maître d'hôtel sert le champagne dans un ... à glace. — L'acrobate fait le ... périlleux. — La France est riche en ... ravissants. — Le maître ... un passage des *Misérables*. — L'orgueilleux est un ...

859. Donnez tous les homonymes possibles des mots suivants et faites-les entrer dans une courte phrase :

> *a)* 1. août   2. teinte   3. mais   4. verre
> *b)* 1. pois   2. père   3. laid   4. mur
> *c)* 1. cou   2. vin   3. conte   4. eau

860. Remplacez les points par l'un des mots suivants : délasse, délace, exauce, exhausse, gaz, gaze, résonne, raisonne.

La voix du chanteur ... à merveille dans cette salle. — Cette vieille personne ... avec beaucoup de bon sens. — Une équipe d'ouvriers ... les rives du fleuve pour préserver la ville des inondations. — La maman ... les vœux de son enfant malade. — Le travailleur se ... des fatigues de la journée, en lisant. — Le spéléologue ... ses gros souliers. — L'oxygène est un ... — La ... est utilisée pour faire les pansements.

861. Remplacez les points par l'un des mots suivants : voix, voie, chaume, chôme, antre, entre, pouce, pousse.

La panthère regagne son ... — Le train ... en gare. — Xavier s'est tordu le ... — Le judoka ... un cri en renversant son adversaire. — Les petites ... aigrelettes des grenouilles s'élèvent dans la nuit. — Ces deux hommes ont suivi des ... différentes, mais ont également réussi. — Les commandes se font rares ; le personnel de l'usine ... plusieurs jours par mois. — Dans certaines régions, les maisons paysannes sont encore couvertes de ...

862. Remplacez les points par l'un des mots suivants : desselle, descelle, décèle, pou, pouls, panse, pense, alêne, haleine.

Le cavalier ... son cheval et le ... — Le maçon ... de vieilles pierres. — Le médecin tâte le ... du malade. — La mouche, la puce et le ... sont des insectes parasites. — Le mécanicien ... une fuite d'huile dans le moteur. — Monsieur Duc ... déménager au mois de juillet. — Le bourrelier perce le cuir avec une ... — Les ouvriers s'arrêtent quelques instants pour reprendre ...

863. MOTS A ÉTUDIER.

  I. indomptable ; le champ ; le cygne ; la tante, la tente (abri).

 II. le renne, les rênes (du cavalier) ; cèpe (champignon), cep (vigne) ; alêne (outil).

III. la voie (chemin), la voix (organe) ; le coing (fruit) ; l'aire (surface) ; la fourmi.

IV. le jais (minéral) ; le chaos (amoncellement de choses) ; une ancre de navire ; la cane et le canard ; une pousse (pousser).

 V. un plant (planter) ; le joug (pièce d'attelage) ; un pore de la peau ; le cellier (cave) ; le dessein (projet).

QU — CH — K

● **Le quotient, le chrysanthème, le képi.**

quadrille	quolibet	fréquenter	chaos	archéologie	kimono
quai	quotidien	hochequeue	choléra	ecchymose	kiosque
qualité	quotient	hoquet	chœur	écho	kirsch
quantité	antiquaire	laquais	chorale	anorak	klaxon
quadrilatère	baquet	maroquin	chorégraphie	orchestre	kola
quarante	bilboquet	moustiquaire	chrétien	orchidée	kyrielle
quart	bouquet	narquois	chlore	technique	ankylose
quartier	raquette	paquet	chronique	kabyle	coke
quémandeur	pourquoi	parquet	chronologie	kaki	jockey
quincaillier	coq	perroquet	chronomètre	kaléidoscope	moka
quiche	éloquence	piquant	chrysalide	kangourou	ski
quinte	aquarium	quiproquo	archaïque	kaolin	nickel
quinze	équerre	reliquaire	archange	kermesse	ticket

EXERCICES

864. Donnez un nom de la famille des mots suivants :
fréquenter équarrir bouquet quincaillier technique archéologue antiquaire qualité maroquin chorégraphie chronique chronomètre

865. Donnez les verbes de la famille des mots suivants et conjuguez-les aux trois personnes du singulier du présent de l'indicatif :
orchestre qualité quémandeur nickel chronomètre chrome

866. Complétez les mots inachevés.
Le hérisson a le corps couvert de pi...ants. — Le ...incaillier vend des outils. — Jérôme prend grand soin de son anora... neuf. — L'anti...aire vend des tableaux, des bibelots anciens. — Ce joueur de tennis change de ra...ette car il vient de casser une corde. — A la mi-temps, les joueurs changent de ...amp. — Les musiciens ont pris place dans le ...iosque. — Le ...rysanthème est une fleur d'automne. — L'ar...éologue a découvert un tombeau antique. — L'immobilité an...ylose les membres.

867. Même exercice que 866.
A la cafétéria, on a le choix entre un bifte... et de la blan...ette de veau. — Les or...idées sont des fleurs rares. — A la distribution des prix, les élèves chanteront en ...œur. — Le ...aolin entre dans la fabrication de la porcelaine. — Les ...ipro...os sont souvent fort amusants. — Les banquettes des trains sont parfois recouvertes de moles...ine. — La Nouvelle-Calédonie produit beaucoup de nic...el. — L'automobiliste actionne son ...laxon. — L'é...o répète les cris des enfants dans la montagne. — Le papillon sort de sa ...rysalide. — Le joc...ey a gagné la course.

868. MOTS A ÉTUDIER.
 I. l'aquarium ; le square ; le chronomètre ; le kiosque ; l'équerre.
 II. le bifteck ; l'orchestre ; la kermesse ; la chrysalide ; ankyloser.

sc

● **La conscience, irascible, la scène.**

acquiescer	discipliner	phosphorescence	sceller	scinder
adolescence	effervescence	piscine	scène	scintiller
ascension	escient	plébiscite	scénario	s'immiscer
condescendre	faisceau	ascenseur	sceptique	susceptible
conscience	fascicule	recrudescence	sceptre	susciter
convalescence	fasciner	régénérescence	sciatique	transcendance
convalescent	imputrescible	réminiscence	science	
desceller	incandescence	pisciculture	sciemment	shako
descendre	incandescent	ressusciter	scier	schéma
discerner	irascible	sceau	scierie	schiste
disciple	osciller	scélérat	scion	schuss

EXERCICES

869. Donnez un nom de la famille des mots :

adolescent   consciencieux   descendre   sceller   irascible
osciller   phosphorescent   convalescent   discerner   incandescent
ascension   susceptible   acquiescer   fasciner   piscine

870. Donnez des mots de la famille de : science, discipline, ascension.

871. Conjuguez aux trois personnes du singulier de l'imparfait de l'indicatif :

acquiescer   osciller   discerner   susciter   sceller   schématiser
discipliner   descendre   fasciner   ressusciter   scier   s'immiscer

872. Complétez les mots inachevés.

Le phare ...intille dans la nuit. — Les agents maîtrisent à grand-peine le chauffard ira...ible. — Le ciel gris su...ite des pensées mélancoliques. — Le printemps ressu...ite la terre engourdie. — Il ne faut pas acquie...er à tous les désirs des enfants. — On dit que les serpents fa...inent leur proie. — Le professeur ...inde sa leçon en deux parties : les explications, les interrogations. — Il est souvent imprudent de s'immi...er dans les affaires d'autrui. — Les alpinistes ont entrepris une a...ension difficile. — Je suis ...eptique quant à sa réussite.

873. Même exercice que 872.

La fréquentation des gens su...eptibles n'est pas toujours agréable. — Le convale...ent se promène au soleil. — Les nageurs s'entraînent dans la pi...ine. — Ce devoir est plein de rémini...ences de lectures. — La nuit, les yeux du chat sont phosphore...ents. — La recrude...ence du froid a provoqué le gel du lac. — Le balancier de l'horloge o...ille inlassablement. — La di...ipline est la condition d'un travail régulier et profitable. — L'a...enseur est en panne ; les locataires montent par l'escalier.

874. MOTS A ÉTUDIER.

I. la convalescence ; le faisceau ; osciller ; ressusciter ; irascible.
II. l'ascension ; la scène ; l'incandescence, la phosphorescence ; fasciner.

TI — SI   ● La gentiane, la patience, une description.

acrobatie	impartial	partiel	adoption	hésitation
aristocratie	initiale	pénitentiaire	ambition	incrustation
balbutier	initiative	péripétie	contemplation	irruption
calvitie	initier	pétiole	damnation	mention
confidentiel	insatiable	plénipotentiaire	déception	munition
démocratie	lilliputien	présidentiel	description	option
diplomatie	martial	providentiel	éruption	sanction
essentiel	minutie	rationnel	exhortation	sensation
facétie	nuptial	satiété	fascination	superstition
idiotie	partial	substantiel	fréquentation	distinction

EXERCICES

875. Donnez les adjectifs qualificatifs de la famille des noms :
ambition   patience   prétention   infection   confidence   substance
tradition   superstition   minutie   sensation   providence   présidence
satiété   facétie   finition   condition   essence   artifice

876. Donnez les verbes dérivés des noms suivants :
mention   station   ration   fraction   pétition   condition
sanction   action   précaution   affection   ambition   perfection
fonction   révolution   proportion   friction   addition   section

877. Conjuguez au présent de l'indicatif :
balbutier   initier   patienter   frictionner   additionner

878. Complétez les mots inachevés.
La feuille est attachée à la branche par le pé...iole. — Les moineaux mangent des cerises jusqu'à sa...iété. — La gen...iane pousse surtout dans les montagnes. — Le navigateur relate les péripé...ies de son voyage. — Il est louable d'avoir de l'ambi...ion à condi...ion qu'elle soit mesurée. — Obélix est tombé dans une marmite de po...ion magique quand il était petit. — Après bien des hésita...ions, nous partons en promenade. — Le vainqueur de l'épreuve reçoit des ova...ions du public. — Laurent a un sourire gra...ieux.

879. Même exercice que 878.
L'érup...ion du volcan a causé des dégâts importants. — Je fais mettre mes ini...iales sur mon portefeuille. — Bébé balbu...ie dans son berceau. — L'ini...iative est une qualité quand elle est raisonnée. — Nous avons fait un repas substan...iel. — Le clown fait irrup...ion sur la piste et renverse un seau d'eau. — Le mécanicien démonte minu...ieusement le carburateur de cette voiture. — Les pluies torren...ielles ont endommagé les cultures. — Le clown fait rire l'assistance par ses facé...ies. — Jean-Paul est conscien...ieux et minu...ieux.

880. MOTS A ÉTUDIER.
I. la péripétie ; la minutie ; essentiel ; la satiété ; martial.
II. le lilliputien ; nuptial ; confidentiel ; initial ; le tortionnaire.

LA LETTRE X

● **L'exactitude, le silex, l'exception.**

axe	annexer	vexer	examen	exiguïté	excéder
taxe	apoplexie	asphyxie	exaspération	exigeant	excellence
désaxer	bissextile	réflexion	exaucer	exister	excès
luxe	convexe	onyx	exemption	exode	excessif
flux	dextérité	phénix	exhausser	exorbitant	excentricité
juxtaposition	flexible	anxiété	exhiber	exotique	excentrique
équinoxe	inexorable	sphinx	exhorter	expansibilité	exciter
proximité	inextricable	exagérer	exhumer	expulsion	exclamation
boxe	perplexité	exalter	exigence	extravagant	excursion

REMARQUES

Dans les mots commençant par **ex**, l'**x** se prononce **[ɛgz]** s'il est suivi d'une voyelle ou d'un h :

exactitude [ɛgzaktityd] ; exhaler [ɛgzale]

Il faut donc mettre un **c** après **ex**, si l'**x** doit avoir la valeur d'un **[k] exception [ɛksɛpjɔ̃] ; excellent [ɛksɛlɑ̃]**

EXERCICES

881. Écrivez les noms suivants au pluriel. Ex. : *le silex, les silex.*

silex	vieux	toux	taux	voix	sphinx
noix	houx	époux	choix	index	crucifix
perdrix	flux	courroux	croix	phénix	prix

882. Donnez un nom de la famille des verbes suivants :

exercer	exhumer	exister	exécuter	excepter	extraire
exempter	exiler	exciter	exceller	excuser	expulser
exalter	exhaler	exiger	vexer	extravaguer	expliquer

883. Mettez un c après l'x s'il y a lieu.

ex...ister   ex...ès   ex...iger   ex...hiber   ex...eption   ex...alter
ex...iter   ex...ellent   ex...éder   ex...amen   ex...agérer   ex...entrique

884. Complétez les mots inachevés.

Le boucher découpe la viande avec de...térité. — Les marées d'équino...e sont très fortes. — L'osier a des tiges fle...ibles. — Le lièvre se cache dans un taillis ine...tricable. — A Versailles, la chambre à coucher du roi est d'un lu...e inouï. — Il faut manger à sa faim, mais sans e...ès. — La maman, le cœur plein d'an...iété, attend le docteur. — La récolte de fruits est e...eptionnelle cette année. — Les e...ercices respiratoires sont e...ellents pour la santé. — Le caoutchouc est e...tensible.

885. MOTS A ÉTUDIER.

I. l'anxiété ; l'excellence ; l'exubérance ; la réflexion ; exulter.
II. l'extase ; l'exigence, exigeant ; exaspérer ; anxieux.

LA LETTRE Y

● **Un cyclamen, une glycine, un symbole.**

anonyme	cymbale	hémicycle	myrtille	style
baryton	cyprès	hyène	mystère	sycomore
cataclysme	cycliste	hymne	mythologie	syllabe
chrysalide	dynamo	hypocrisie	nymphe	symétrie
chrysanthème	dynastie	labyrinthe	Olympe	tympan
crypte	élytre	lyre	papyrus	type
cycle	eucalyptus	lynx	polygone	typhon
cyclone	encyclopédie	martyriser	pylône	tyran
cygne	gymnastique	myosotis	pyramide	yacht
cylindre	gypse	myopie	rythme	zéphyr

EXERCICES

886. Donnez quelques mots de la famille de cycle.

887. Employez avec un nom les adjectifs dérivés des mots :

cylindre	hypocrisie	olympe	symbole	dactylographie
pyramide	rythme	mystère	paralysie	encyclopédie
mythologie	oxygène	tyran	lyre	symétrie

888. Mettez la lettre qui convient (i **ou** y**).**

t...mbale   s...gne   c...clone   p...lône   m...tre   r...thme
c...mbale   c...gne   c...terne   p...le   m...the   r...me

889. Complétez les mots inachevés.
Le musicien frappe ses c...mbales l'une contre l'autre. — Il y a eu en
France trois d...nasties de rois. — L'enfant, en tombant, s'est fait de
sérieuses ecch...moses. — Observez les prescriptions de l'h...giène si vous
voulez conserver la santé. — L'on...x est une pierre précieuse. — Le
c...lindre et la p...ramide sont des volumes. — Apprenez à écrire dans un
st...le simple et correct. — Le pap...rus est un roseau d'Ég...pte. — Les
bruits trop violents peuvent crever le t...mpan. — Dans le bassin du port,
de beaux ...achts se balancent.

890. Même exercice que 889.
La gl...cine encadre la porte de la maison. — Le c...gne glisse sur le lac.
— Le c...clone a provoqué un catacl...sme. — Des m...riades de flocons
de neige tombent du ciel gris. — Le chat s'approche h...pocritement de
l'oiseau. — Les feuilles d'eucal...ptus servent à faire des infusions. —
L'ox...gène active les combustions. — Le zéph...r est un vent léger. — Al-
lons dans la montagne cueillir des m...rtilles. — Les n...mphes, d'après la
m...thologie, étaient les divinités des fleuves, des bois, des fontaines. —
Le l...nx est une sorte de chat sauvage.

891. MOTS A ÉTUDIER.
 I. le mystère ; l'hymne ; le cyprès ; le cataclysme ; le symbole.
 II. une myriade ; le yacht ; le rythme ; l'élytre ; le tympan.

LA LETTRE Z

● **L'azur, du riz, un zèbre.**

alizé	bronze	gazon	seize	quartz	zibeline
alizier	colza	gazouiller	topaze	rez-de-chaussée	zigzag
amazone	dizaine	horizon	trapèze	raz de marée	zigzaguer
azote	eczéma	lézard	treize	zèbre	zinc
azur	gaz	lézarde	nez	zèle	zeste
bazar	gaze	luzerne	assez	zénith	zodiaque
bizarre	gazette	mélèze	chez	zéphyr	zone
bonze	gazelle	onze	riz	zéro	zouave

EXERCICES

892. Donnez un mot de la famille des mots suivants :

zèbre	zinc	bizarre	gaz	horizon	treize
zèle	azur	bronze	gazon	lézarde	seize
zigzag	azote	onze	gazouiller	trapèze	riz

893. Mettez la lettre qui convient (s ou z).
va...e   ha...ard   hori...on   ga...on   mélè...e   u...ure
topa...e   ba...ar   guéri...on   diapa...on   malai...e   a...ur

894. Conjuguez à l'imparfait de l'indicatif :
bronzer au soleil — zigzaguer dans le pré — gazouiller comme un pinson.

895. Complétez les mots inachevés.
L'air est un mélange d'a...ote et d'oxygène. — Les hirondelles volent haut dans l'a...ur. — Théophraste Renaudot fonda, en 1631, le premier journal français : *la Ga...ette.* — La Camargue produit beaucoup de ri... — La ga...elle ressemble un peu à la biche. — Le lé...ard se faufile dans l'herbe. — Le mélè...e est un conifère. — La topa...e est une pierre précieuse de couleur jaune. — Le soleil se lève à l'hori...on. — La rosée emperle le ga...on.

896. Même exercice que 895.
Dans le frais matin, on entend le ga...ouillis des oiseaux. — Le bron... est un alliage de cuivre, d'étain et de ...inc. — A Noël, les vitrines du ba...ar attirent les regards des enfants. — Le ...èbre est un mammifère africain ressemblant au cheval ; sa robe grise est rayée de brun. — La ...ibeline est un petit mammifère dont la fourrure est très estimée. — La graine du col...a produit de l'huile. — A l'équateur, le soleil est au ...énith le 21 mars et le 23 septembre. — Les ra... de marée ont des effets dévastateurs. — Le petit sentier ...ig...ague dans la prairie.

897. MOTS A ÉTUDIER.
 I. le zigzag ; la topaze ; le mélèze ; le colza ; le zénith.
 II. la zébrure ; l'amazone ; le muezzin ; le bazar ; bizarre.

LE TRÉMA

● **La ciguë, un glaïeul, un capharnaüm.**

aïeul	canoë	ciguë	faïence	laïciser	oïdium
aïeux	caïman	coïncidence	glaïeul	maïs	ovoïde
ambiguïté	caïd	contiguïté	haïr	mosaïque	ouïe
archaïsme	capharnaüm	égoïsme	hébraïque	naïade	païen
baïonnette	caraïbe	exiguïté	héroïsme	naïveté	stoïcisme

REMARQUES

On met un **tréma** sur une voyelle pour indiquer qu'elle se détache de celle qui la précède. Les voyelles **e, i, u** peuvent être surmontées du tréma : **ciguë, glaïeul, capharnaüm.**

Dans **ciguë, aiguë,** etc., on met le tréma sur l'**e** pour indiquer que ces mots doivent être prononcés autrement que figue, digue, où la lettre **u** est placée pour donner au **g** le son [g].

EXERCICES

898. Donnez les adjectifs de la famille des noms suivants et employez-les avec un nom masculin pluriel, puis un nom féminin pluriel.

naïveté   stoïcisme   héroïsme   haine   archaïsme   œuf
hébreu   égoïsme   coïncidence   laïcisation paganisme   trapèze

899. Employez les adjectifs suivants avec deux noms masculins pluriels, puis deux noms féminins pluriels.

aigu   ambigu   contigu   exigu   inouï

900. Complétez les mots inachevés.

L'a...eul repose dans son fauteuil. — La cigu... ressemble au cerfeuil, mais elle est vénéneuse. — Le gla...eul est une plante ornementale. — Sur les étagères du vaisselier sont disposées des assiettes anciennes en fa...ence. — La mosa...que du couloir a un dessin géométrique. — Le ca...man est une espèce de crocodile qui habite les fleuves d'Amérique et de Chine. — Une égo...ne est une scie à main. — Les poulets de Bresse sont nourris avec du ma...s.

901. Même exercice que 900.

Antoine a descendu l'Ardèche en cano... — L'oreille est l'organe de l'ou...e. — Soyons toujours dignes de nos a...eux. — Un capharna...m est un lieu où l'on entasse des objets en désordre. — Les Romains étaient pa...ens ; ils adoraient plusieurs dieux. — La ba...onnette est un long poignard qui s'adapte au bout d'un fusil. — Pour combattre l'o...dium on soufre les vignes.

902. MOTS A ÉTUDIER.

la mosaïque ; le capharnaüm ; la ciguë ; le glaïeul ; la faïence.

RÉVISION GÉNÉRALE

903. Écrivez correctement les adjectifs qualificatifs et les participes passés en italique.

Les gerbes *dressé* dans les champs prenaient, sous la clarté *incertain* de la lune, l'apparence de *grand* femmes *blanc agenouillé* (A. France). — On voit à perte de vue des écueils *reluisant* et *blanchi* d'écume (A. Daudet). — Dans les flaques *laissé* par la mer, je pêchais de *minuscule* poissons *argenté* (J. Hougron). — Le givre fondait et l'herbe *mouillé* brillait comme *humecté* de rosée (A.-Fournier). —Les heures passaient doucement *battu* par l'horloge (A. Lafon). — *Irréel*, comme *suspendu* dans la lumière du soleil, la ville semblait attendre les hommes du désert (J.-M.G. Le Clézio). — Une ombre *apaisant* enveloppait les pommiers *chargé* de gui (É. Moselly). — Il m'a montré un petit bonhomme qui ressemblait à une belette *engraissé*, avec d'*énorme* lunettes *cerclé* de noir (A. Camus).

904. Même exercice que 903.

Le chien a l'œil noir et sanglant; des dents *aigu* et *blanc* (A. France). — La mousse était *gonflé* d'eau et *pareil* à une éponge (L. Hémon). — C'est si vivant, des ailes! Cela fait frémir de les voir *replié* et *froid* (A. Daudet). — Nous étions *actif, content*, peu *bavard*, je chantonnais une petite chanson (Colette). — La lumière se retirait. Les arbres paraissaient plus *noir* (F. Carco). — On ne jouait plus au ballon que la veste *enlevé* et la figure vite *rougi* (A. Lafon). — La route et le paysage semblaient *maternel* à mon corps lassé par une étape de six lieues (L. Pergaud). — Plus les couleurs sont *vif*, plus elle les trouve *agréable* (A. France). — Les chats-huants, *gavé* de mulots, poussaient de *petit* éclats de rire (H. Bazin).

905. Analysez les mots en italique dans l'exercice précédent.

906. Même exercice que 903.

Arrivé aux fraisiers, la chenille se repose (J. Renard). — *Surchauffé* au soleil, *ridé, cuit*, et *recuit*, les prunes étaient *exquis* (P. Loti). — Il s'assit sur une des chaises *garni* de cuir *brun* et fit glisser son index sur les têtes *arrondi* des clous *doré* (R. Sabatier). — *Seul* les corbeaux décrivaient de *long* festons dans le ciel (G. de Maupassant). — *Effrayé* par une mouette, les oiseaux repartirent (J. Giraudoux). — *Penché* sur le lit de cuivre, ils regardaient dormir Claude (G. Gaulène). — *Vertical, pesant, acharné*, une grosse pluie s'abattait sur le jardin (G. Duhamel).

907. Mettez au masculin pluriel, puis au féminin pluriel :

Atterré, je m'éveillais (J. Giraudoux). — Sorti du grand hall, il se sentait dépaysé (J. Pallu). — Abrité par les roseaux, il guette les canards (A. Daudet). — Chétif et vieux, il n'en portait pas moins sa sacoche pleine de lettres (H. Bosco).

908. Mettez la terminaison é du participe passé ou la terminaison er de l'infinitif.

La hache faisait vol... à chaque coup un copeau taill... dans le sens de la fibre (L. Hémon). — Meaulnes est parti. Sitôt le déjeuner termin..., il a dû saut... le petit mur et fil... à travers champs (A.-Fournier). — Comment l'oubli..., ce premier bol de bouillon parfum..., sem... de cerfeuil (J. Cresson). — On peut se faire un nom en littérature pòur avoir publi... un seul son- net, et il n'a pas fallu beaucoup de notes à Albinoni pour obséd... nos attentes aux feux rouges et nos soirées à la campagne (J. Lacouture). — Le chien, roul... sur le paillasson, grognait un peu (G. Duhamel). — Le vent glac... de la nuit vint lui souffl... au visage et soulev... un pan de son manteau (A.-Fournier). — Oh! quel silence! On entend sur le pavé sonn... les pas (J. Vallès).

909. Mettez la terminaison i du participe passé ou la terminaison it du verbe.

Le convoi se mit en marche, sans cesse gross... de nouveaux arrivants (A. Le Braz). — Une banque consent... un crédit rassurée par mes rentrées désor- mais régulières (F. Cavanna). — Le navire, subitement envah... par l'eau, a coulé (P. Weiss). — Chassée des salons et des cabines, la foule envah... les ponts (M. Harry). — Si le ciel noirc..., il n'y a pas de quoi changer l'humeur des deux compagnons (Colette). — Place du Château-d'Eau, un ivrogne faill... me heurter, puis il disparut (G. de Maupassant). — Je l'aimais, mon âne, avec son poil blanch... par le soleil (P. Arène). — Le lierre fleur... sur le mur retenait l'affairement des abeilles (A. Lafon). — L'Américain est un homme qui bât... et sub... les routes, s'en nourr..., s'en grise (C. Roy). — Il y avait un lit garn... d'une simple natte d'osier tressé (Camara Laye).

910. Écrivez le nom propre ou l'adjectif qui convient.

Trois enfants *Roumanie* poursuivaient une poule. Des buffles remuaient la vase (J. Giraudoux). — Le *Roumanie* s'assit à sa place, se cala sur son siège (G. Arnaud). — Sans doute cette dame est *France,* car sa voix est *France.* Son compagnon est *Russe* (A. France). — L'*Angleterre* voyage aussi, mais d'une autre manière (J.-J. Rousseau). — Le peuple *Angleterre* a pour le rouge-gorge un culte tendrement superstitieux (A. Theuriet).

911. Écrivez correctement, s'il y a lieu, les adjectifs qualificatifs de couleur.

Des bousiers *noir* et *bleu* errent sous l'herbe roussie (Colette). — Les ombres étaient *violet,* les taxis plus *rouge* et les autobus plus *vert* (G. Simenon). — Ses yeux *bleu pâle* et *blanc* interrogeaient la bergère (R. Bazin). — Il paraissait presque Parisien avec ses gilets *jaune soufre* (Balzac). — Des campanules *mauve,* des aigremoines *jaune* ont jailli en fusées (Colette). — Les hautes cheminées dominent les toits *orange* et les toits *bleu ardoise* (A. Maurois). — Des volubilis aux grandes fleurs *bleu turquoise* grimpent jusqu'au sommet de la tour. — Elles portent des robes de linon *citron, émeraude* et *géra-nium* (R. Vailland).

912. Écrivez correctement les adjectifs numéraux en italique.

L'hirondelle, toutes les *5* minutes, arrivait avec quelque chose dans le bec (E. Fromentin). — L'étable dormait, chaude de la respiration de *12* vaches (L. Pergaud). — Les *500* fils semblèrent se tendre, en tourbillonnant (J.-R. Bloch). — Le bourricot trottinait de ses *4* petits pieds blancs (H. Pourrat). — Le vent, aux *100* voix, gémissait (Van Der Meersch). — Ces *1 000* petites abeilles blanches nous piquaient le visage (F. Carco). — Je revois les *20* petites têtes qui se dressaient (É. Moselly). — Sur les *15* prochaines bornes, la piste est défoncée (G. Arnaud).

913. Analysez les adjectifs numéraux de l'exercice précédent.

914. Écrivez correctement les mots en italique.

La campagne chantait par *tout* ses poulaillers (E. Pérochon). — Il connaît *tout* les inégalités du sol, *tout* les rapiéçages de la chaussée (R. Martin Du Gard). — Ils se mirent à courir de *tout* la force de leurs pieds fatigués (A. France). — Les fumées du soir montaient *tout* droites au-dessus des maisons (P. Neveux). — Il allait en *tout* lieux avec son tablier de maître boulanger (H. Béraud). — Je n'ai pas connu *tout* les histoires de *tout* les familles. Des uns et des autres, j'en ai su ni plus ni moins que *tout* le monde (L. Calaferte). — Représentez-vous la foule des travailleurs qui ont peiné *tout* ensemble (Alain).

915. Écrivez correctement, s'il y a lieu, les mots en italique.

Les *même* fautes se retrouvaient dans leurs devoirs (A. Lafon). — Les chiens tournent sur eux-*même* comme des fous (A. Daudet). — Vous sifflotiez et vous avez *même* esquissé une glissade de tango (P.Modiano). — *Quelque* arbres, çà et là, lèvent leurs colonnettes grêles (Taine). — Le directeur de l'hôpital pourra sans doute vous occuper pendant *quelque* temps (L. Frapié). — La demeure du grillon est sur *quelque pente ensoleillée* (F. Fabre).

916. Écrivez les verbes en italique au présent de l'indicatif. Soulignez les sujets.

C'était la saison tardive où l'on *couper* les fougères qui *former* la toison des coteaux roux (P. Loti). — Mes deux chevaux le *connaître*. Maintenant, c'est lui le maître, sa voix les *commander* (H. Hamp). — Je *revoir* les préparatifs : la blouse et le cache-nez qu'*imposer* la prudence maternelle (J. Cressot). — La lumière, la chaleur, la fatigue *courber* les gens vers la terre (J. Orieux). — Le jour naissant qui *éclairer* la verdure, les premiers rayons qui la *dorer,* la *montrer* couverte d'un brillant réseau de rosée (J. -J. Rousseau). — Il examine les grappes, les *soupeser* (M. Chauvet).

917. Écrivez les verbes en italique à l'imparfait de l'indicatif.

Son nez subtil, sa fine oreille l'*avertir* avant tout le monde (L. Pergaud). — Une barque *venir* de la rive. Quatre hommes la *monter* (H. Bosco). — Ses yeux étaient brouillés et *brûler* ses paupières quand il **les** *abaisser* (G. Arnaud). — Sur le domaine *déferler* des bois de sapins qui **le** *cacher* à tout le pays plat (A.-Fournier). — Jacquemort, en se rendant au village, évita de passer par la rue principale et par la place où se *tenir* la foire (B. Vian) — Le pavé gris *luire* sous la flaque de lumière que *projeter* les phares (Van Der Meersch). — Dans le dortoir, le jour naissant et le dernier passage du veilleur nous *réveiller* (A. Lafon). — Maman **nous** *embrasser. Venir* alors les frissons du matin frais, l'eau, l'éponge et la cuvette (G. Duhamel). — Un lièvre déboucha sur un vaste pâturage **où** *paître* une jument et son poulain (E. Pérochon).

918. Analysez les mots en gras dans l'exercice précédent.

919. Mettez le participe passé à la place du verbe en italique.
Derrière ses quais, *élever* comme des remparts, la ville avait l'air d'une citadelle *dominer* par la prison du fort Saint-Jean (A. Chamson). — Dans le lointain, la Seine *amincir* n'était qu'une lame brillante (A. Maurois). — Le lièvre se gîte *allonger,* les pattes de devant *joindre* et les oreilles *rabattre* (J. Renard). — Devant leur villa, aux volets fraîchement *repeindre,* un couple de vieux rentiers était assis (J. L'Hote). — Mon père ne m'achetait jamais de joujoux tout *faire* chez les marchands (C. Mendès). — La petite gare *fleurir* de chèvrefeuille, *ombrager* de marronniers attend paisiblement le train (G. Maurière). — Le repas *finir* on dormait un peu (P. Arène). — Les paniers *remplir* s'en vont à la hotte (J. Cressot).

920. Mettez les participes passés des verbes en italique.
Les talus étaient *recouvrir* d'une herbe luisante (É. Moselly). — Les yeux de Florent étaient *empreindre* de douceur (A. Lafon). — Nous sommes *aller* nous promener, très fiers, immensément fiers de notre accoutrement (Camara Laye). — Un cheval et son cavalier furent *culbuter* rudement (P. Mérimée). — Il fait un temps déchaîné, les chemises des hommes sont déjà *tremper* (P. Loti). — Par qui donc la bataille a-t-elle été *gagner* ? (V. Hugo). — Les plantes qui n'ont pas été *tuer* sont tristes. La végétation semble avoir été *fusiller* ou *meurtrir* par le canon (J. Vallès). — Soyez *remercier* mes yeux (Verhaeren). — Tant que la maison n'était pas *fermer,* que les lumières n'étaient pas *éteindre,* Miraut attendait (L. Pergaud).

921. Mettez les participes passés des verbes en italique.
Sur la place, plusieurs hommes du bourg avaient *revêtir* leurs vareuses de pompier (A.-Fournier). — *Oublier* ou *punir,* nous étions ceux que le dimanche avait *décevoir* (A. Lafon). — La petite oie déplumée, nous l'avons *sortir* des volières et *lâcher* seule dans le pré (G. Duhamel). — Dans la direction qu'il avait *indiquer,* des taches montaient vers les batteries fascistes, parallèlement à la route, mais *protéger,* utilisant le terrain (A. Malraux).

922. Accordez, s'il y a lieu, les participes passés en italique.
Un jour, tu as *ri* si fort que les passants ont *levé* la tête et nous ont *vu* (G. Duhamel). — Deux barreaux de fer avaient *dû* clore cette ouverture. Mais le temps les avait *descellé* (A.-Fournier). — Que de livres ! s'écria-t-elle. Et vous les

avez tous *lu*, monsieur Bonnard (A. France). — La neige a *coulé* du ciel bas ; elle a tout *enseveli* (J. Proal). — Il avait une clientèle fidèle, grâce à la réputation qu'il avait toujours *conservé* (L. Guilloux). — Quelle joie j'ai *eu* à extraire du sol ces belles pommes de terre ! (G. Maurière). — Les enfants de Monsieur Mozart ont *excité* l'admiration de tous ceux qui les ont *vu* (F.-M. Grimm). — Pendant des années, nous l'avions *cherché*, cette source introuvable (R. Margerit).

923. Accordez, s'il y a lieu, les participes passés en italique.
Il y a des hommes qui se sont *rossé*, des chiens qui se sont *battu* : les cris se sont *mêlé* aux prières (L.-F. Rouquette). — L'herbe si longtemps grillée s'est *rafraîchi* (J. Renard). — Les grands ormeaux s'étaient *fleuri* jusqu'au faîte (A. Lafon). — Dès les premières nuits froides, les quenouilles des peupliers s'étaient *doré*. Puis les hêtres et les érables s'étaient *allumé* comme des torches (E. Pérochon). — Elle s'est *donné* beaucoup de mal (A. Gide). — La nature attendait. Tous les oiseaux s'étaient *tu* (A. Gide). — Certains élèves ne s'étaient *mouillé* qu'à peine la figure (A. Lafon).

924. Accordez, s'il y a lieu, les participes passés en italique.
Nous [sommes *parti*]. Mes jambes et mes bras [se sont *détendu*] (R. Boisset). — Le soleil [a *séché*] la pluie et l'on dirait que les cailloux [ont été *lavé*] (L. Frapié). — L'église [avait *choisi*] sa place, les maisons [étaient *venu*] vers elle (G. Delaunay). — La lueur que Meaulnes [avait *aperçu*] était celle d'un feu de fagots (A.-Fournier). — Tous ceux qui venaient me voir [s'étaient *donné*] le mot (R. Rolland).

925. Analysez les verbes entre crochets de l'exercice précédent.

926. Accordez, s'il y a lieu, les mots en italique.
1. Le soleil entrait par les hautes fenêtres sans *rideau* (A. France). — Ni *piéton* ni *voiture*, le long des routes qui se déroulaient à perte de vue (P. Neveux). — Les rainettes coassaient par *peuplade entière*, une fouine glissait de *branche en branche* (H. Bosco). — Sitôt son culot de pipe bourré à *large coup de pouce*, le voilà qui fume (J. Nesmy). — L'horloge de bois rouge battait, elle sonnait à *coup pressé* (A. Theuriet).
2. Ses cheveux emmêlés sortaient par *mèche épaisse* de sa casquette (A. Theuriet). — Partir à *pied* quand le soleil se lève, et marcher dans la rosée, quelle ivresse ! (G. de Maupassant). — Quatre génisses paissaient attachées en *ligne* (G. de Maupassant). — Nous longions les prés humides sur lesquels s'étalait la rivière débordée. Plus de *roseau*, plus de *fleur* (G. Droz).

927. Mettez les verbes en italique au présent de l'indicatif. Justifiez la terminaison en écrivant l'infinitif entre parenthèses.
Rien ne *ser*... de courir, il faut partir à point (La Fontaine). — Le moineau *ser*... la branche avec ses pattes et *pépi*... d'un bec tendre (J. Renard). — Le chien *aboi*..., se dresse sur ses pattes de derrière, puis se *tapi*... sur le sol (Lichtenberger). — La pluie augmente, la terre sèche la *boi*... avec avidité (M. Colomb).

— La poule noire se glisse entre deux rousses, *jou...* des ailes (C. Sainte-Soline).
— L'ingénieur ne se *résou...* pas à interrompre son travail (G. Arnaud). — En quelques heures je *me per...* dans les millénaires, je *me trouv...* à l'ère de la pierre polie, je *m'enfonc...* dans les âges (L. Bodard). — Éclaboussée de lumière, la façade *ri...* (É. Moselly). — Le vert-bleu du figuier *se mari...* au vert foncé de l'abricotier (J.-J. Tharaud).

928. Même exercice que le précédent.

La vigne *tor...* ses pieds entre les cailloux (H. Taine). — L'immense lac semble paisible. Il *dor...* sous les fleurs (F. de Croisset). — Le sommet des coteaux se *dor...* au soleil déclinant (R. Bazin). — Je *pli...* et ne *romp...* pas (La Fontaine). — Un sifflement lointain *répon...* aux rauques sirènes : c'est le train (Colette). — Heureuse tortue qui ne *crain...* pas la soif ! (A. Maurois). — Le beau grain roux se *répan...* par terre de tous côtés (A. Daudet). — Pour la première fois, au crépuscule, *j'enten...* le merle (A. Suarès). — Une joie *m'étrei...* je ne *peu...* la définir (M. Herzog). — La servante m'apporte les pots que je *rempli...* de sirop rouge (G. Franay). — *J'oubli...* souvent que j'ai quinze ans passés (Colette).

929. Mettez les verbes en italique au présent de l'indicatif.

La roulotte *crier, grincer, geindre,* à chaque tour de roue (É. Moselly). — Le printemps ! Aussitôt du vert *apparaître* partout (Benech). — Pour mieux voir le bijou, elle *clore* à demi les yeux (J. Renard). — *J'apprendre* petit à petit à connaître la rivière. Je *m'asseoir* [aux 2 formes] auprès d'un saule. *J'apercevoir* à l'horizon de belles montagnes (G. Duhamel). — La faux du moissonneur *flamboyer* dans l'or ondoyant des blés (G. Duhamel). — Le pivert *interrompre* son travail de bûcheron (R. Mazelier). — Claude *renvoyer* la balle avec force. Il se trouve un peu nerveux (J. Jolinon). — J'admire ton courage et je *plaindre* ta jeunesse (Corneille).

930. Écrivez au présent, puis à l'imparfait de l'indicatif.

La joie des choses nous *pénétrer* et nous *recommencer* à espérer (A. Theuriet). — Partout des fleurs *percer* la mousse (E. Pérochon). — Oh ! ces larges beaux jours dont les matins *flamboyer* ! (Verhaeren). — Les poulies *grincer,* les câbles *crisser,* les filins *frémir,* le filet *s'élever* lentement (R. Vailland). — L'hippopotame ne *craindre* pas le lion (J.-H. Rosny). — Une soif ardente *étreindre* ma gorge (L.-F. Rouquette).

931. Même exercice que le précédent.

Elle *approcher* de son nez la boule fleurie, elle *essayer* de sentir, mais elle ne *sentir* rien (A. France). — L'herbe *noyer* le pied des arbres d'un vert délicieux et apaisant (Colette). — Les souches basses et les racines *émerger* des plaques de neige (L. Hémon). — Sur notre chemin, nous *déranger* de gros lézards verts (B. Bonnet).

932. **Mettez les verbes en italique au passé simple.**

Jean *s'asseoir, souffler, s'éponger* et *demander* à boire (O. Mirbeau). — Le lendemain, la brume *se dissiper* et un vapeur les *apercevoir* (R. Vercel). — Cinq heures *sonner*. Les hommes *grogner, bâiller,* mais aucun n'étant tenu de partir aussitôt, ils *se rendormir* (G. Nigremont). — Une des vieilles clefs *parvenir* à entrer dans la serrure (R. Escholier). — Les rires, s'autorisant de ce sourire, ne *se retenir* plus (A. Gide). — En un instant, le chien *bondir* près de la haie et *apparaître* la gueule ouverte (R. Bazin). — Nous *partir,* je ne sais comment je *se trouver* sur le dos de l'âne (P. Arène).

933. **Mettez les verbes en italique au futur simple.**

Un jour, c'est la maison entière qui *disparaître,* c'est la rue et le quartier entiers qui *mourir* (G. Pérec). — Ils *voir* la mer splendide, ils *respirer* l'air délicieux, plein d'odeurs (M. Butor). — Sous le cloître de la mosquée, je vis une figure que je n'*oublier* jamais (Th. Gautier). — Francesco est dans l'attente du cri qui *faire* se refermer la mâchoire du filet et alors les hommes *courir* autour des cabestans (R. Vailland). — Cette nuit, par une faveur insigne, vous *recevoir* le don de changer votre personnalité contre celle qu'il vous *plaire* d'élire : vous *devenir* ce que vous *vouloir* (J. Green). — Si tu veux, mon ami, nous l'*appeler* Justine (A. France).

934. **Mettez les verbes en italique à un temps simple.**

Alors, Henriette *s'avancer* sur le seuil, couvert de bestioles qui s'enfuyaient, et *jeter* un coup d'œil au-dehors (R. Escholier). — Debout sur sa herse pour la rendre plus lourde, le paysan *paraître* se livrer, derrière son buffle, au ski nautique (Vercors). — Alors, pan ! voilà un agent qui *sortir* d'une encoignure, à quatre pas de nous (G. Duhamel). — Comme jadis, l'eau *courir* et *chanter* au long des rues, mais au carrefour, je ne *vouloir* pas tourner la tête vers la maison au grand jardin (J. Cressot). — Maintenant va voir quand nous *se revoir* (J. Giono). — Je suis seul, ce soir, seul depuis des mois, et je *être* seul encore demain (L.-F. Rouquette).

935. **Mettez les verbes en italique aux temps composés demandés. Accordez les participes passés, s'il y a lieu.**

La femme pèle une pomme rouge qu'elle *choisir* (passé comp.) dans le panier (M. Butor). — Au cours des années qui *précéder* (pl.-q.-parf.) l'explosion et la destruction de l'île civilisée, Robinson *s'efforcer* (pl.-q.-parf.) d'apprendre l'anglais à Vendredi (M. Tournier). — Gisèle *se fouler* (passé comp.) le pied. C'est pour cela qu'elle *ne pas pouvoir* (passé comp.) venir en classe (A. Gide). — Cette fois-là, nous *parvenir* (pl.-q.-parf.) à sauver l'équipage (A. Daudet).

936. **Même exercice que 935.**

Tant d'anxiétés et de troubles divers nous *empêcher* (pl.-q.-parf.) de prendre garde que mars *venir* (pl.-q.-parf.) (A.-Fournier). — Le jeune cerf au poil rouge *rejoindre* (pl.-q.-parf.) sa mère. Lui aussi *entendre* (pl.-q.-parf.), reconnu, l'approche de l'homme (M. Genevoix). — Dès que nous *entendre* (passé ant.) les assaillants crier, nous fûmes persuadés que nous avions affaire à des jeunes gens du bourg (A. Fournier). — Dépêchons-nous, dépêchons-nous. Plus tôt nous *finir* (fut. ant.), plus tôt nous serons à table (A. Daudet). — Vous ferez tout le tour de la ville où les tramways et les trolleybus *commencer* (fut. ant.) leur tintamarre (M. Butor).

937. Mettez les verbes en italique au temps convenable. Indiquez le nom du temps entre parenthèses.

Si tu voulais, on *creuser* un canot dans un arbre, on *se laisser* aller au fil de l'eau (M. Genevoix). — Il paraissait certain que je ne pouvais aborder qu'à une île déserte, où je *dresser* des buffles, où je *pêcher* des tortues et où je *voir* des flamants roses (M. Du Camp). — J'*continuer* ma route si une racine n'avait arrêté ma barque et ne m'avait forcé à sauter sur la rive (J. Martet). — D'ailleurs, si j'étais sorti, le jardinier m'*battre*. Donc je ne suis pas sorti (G. Duhamel). — L'âne cherchait toujours ma grand-mère, dont il savait qu'il *recevoir* quelque friandise (G. Sand).

938. Mettez les verbes en italique au présent de l'impératif.

Ne *musarder* pas : *aller* travailler et *laisser*-moi tranquille (A. France). — Surtout aujourd'hui, ne te *salir* pas, n'*agrandir* pas les trous de ta veste (L. Frapié). — *Attendre* un peu. Tu es toujours trop pressé (F. Sagan). — *Écouter*, tu es vraiment très peureux. Il n'y a rien dans la cave de ce que tu supposes. *Descendre* avec moi (R. Charmy). — Ne *pétiller* pas trop, ne *cracher* pas d'étincelles; *être* clément, feu varié, que je puisse t'adorer sans crainte (Colette).

939. Mettez les verbes en italique au temps convenable du mode subjonctif. Indiquez le nom du temps entre parenthèses.

De peur que tu ne *rompre* ta corde, je vais t'enfermer dans l'étable (A. Daudet). — Il veut qu'on l'*écouter*, il veut qu'on le *comprendre* (R. Delange). — Bien que je n'*atterrir* que depuis quelques jours, j'aspire déjà à lever l'ancre (A. Gerbault). — On voulait écouter la voix de l'espace d'où qu'elle *venir* (R. Guillot). — La nuit était tombée. Il valait mieux qu'elle *tomber* (H. Bosco). — Il n'y avait pas de rats dans la maison. Il fallait donc qu'on *apporter* celui-ci du dehors (A. Camus). — J'avais obtenu qu'on *faire* tapisser ce galetas, qu'on y *placer* des étagères (P. Loti).

940. Écrivez comme il convient les mots en italique.

Maisons mortes. — Il m'*arriver* (passé comp.) de revenir dans le village de mes ancêtres et de le parcourir pour dénombrer (*ses* ou *ces* : choisissez) *maison morte*. Beaucoup en effet, usé, abandonné, oublié, s'*effondrer* (pl.-q.-parf. de l'ind.) par un lent désespoir, sous les *coup féroce* du mistral, et là (*ou*, *où* : choisissez) des familles de jadis *florissant*, aujourd'hui *disparu*, *élever* (passé comp.) des enfants qui avaient été mes *condis.iples* (mettez la lettre qui convient à la place du point), je ne *trouver* (passé simp.) qu'amas de *pierre grise, toiture pantelante, muraille décharnée.* Le spectacle désolant avait je ne *savoir* (ind. prés.) *quel* saveur de désastre qui me *monter* (imp. de l'ind.) à la tête.

---

941. Écrivez comme il convient, s'il y a lieu, les mots en italique. Mettez les verbes en italique à l'imparfait de l'indicatif.

Rentrée scolaire. — Il *pouvoir* être huit *heure* du matin. Le soleil *rôder, triste,* derrière les *nue.* Les *travail* des champs étaient *achevé,* et un à un, (*ou, où :* choisissez) par *petit groupe,* on *voir* revenir (*à* ou *a :* choisissez) l'école les *petit berger* à la peau *tanné, bronzé* de soleil, *au cheveu dru, coupé* ras (*a* ou *à :* choisissez) la tondeuse, la même qui servait pour les bœufs, aux *pantalon rapiécé* aux *genou* et au *fond,* mais *propre,* aux *blouse neuve, raide,* qui, en *déteindre* (part. prés.) leur *faire,* les premiers jours, les mains *noir* comme des pattes de *crapaud.* Ce jour-là *il traîner* le long des chemins et leurs pas *sembler alourdi* de toute la mélancolie du *temp.* (mettez la lettre qui convient à la place du point), de la saison et du paysage.

L. Pergaud, La Guerre des boutons, Mercure de France.

---

942. Écrivez comme il convient, s'il y a lieu, les mots en italique.

Les hirondelles *apprivoisé.* — Une année de mon enfance *se dévouer* (passé simp.) (*a* ou *à :* choisissez) capturer, dans la cuisine, (*ou, où :* choisissez) dans l'écurie, les *rare* mouches d'*hiver,* pour la pâture de deux hirondelles, couvée d'octobre *jeté* bas par le vent. Ne fallait-il pas sauver (*ses* ou *ces :* choisissez) *insa.iables* (mettez la lettre qui convient à la place du point) *au bec large,* qui *dédaigner* (imp. de l'ind.) toute proie morte ? C'est grâce à *elle* que je *savoir* (présent de l'ind.) combien l'hirondelle *apprivoisé* passe, en *so.iabilité* (mettez la lettre qui convient à la place du point) insolente, le chien le plus gâté. Les deux *nôtre vivre* (imp. de l'ind.) *perché* sur l'épaule, sur la tête, *niché* dans la corbeille (*à* ou *a :* choisissez) ouvrage, courant sous la table comme des poules et piquant du bec le chien interloqué, *piailler* (part. prés.) au nez du chat qui perdait contenance. *Elle venir* (imp. de l'ind.) à l'école au fond de ma poche et *retourner* (imp. de l'ind.) à la maison par les airs. Quand la *fau.* (mettez la lettre qui convient à la place du point), luisante de *leur aile grandir* et *s'affûter* (passé simple), elles *disparaître* (passé simp.) à toute heure dans le haut du ciel *printemps* (mettez l'adjectif dérivé de ce mot), mais un seul appel aigu : « Petî-î-î-tes ! » les *rabattre* (imp. de l'ind.) fendant le vent comme deux flèches, et elles *atterrir* (imp. de l'ind.) dans mes *cheveu, cramponné* de *toute leur serre courbe,* couleur d'acier noir. Que tout était *fé.rique* (mettez la lettre qui convient à la place du point) et simple parmi cette faune de la maison *natal* !

Colette, La Maison de Claudine, Ferenczi.

943. Écrivez comme il convient, s'il y a lieu, les mots en italique. Mettez les verbes dont on n'a pas précisé le temps à l'imparfait.
Une parfaite ménagère. — Chaque *jour,* Mme Branche *laver* à *grande eau* non seulement son plancher, mais encore la table et les *tabouret* de *hêtre* qui avec un poêle (*flamand* ou *Flamand :* choisissez) (*fourbi* ou *fourbit* choisissez) à la mine de *plom.* (mettez la lettre qui convient à la place du point), *compléter* le mobilier dont elle *disposer.* (*Ses* ou *Ces :* choisissez) enfants, tout aussi *soigné* que son ménage, *sembler* en outre avoir été *traité* de la même manière. On les *dire* (cond. pass. 2ᵉ f.) *récuré;* mieux encore : *bouilli* dans la lessive. *D'ailleur.* (mettez la lettre qui convient à la place du point), ils *sentir* la lessive. Hiver comme été, ils étaient uniformément *vêtu* de tabliers à *carreau rouge* et *blanc* ou *bleu* et *blanc* sur ... (mettez le pronom relatif qui convient) on ne *voir* jamais une tache.

André Perrin, Le Père, Julliard.

944. Écrivez comme il convient, s'il y a lieu, les mots en italique. Mettez les verbes dont on n'a pas précisé le temps à l'imparfait.
Au wagon-restaurant. — Vous *aller* (passé comp.) jusqu'au wagon-restaurant pour y prendre non point le précieux café (*italien* ou *Italien :* choisissez), cette liqueur *vivifiant* et *concentré,* mais simplement une eau noirâtre dans une épaisse tasse de faïence *bleu pâle* avec les *curieux* biscottes *rectangulaire, enveloppé* par trois dans de la *cello..ane* (mettez les lettres qui conviennent à la place des points)... *Dehor.* (mettez la lettre qui convient à la place du point), sous la pluie, *passer* la forêt de Fontainebleau dont les arbres *être* encore *garni* de feuilles que le vent *arracher* comme par *touffe* et qui *retomber* lentement *pareil* à des essaims de *chauve-souris pourpre* et *fauve.* (*Ses* ou *Ces :* choisissez) arbres *perdre* (passé comp.) en *quelque jour* tout leur *appara.* (mettez la lettre qui convient à la place du point).

Michel Butor, La Modification, Éditions de Minuit.

945. Écrivez comme il convient, s'il y a lieu, les mots en italique. Mettez les verbes dont on n'a pas précisé le temps à l'imparfait.
Sur le cerisier. — Les deux *grimpeur atteindre* la cime que la foudre *rogner* (pl.-q.-parf. de l'ind.) *quelque année auparav.nt* (mettez la lettre qui convient à la place du point). Une gerbe de *rameau tendre* vers le ciel (*ses* ou *ces :* choisissez) bras *suppliant au* larges manches *alourdi* de *feuille* et de *fruit.* En cet endroit proche du soleil, les cerises *changer* (pl.-q.-parf. de l'ind.) leur teinte *tr.nslucide* (mettez la lettre qui convient à la place du point), en une nuance plus épaisse, un rouge qui *foncer* au violet. Les plus *mûr éclater* sous l'averse (*ou, où :* choisissez) le coup de bec d'un merle, *montrer leur noyau pâle* au creux d'une plaie *noir* et *charnu.*

Le garçon *tirer* les fruits par *poignée,* la pulpe lui *juter* dans les *doi.ts* (mettez la lettre qui convient à la place du point) et les *noyau rester* sur l'arbre. *Installé* sous un rameau prodigue, Aline, le *becqueter, avancer* (part. prés.) et renversant la tête à mesure que les richesses *fondre* dans sa bouche comme neige au soleil.

Raymond Dumay, *Le Raisin de Maïs,* Gallimard.

946. Écrivez comme il convient les mots en italique.

Vieilles choses. — Nous *avoir* (prés. de l'ind.) en haut sous le toit, une grande pièce de *débar.as* (mettez la lettre qui convient à la place du point), qu'on *appeler* (prés. de l'ind.) «la pièce *au vieux objet*». Tout ce qui ne *servir* (prés. de l'ind.) plus est jeté (*la* ou *là :* choisissez). Souvent j'y monte et je regarde autour de moi. Alors je retrouve un tas de *rien* ... (mettez le pronom relatif qui convient) je ne *penser* (imparf. de l'ind.) plus et qui me *rappeler* (prés. de l'ind.) un tas de *chose.* Et je *aller* (prés. de l'ind.) de l'un à l'autre avec de *légère secousse* au cœur. Je me dis : « *Tenir* (impératif prés. singulier), j'*briser* (passé comp.) cela le soir (*ou, où :* choisissez) Paul *partir* (passé comp.) pour Lyon.» Ou bien : «Ah! voilà la lanterne de maman ... (mettez le pronom relatif qui convient) elle se servait pour aller au salut les soirs d'hiver.» Il y a même (*la* ou *là :* choisissez) des choses qui ne me *dire* (prés. de l'ind.) rien, qui *venir* (prés. de l'ind.) de mes *grand-parent.* Personne n'*voir* (passé comp.) les mains qui les *manier* (passé comp.), ni les yeux qui les *regarder* (passé comp.)

Guy de Maupassant, *Le Père Milou.*

947. Écrivez comme il convient les mots en italique.

Une petite ouvrière. — Nous *arriver* (passé simp.) à l'usine de chicorée. Mon oncle me *conduire* (passé simp.) au bureau, puis dans l'atelier (*ou, où :* choisissez) je *devoir* (imp. de l'ind.) travailler. Une grande femme brune, l'œil noir, l'air autoritaire, nous *recevoir* (passé simp.). La dame *s'emparer* (passé simp.) de moi, m'*installer* (passé simp.) devant une table et m'*expliquer* (passé simp.) mon ouvrage. Je *savoir* (passé simp.) qu'elle était contremaîtresse.

La salle était grande, basse de plafond, chaude comme dans un four, en ce mois d'août. Une poussière rousse y *flotter* (imp. de l'ind.). J'y *distinguer* (imp. de l'ind.) autour de moi d'*autre table* comme la mienne et devant des ouvrières qui *s'agiter.*

Le travail me *plaire* (passé simp.). Nous étions *assis* chacune devant une sorte de *com.toir* (mettez la lettre qui convient à la place du point) (*garni* ou *garnit :* choisissez) d'une balance, d'une pile de *paquet aplati* et d'une grande caisse de chicorée avec une truelle. Je *saisir* (imp. de l'ind.) un paquet, l'*emplir* (imp. de l'ind.), le *peser,* (imp. de l'ind.), le *rouler* (imp. de l'ind.)... J'avais l'impression de jouer (*a* ou *à :* choisissez) l'épicière.

Maxence Van Der Meersch, *Le Péché du Monde,* A. Michel.

948. **Écrivez comme il convient les mots en italique. Mettez les verbes dont on n'a pas précisé le temps à l'imparfait.**
Paysage d'automne. — Le paysage était magnifique : le chemin *contourner* le pied d'un coteau mollement mamelonné. De *haut c.près* (mettez la lettre qui convient à la place du point) lui *prêter* une dignité, une sévérité *florentine.*
Plus bas des *olivier roulé* en *boule* comme des chats *dévaler* les pentes *bleuté;* de *v.eilles* (mettez la lettre qui convient à la place du point) maisons couleur de maïs *sourire* sous *leur tuile fleurie.* Et continuant ce coteau, une autre colline *apparaître*, *d'autre* encore, *toute* se levant et se suivant à la file comme si elles *faire* un pèlerinage vers l'occident. Dans la campagne *s'allumer* des *feu* de *feuille morte.* De chacun de ces brûlots *monter* des tourbillons de fumée. Ils *être massif* d'abord comme une colonne, puis *s'amenuiser, se fondre* peu à peu, *s'en aller* en *filament ténu*, en *flocon bleu*, en *trait estompé* qui se *mêler* au brouillard, si bien qu'on ne *pouvoir* savoir si ce rideau qui *tomber* peu à peu était fait de *brume ou de fumée.*
Et l'odeur des feuilles *se mêler* (*a* ou *à* : choisissez) l'air : odeur âcre, vivifiante et agréable, odeur de bois vert qui *fla.be* (mettez la lettre qui convient à la place du point).

E. Jaloux, *Fumées dans la campagne,* Plon.

949. **Écrivez comme il convient les mots en italique.**
Tempête au Sahara. — D'un seul coup, le décor *changer* (passé simp.) : ils étaient *enfermé* dans un *c.aos* (mettez la lettre qui convient à la place du point) de *dune enchevêtré...* Ils n'*pouvoir* (condit. passé 1re f.) dire par (*ou, où* : choisissez) ils avaient forcé, quelques instants (*plus tôt* ou *plutôt* : choisissez) cette muraille mouvante ; c'était comme si l'étroit couloir qui leur avait *donné* passage entre deux *grand* dunes s'était subitement *bouché...* Le vent, au lieu de tomber avec le soir, *s'amplifier* (passé simp.). Bientôt, ils *être* (passé simp.) *au prise* avec la plus effrayante tempête de sable qu'ils aient jamais *essuyé.* Il n'était plus question d'avancer. On *former* (passé simp.) le carré avec les *six* chameaux qui *crier* (imp. de l'ind.), de *faim et de rage.* On *serrer* (passé simp.) les bêtes ; les hommes *se blottir* (passé simp.) contre *elle* et *attendre* (passé simp.)...
Chacun *s'apercevoir* (passé simp.) alors qu'ils avaient tous prématurément *vieilli.* Ces six *dernier jour* les avaient plus *marqué* que le mois de route qui avait *précédé* leur départ d'Issalane.

R. Frison-Roche, *La Piste oubliée,* Arthaud.

950. **Écrivez comme il convient les mots en italique. Mettez les verbes au présent de l'indicatif.**
La glissade. — Faire une *glissoir.* (mettez la lettre qui convient à la place du point) est une œuvre *long* et délicate. Des attelages de *marmouset traîner* les grands aux *large sabot plat.* On *courir*, on *suer*, on *crier*, on *expulser* les sabots *ferré*, on *s'essuyer* le nez du *rever.* (mettez la lettre qui convient

à la place du point) de la manche. Peu à peu, la neige se tasse, *durcir,* brille...

Les intrépides *se lancer, filer debout.* Les peureux *vaciller,* bras et jambes *écarté, penché* en avant, *accroupi.* Les apprentis *faire* la piste sur le ventre (*ou, où :* choisissez) sur le dos ; on *s'élancer* à la file, on *se rejoindre,* tout *culbuter* et *dévaler* et *s'entasser* avec des .urlements (mettez la lettre qui convient à la place du point) de joie.

Certain jour de glissade m'ont *valu* la correction. Mais *quel* soirée sur cette rigole *glacé, miroitant...* J'avais le nez pourpre, les mains *gonflé,* les cuisses et les mollets *brûlé* par la laine humide... L'irréparable, c'est que — *bridé,* tout *neuf* le matin — les sabots étaient *percé.*

Jules Cressot, Le Pain au lièvre, Stock.

951. Écrivez comme il convient les mots en italique.
La rue. — La rue est faite pour qu'on y passe, mes enfants, et non pour qu'on y *jouer* (présent de l'ind.). Ne vous *attarder* (présent de l'imp.) jamais dans la rue...

Qu'*être* (imp. de l'ind.) à nos yeux, les *péril* de la rue au prix de (*ses* ou *ces :* choisissez) enchantements. A peine *sorti* de l'école, nous *flairer* (imp. de l'ind.) comme de *jeune limier* tout le long des *trottoir chaud,* les *inquiétante odeur* de la j.ngle (mettez la lettre qui convient à la place du point) citadine. J'*aimer* (imp. de l'ind.) la rue Vercingétorix, la rue du Château, la rue de l'Ouest et si je *ressus.ite* (mettez la lettre qui convient à la place du point) un jour, fantôme aveugle, c'est au nez que je *reconnaître* (imp. de l'ind.) la patrie de mon enfance. Senteurs d'une fruiterie, *fraîche, acide* qui vers le soir *s'attendrir* (présent de l'ind.). Fumet de la blanchisserie qui *sentir* (présent de l'ind.) le linge (*roussi* ou *roussit :* choisissez). Bouquet chimique du pharmacien qu'*illuminer* (présent de l'ind.), dès la chute du jour, une flamme rouge, une flamme verte, *noyé, toute* les deux dans des *bocal rond.*

G. Duhamel, Le Notaire du Havre, Mercure de France.

952. Écrivez comme il convient, s'il y a lieu, les mots en italique.
Souvenir d'enfance. — (*C'est* ou *s'est*) dans la maison de mes *grand-parent* (*a* ou *à*) la campagne, je *vouloir* (prés. de l'ind.) dire à St Maur, que je *naître* (passé simp.).

Je *couch...* (imp. de l'ind.) dans la chambre de mes parents, j'en *revoir* (prés. de l'ind.) le papier (*a* ou *à*) ramage d'une *tonalité bleu clair.* Mon petit lit était *placé* (*près* ou *prêt*) de la cheminée et dans mon souvenir *s'éveiller* (prés. de l'ind.) les *inflexions caressant* de la (*voix* ou *voie*) de ma mère quand, *penché* sur moi, elle me *parler* (imp. de l'ind.) pour m'*aid...* (*é* ou *er*) (*a* ou *à*) trouv... (*é* ou *er*) un paisible sommeil.

Cette chambre était spacieuse heureusement, car elle était un peu *encombré* de *meuble.* Outre le lit-bateau de mes parents et le mien, elle *contenir* imp. de l'ind.) une armoire, une commode (*ou* ou bien *où*) *chaque nuit* la flamme d'une veilleuse (*a* ou *à*) huile *répandre* (imp. de l'ind) sa lueur *discret* et *rassurant*, enfin un piano dont ma mère *jouer* (imp. de l'ind.) (*quand* ou *quant*) elle avait un moment de répit (*ou* ou bien *où*) de détente. Ils étaient *rare*.

Édouard Bled, Mes écoles, Robert Laffont.

953. Écrivez comme il convient, s'il y a lieu, les mots en italique. Mettez les verbes à l'imparfait de l'indicatif.
Marché marocain. — C'était jeudi, jour du marché. La grande cour *entouré* d'*arcade foisonner* de *bête* et de gens. Dans la poussière, le purin et les *flaque d'eau* (*près* ou *prêt* : choisissez) du *pui*... (mettez les lettres qui conviennent à la place des points), *âne, cheval, mulet, mouton, chat rapide* et comme *sauvage, chien* du bled au poil jaune, *pareil* à des *chacal*, poules *affairé* et *glouton, pigeon* sans cesse en route entre la terre et le toit, cent *animal vaguer, bondir, voleter* (*ou, où* : choisissez) *dormir* au soleil autour des *chameau immobile, lent vaisseau* du désert *ancré* dans le fumier desséché. Sous les arcades *ânier* et *chamelier se reposer* (*a* ou *à* : choisissez) l'ombre parmi les *selle* et les *bât, jouer* aux *carte* et *au* échecs ou à *quelque jeu semblable.* C'était un spectacle charmant, *tout* ces bêtes *rassemblé* (*la* ou *là* : choisissez) comme dans une arche de Noé. *Accroupi* sur *leur genou*, les chameaux *balancer*, au bout de *leur cou inélégant*, des têtes *pensive* et un peu *vaine.*

Jérôme et Jean Tharaud, Rabat, ou les Heures marocaines, Plon.

954. Écrivez comme il convient, s'il y a lieu, les mots en italique. Mettez les verbes à l'imparfait de l'indicatif.
A travers la maison. — J'*aller* seul et par jeu, chercher du bois dans le bûcher, salle basse attenante à la cuisine et qu'une petite fenêtre *éclairer*. Les *fagot empilé*, les tas de *pomme rainette*, les *pomme de terre fleurer* (part. prés.) le sillon, l'*emplir* d'une senteur d'*auto.ne* (mettez la lettre qui convient à la place du point), qui *suffire* peut-être par ce qu'elle *évoquer* des sous-bois et des champs (*a* ou *à* : choisissez) chasser toute idée gênante. J'y *jouer* à balancer les *tresse d'oignon doré accroché* aux *poutre basse* sur ... (mettez le pronom relatif qui convient) *sécher* des *pain de savon* ; parfois l'un des bulbes *détaché, rouler* dans le bruit de sa pelure plus fine qu'un *él.tre* (mettez la lettre qui convient à la place du point) de hanneton. Je *traverser* cet endroit d'un pied sûr pour gagner une autre pièce dans ... (mettez le pronom relatif qui convient) *au jour* de la récolte *manger* les vendangeurs et qui, vide toute l'année, *garder* sur (*ses* ou *ces* : choisissez) *banc long* et (*ses* ou *ces* : choisissez) *table grasse* l'odeur vineuse des *repas paysan.*

A. Lafon, L'Élève Gilles, Librairie Académique Perrin.

955. Écrivez comme il convient, s'il y a lieu, les mots en italique.
Installation. — Le hasard des changements nous *conduire* (pl.-q.-parf. de l'ind.) (*la* ou *là :* choisissez). Vers la fin des vacances, il y a bien longtemps, une voiture de paysan, qui *précéder* (imp. de l'ind.) notre ménage, nous avait *déposé,* ma mère et moi, devant la petite grille *rouillé.* Des gamins qui *voler* (imp. de l'ind.) des pêches dans le jardin *s'enfuir* (pl.-q.-parf. de l'ind.) silencieusement par les *trou* de la haie... Ma mère que nous *appeler* (imp. de l'ind.) Millie, et qui était bien la ménagère la plus *mét.odique* (mettez la lettre qui convient à la place du point) que j' jamais *connaître* (passé du subj.), était *rentré* aussitôt dans les pièces *rempli* de paille poussiéreuse, et tout de suite elle *constater* (pl.-q.-parf. de l'ind.) avec désespoir que nos meubles ne *tenir* (condit. prés.) jamais dans une maison si mal *construit*...
Elle était *sorti* pour me confier sa détresse... Tout en parlant, elle *essuyer* (pl.-q.-parf. de l'ind.) doucement, avec son mouchoir, ma figure *noirci* par le voyage.

Alain-Fournier, Le Grand Meaulnes, Émile-Paul.

956. Écrivez comme il convient, s'il y a lieu, les mots en italique.
La cueillette du riz. — La grande aire était maintenant *dépouillé* de sa richesse et nous *regagner* (imp. de l'ind.) en cortège le village, *précédé* de l'inlassable joueur de tam-tam et *lancer* (part. prés.) à *tout* les échos la chanson du riz.
Au-dessus de nous, les hirondelles déjà *voler* (imp. de l'ind.) plus bas, bien que l'air *être* (imp. du subj.) toujours aussi transparent, mais la fin du jour *approcher* (imp. de l'ind.). Nous *rentrer* (imp. de l'ind.) heureux, las et heureux. Les *géni..* (mettez les lettres qui conviennent à la place des points) nous avaient constamment *secondé,* pas un de nous qui *être mordu* (pl.-q.-parf. du subj.) par les serpents que notre piétinement dans les champs *déloger* (pl.-q.-parf. de l'ind.). Les fleurs que l'approche du soir *réveiller* (imp. de l'ind.), *exhaler* (imp. de l'ind.) de nouveau *tout* leur parfum et nous *envelopper* (imp. de l'ind.) comme de *fraîche guirlande.* Si notre chant *être* (pl.-q.-parf. de l'ind.) moins puissant, nous *percevoir* (condit. passé 2ᵉ f.) le bruit familier des fins de journée : les *cri,* les *rire éclatant mêlé* aux *long meuglement* des *troupeau* rejoignant l'*enclo.* (mettez la lettre qui convient à la place du point) ; mais nous chantions ! *A.* ! (mettez la lettre qui convient à la place du point) que nous étions heureux (*ces* ou *ses :* choisissez) jours-là !

Camara Laye, L'Enfant noir, Plon.

DIFFICULTÉS ORTHOGRAPHIQUES

abri	bracelet	dépôt	excellence
abriter	brassard	déshonneur	exigeant
absous p. passé m.	cahute	déshonorer	exigence
absoute p. passé f.	hutte	déshonorant	fabrique
accoler	cantonnier	détoner	fabricant
coller	cantonal	détonation	famille
adhérant p. prés.	ceindre	tonner	familial
adhérent adj. et n. m.	cintrer	tonnerre	familier
adhérence	chaos	diffamer	fatiguant p. prés.
affluant p. prés.	chaotique	infamant	fatigant adj.
affluent n. m.	chaton	différant p. prés.	infatigable
affluence	chatte	différent adj.	favori adj. m.
affoler	charrette	différence	favorite adj. f.
affolement	charroi	différentiel	fourmiller v.
follement	chariot	discuter	fourmillement
folle	colonne	discutable	fourmilier
Afrique	colonnade	discussion	fourmilière
Africain	colonel	dissoner	fusilier
alléger	confidence	dissonance	fusillade
alourdir	confidentiel	dissous adj. m.	fût
annuler	cône	dissoute adj. f.	futaie
annulation	conique	donner	grâce
nullité	consonne	donneur	gracieux
nullement	consonance	donation	jeûner
attraper	combattant	donataire	déjeuner
attrape	combatif	égoutter	honneur
trappe	côte	égoutier	honorer
trappeur	côté	émerger	honorable
barrique	coteau	immerger	homme
baril	courir	équivalant p. prés.	homicide
basilic (le) n. m.	coureur	équivalent adj.	imbécile
basilique (la) n. f.	courrier	équivalence	imbécillité
bonasse	concourir	essence	immiscer
bonifier	concurrent	essentiel	immixtion
bonne	concurrence	étain	intrigant adj. m.
débonnaire	cuisseau (bouch.)	étamer	intriguant p. prés.
bonhomme	cuissot (gibier)	excellant p. prés.	infâme
bonhomie	déposer	excellent adj.	infamie

ORTHOGRAPHE D'USAGE

invaincu
invincible
jus
juteux
mamelle
mamelon
mammifère
mammaire
millionnaire
millionième
monnaie
monétaire
musique
musical
négligeant p. prés.
négligent adj.
négligence
nommer
nommément
nominal

nomination
nourrice
nourricier
nourrisson
nourrissant
patte
pattu
patiner
patin
patronner
patronnesse
patronal
patronage
pestilence
pestilentiel
pic (le) n. m.
pique (la) n. f.
pôle
polaire
précédant p. prés.

précédent adj.
préférence
préférentiel
présidant p. prés.
président n. m.
présidence
présidentiel
providence
providentiel
rationnel
rationalité
réflecteur
réflexion
résidant p. prés.
résident n. m.
résidence
salon
salle
siffler
persifler

sonner
sonnette
sonnerie
sonore
sonorité
souffrir
soufrer
souffler
essouffler
essoufflement
boursoufler
substance
substantiel
tâter
tâtonner
tatillon
teinture
tinctorial
vermisseau
vermicelle

QUELQUES MOTS DONT L'ORTHOGRAPHE ET LA PRONONCIATION NE CORRESPONDENT PAS

femme
solennel
solennité
solennellement
ardemment
évidemment
excellemment
innocemment
intelligemment
patiemment
prudemment
récemment
violemment
automne
condamner
second
seconde
seconder

secondaire
parasol
tournesol
vraisemblable
vraisemblance
Alsace
Alsacien
aquarelle
aquarelliste
aquarium
aquatique
équatorial
équation
loquace
loquacité
quadragénaire
quadrangulaire
quadriennal

quadrige
quadrilatéral
quadrilatère
quadrupède
quadrupler
quaternaire
quatuor
in-quarto
squale
square
poêle
poêlée
poêlon
poêlier
faon
paon
taon
asthme

monsieur
messieurs
examen
album
géranium
minium
muséum
préventorium
rhum
sanatorium
sérum
ns. faisons
je faisais
tu faisais
il faisait
ns. faisions
vs. faisiez
ils faisaient

INDEX ALPHABÉTIQUE

LES NUMÉROS RENVOIENT AUX PAGES

TABLE DES MATIÈRES

ORTHOGRAPHE GRAMMATICALE

CONJUGAISON

TABLE DES MATIÈRES

ORTHOGRAPHE D'USAGE

Imprimé en France par Mame Imprimeurs, à Tours
Dépôt légal 0955-11-1988 — Collection n° 05 — Édition n° 05

11/4927/7